W9-BXQ-318

孽子

白先勇

寫給那一群，在最深最深的黑夜裡，
獨自徬徨街頭，無所依歸的孩子們。

目錄

第一部　放逐／6
第二部　在我們的王國裡／9
第三部　安樂鄉／225
第四部　那些青春鳥的行旅／369
研悲情為金粉的歌劇——白先勇小說在歐洲　尹玲／392
白先勇年表／399

第一部

放逐

1

三個月零十天以前，一個異常晴朗的下午，父親將我逐出了家門。陽光把我們那條小巷照得白花花的一片，我打著赤足，拚命往巷外奔逃，跑到巷口，回頭望去，父親正在我身後追趕著。他那高大的身軀，搖搖晃晃，一隻手不停的揮動著他那管從前在大陸上當團長用的自衛槍。他那一頭花白的頭髮，根根倒豎，一雙血絲滿佈的眼睛，在射著怒火。他的聲音，悲憤，顫抖，嘎啞的喊道：畜生！畜生！

2

佈告

查本校夜間部高三下丙班學生李青於本月三日晚十一時許在本校化學實驗室內與實驗室管理員趙武勝發生淫猥行為為校警當場捕獲該生品行不端惡性重大有礙校譽除記大過三次外並勒令退學以儆效尤。

特此公告

省立育德中學校長高義天

中華民國五十九年五月五日

第二部

在我們的王國裡

1

在我們的王國裡，只有黑夜，沒有白天。天一亮，我們的王國便隱形起來了，因為這是一個極不合法的國度：我們沒有政府，沒有憲法，不被承認，不受尊重，我們有的只是一群烏合之眾的國民。有時候我們推舉一個元首——一個資格老，丰儀美，有架式，吃得開的人物，然而我們又很隨便，很任性的把他推倒，因為我們是一個喜新厭舊，不守規矩的國族。說起我們王國的疆域，其實狹小得可憐，長不過兩三百公尺，寬不過百把公尺，僅限於台北市館前路新公園裡那個長方形蓮花池周圍一小撮的土地。我們國土的邊緣，都栽著一些重重疊疊，糾纏不清的熱帶樹叢：綠珊瑚、麵包樹，一棵棵老得鬚髮零落的棕櫚，還有靠著馬路的那一排終日搖頭嘆息的大王椰，如同一圈緊密的圍籬，把我們的王國遮掩起來，與外面世界暫時隔離。然而圍籬外面那個大千世界的威脅，在我們的國土內，卻無時無刻不尖銳的感覺得到。叢林外播音台那邊，那架喧囂的擴音機，經常送過來，外面世界一些聳人聽聞的消息。中廣公司那位女廣播員，一口京腔，咄咄逼人的叫道：美國太空人登陸月球！港台國際販毒私梟今晨落網！水肥處貪污案明日開庭！

我們一個個都豎起耳朵，好像是虎狼滿佈的森林中，一群劫後餘生的麋鹿，異常警覺的聆聽著。風吹草動，每一聲對我們都是一種警告。只要那打著鐵釘的警察皮靴，咯軋咯軋，從那片棕櫚叢中，一旦侵襲到我們的疆域裡，我們便會不約而同，倏地一下，做鳥獸散。有的竄到播音台前，混入人堆中；有的鑽進廁所裡，撒尿的裝撒尿，拉屎的裝拉屎；有的逃到公園大門，那座古代陵墓般的博物館石階上，躲入那一根根矗立的石柱後面，在石柱的陰影掩蔽下，暫時獲得苟延殘喘的機會。我們那個無政府的王國，並不能給予我們任何的庇護，我們都得仰靠自己的動物本能，在黑暗中摸索出一條求存之道。

我們這個王國，歷史曖昧，不知道是誰創立的，也不知道始於何時，然而在我們這個極隱密、極不合法的蕞爾小國中，這些年，卻也發生過不少可歌可泣，不足與外人道的滄桑痛史。我們那幾位白髮蒼蒼的元老，對我們提起從前那些斑斑往事來，總是頗帶感傷而又不免稍稍自傲的嘆息道：

「唉，你們哪裡趕得上那些日子？」

據說若干年前，公園裡那頃蓮花池內，曾經栽滿了紅睡蓮。到了夏天，那些睡蓮一朵朵開放了起來，浮在水面上，像是一盞盞明艷的紅燈籠。可是後來不知為了甚麼，市政府派人來，把一池紅蓮拔得精光，在池中央起了一座八角形的亭閣，池子的四周，也築了幾棟紅柱綠瓦的涼亭，使得我們這片原來十分原始樸素的國土，憑空增添了許多矯飾的古香古色，一片世俗中透著幾分怪異。我們那位元老提起此事，總不免撫今追昔的惋嘆：

「那些鮮紅的蓮花喲，實在美得動人！」

於是他們又互相道出一些我們從來沒有聽過的姓名，追懷起一些令人心折的古老故事來。那些故事的主角，都是若干年前，脫離了我們的國籍，到外面去闖江湖的英雄好漢。有的早已失蹤，音訊俱杳。有的夭折，墓上都爬滿了野草。可是也有的，卻在五年、十年、十五年、二十年後，一個又深又黑的夜裡，突然會出現在蓮花池畔，重返我們黑暗王國，圍著池子急切焦灼的輪迴著，好像在尋找自己許多年前失去了的那個靈魂似的。於是我們那些白髮蒼蒼的元老們，便點著頭，半閉著眼，滿面悲憫，帶著智慧，而又十分感慨的結論道：

「總是這樣的，你們以為外面的世界很大麼？有一天，總有那麼一天，你們仍舊會乖乖的飛回到咱們自己這個老窩裡來。」

2

昨天，台北市的氣溫又升到了攝氏四十度。報紙上說，這是二十年來，最炎熱、最乾旱的一個夏天。整個八月，一滴雨水也沒下過。公園裡的樹木，熱得都在冒煙。那些棕櫚、綠珊瑚、大王椰，一叢叢鬱鬱蒸蒸，頂上罩著一層熱霧。公園內蓮花池周圍的水泥台階，台階上一道道的石欄杆，白天讓太陽曬狠了，到了夜裡，都在噴吐著熱氣。人站在石階上，身上給熱氣熏得暖烘烘、癢麻麻的。天上黑沉沉，雲層低得壓到了地面上一般。夜空的一角，一團肥圓的大月亮，低低浮在椰頂上，昏紅昏紅的，好像一隻發著猩紅熱的大肉球，帶著血絲。四周沒有一點風，樹林子黑魆魆，一棵棵靜立在那裡。空氣又濃又熱又悶，膠凝了起來一般。

因為是周末的晚上，我們都到齊了，一個挨著一個，站在蓮花池的台階上，靠著欄杆，把池子圍得密密的，池子的周圍，浮滿了人頭，在黑暗中，一顆顆，晃過來，晃過去，在繞著池子打圈圈。在幽冥的夜色裡，我們可以看到，這邊浮著一枚殘禿的頭顱，那邊飄著一綹痲白的髮鬢，一雙雙睜得老大、閃著慾念的眼睛，像夜貓的瞳孔，在射著精光。低低的、沙沙的，隱秘的私語，在各個角落，嗡嗡嚶嚶的進行著。偶爾，一下孟浪的笑聲，會唐突的迸發到濃烈的夜空裡，向四處滾跳過去。當然，這陣放肆的笑聲，是從我們的師傅楊教頭那兒發出來的。楊教頭穿著一身絳紅的套頭緊身衫，一條黑得發亮的奧龍褲子，卻把個屁股包得扎扎實實隆在身後，一個胖大的肚子箍得圓滾滾的挺在身前，好像前後都掛著一只大氣球似的。楊教頭穿來插去，在台階上來回巡邏，忙著跟大家打招呼。手中擎著一柄兩尺長的大紙摺扇，扇一張，便亮出扇面「清風徐來」，扇底「好夢不驚」，八個龍飛鳳舞的大字來。楊教頭喘噓噓的叫著、笑著，一走動，身前身後的肉皮球，便顫抖抖，此起彼落的波動起來，很囂張、很有架式。楊教頭自己封為公園裡的總教頭。他說，我們這個老窩裡，地上有幾根草他都數得出，在他手下調理出來的徒子徒孫，少說些，怕也不下三五十人。他常常揮舞著他手上那柄兩尺長的摺扇，一桿指揮棒似的，猛的戳到我們面前來，喝罵道：

「這起屄養的，師傅在公園出道，你們還都在娘胎裡頭呢！敢在師傅面前逞強麼？吃屎不知香臭的兔崽子們！」

有一次，小玉穿了一件猩紅翻領襯衫，一條寶藍喇叭褲，腳下的半筒靴，磕跺磕跺，在台階上亮來亮去，很俊、很帥、很騷包。不知怎的卻觸怒了我們師傅，他伸手一招鎖骨擒拿法，便將小玉一隻手扭到了背後去，冷笑道：

「你這幾根輕骨頭，亮給誰看？在師傅面前獻寶麼？可知道師傅像你那點年紀，票戲還去楊宗保呢！你的骨頭有幾斤，我倒要來稱一稱。」

說著，另一隻手在小玉脖子狠狠一捏，小玉痛得直叫哎喲，一連討了二十個饒。我們的師傅楊金海總教頭，在公園裡確實是個很有來歷、很有身價的人物。他是我們的開國元老，公園裡的人，他泰半相識，各人的脾性好惡，他統統摸得一清二楚。楊教頭，手段圓滑，八面玲瓏，而且背後還有幾個有頭有臉的人替他撐腰，所以在公園裡很吃得開。從前楊教頭在中山北路六條通裡幾家酒館飯店都當過經理領班，各色人等應付過，見聞廣博，路子特多，許多酒店旅館都有他的眼線。哈囉哈囉，洋涇濱的英文，他說得出一大串，多得死嘎，日本話也能來幾句，因此人又叫他六條通，條條都通。

據說我們師傅楊教頭從前也是好人家的子弟。他老爸在大陸上還在山東煙台當過地方官呢，跑到台灣卻在台北六條通開了一家叫桃源春吃消夜的小酒館來，楊教頭便在酒館子裡替他父親掌櫃。那時候，公園裡的人，夜夜都去桃源春捧場，生意著實興盛了一陣。後來公園裡的流氓也夾了進去，勒索生事，把警察招了去。有些人怕事，便不上門了。生意一淡，關門大吉。後來別人又陸續開了瀟湘、香檳、六福堂，但統統不成氣候。公園裡的人，至今還是懷念著楊教頭那家桃源春。他們說，冬天夜裡，公園裡冷了，大家擠到桃源春去，暖一壺紹興酒，來兩碟滷菜。大家醺醺然，敲碗的敲碗，敲碟的敲碟，勾肩搭背，一齊哼幾支流行曲子，那種情調實在是好的。楊教頭提起桃源春，便很得意：

「我那家桃源春麼，就是個世外桃源！那些鳥兒躲在裡頭，外面的風風雨雨都打不到，又舒服又安全。我呢，就是那千手觀音，不知道普渡過多少隻苦命鳥！」

後來楊教頭跟他老爸鬧翻了，跑了出來。原因是老頭子銀行裡的存款，他狠狠的提走了一大筆。據說那筆錢，完全用在了我們師傅的寶貝乾兒子原始人阿雄仔的身上。阿雄仔是山地郎，會發羊癲瘋的，走著走著，噗通就會倒下去，滿嘴吐著白沫子。那次他昏倒在馬路上，一雙腿讓汽車撞斷了，在台灣療養院住了半年，花了幾十萬，是楊教頭出的錢。阿雄仔身高六呎三，通身漆黑，胸膛上的肌肉塊子鐵那麼硬。一雙手爪，大得出奇，熊掌一般。有時候，他跟我們開玩笑，傻楞楞的伸出一雙大手，抱住我們，使勁一摟。他的臂力大得驚人，吃他箍一下，全身的骨頭都軋碎了似的，痛得我們大叫起來。阿雄仔最好吃，我們逗他，拿根冰棒在他臉上晃一下，說：「叫聲哥哥！」他便伸手來搶，咧開嘴傻笑，咬著大舌頭，叫道：「高高、高高。」其實他比我們要大十幾歲，總有三十了。每次出來，他跟在楊教頭身後，手裡總是大包小包拎著：陳皮梅、加應子，花生酥，一面走一面往嘴裡塞，見了我們，便揚起手裡的零食，叫道：「要不要？」我們每人，他都分一點。有時楊教頭看不過去，便用扇子敲他一記腦袋，罵道：

「你窮大方吧，回頭搞光了，我買根狗屌給你吃！」

「徒弟們，還傻站在這裡幹麼？」我們師傅楊教頭踅到我們堆子裡來，一把扇子指點了我們一輪，喝道：「那些大魚回頭一條條都讓三水街的小么兒釣走了，剩下幾根隔夜油條，我看你們有沒有胃口要？」

說著楊教頭唰一下，豁開了他那柄大摺扇，「清風徐來」、「好夢不驚」，拚命搧動起來。原始人阿雄仔豎在楊教頭身後，龐然大物，好像馬戲團裡的大狗熊一般。他穿著一件亮紫尼龍運動衫，嶄新的，把他胸膛上的肌肉，繃得塊塊凸起。

「嚄，阿雄仔，你這件新衣裳好帥，是老龜頭送給你的吧？」

小玉伸出手去搥了一下阿雄仔的胸膛，我們都笑了起來。我們想激我們師傅，就拿阿雄仔來開胃，老龜頭是個六十開外的老色鬼，頸子上長滿了牛皮癬。公園裡的人，誰也不理他，他只有躲在黑暗裡，趁我們不防備，猛伸出手來，抓我們一把。有一次，他拿了一包煮花生，把阿雄仔哄走了。事後我們師傅氣得發昏，揪住老龜頭，打得臭死。

「你他媽狗娘養的，你那一身才是老龜頭送的呢！」楊教頭一把扇子戳到小玉額上，罵道：「雄仔這件衣裳麼，你問問他自己，是誰買給他的？」

「達達買給我的，」阿雄仔咬著大舌頭，癡笑道。

「傻子，在哪裡買的？」

「今日公司。」

「多少錢？」

「一百——」

「他娘的，一百八！」楊教頭一個響巴掌打到阿雄仔寬厚的背上，呵呵的笑了起來，「啊唷！這個小賊，原來躲在這裡——」

楊教頭發現老鼠畏畏縮縮躲在小玉身後，搶前一把，揪住了老鼠的耳朵，把他拖了出來，捉住老鼠的手梗子，喝道：

「你們快去拿把刀來，我來把這雙賊爪子剁掉！這雙賊手留來做甚麼？一天到晚只會偷雞摸狗！找死也不找好日子，我介紹人給你，要你去打炮，誰許你偷別人東西的？師傅的臉都讓你丟盡了！不等人家報警，我先把你這個死賊揪進警察局去，狠狠的修理修理，明天我就去告訴烏鴉，叫他把你吊起來打！」

「師傅——」老鼠掙扎著，倉皇叫道，一張瘦黃的小三角臉，扭曲得變了怪相。

「哦，」楊教頭冷笑道，「你也知道害怕？上次不是我講情，烏鴉早揍死你了，鋼絲鞭的滋味你還記得麼？」

楊教頭揚手便給了老鼠兩下耳光，打得老鼠的頭晃過來，晃過去，然後又用扇柄戳了他兩下額頭，才帶著阿雄仔揚長而去。他那一身肥肉，很有節奏的前後起伏波動著。

「你又偷人家甚麼東西了？」小玉問道。

「我不過拿了他一枝鋼筆罷咧，甚麼屁稀奇！」老鼠撇了撇嘴，吐了一泡口水，「那個死郎，講好三百，只給了老子兩百。」

「喲，你甚麼時候又漲價了？三百？」小玉詫異道。

老鼠訕訕的咧開嘴，忸怩了半天，才吞吞吐吐道：

「他要來那一套。」

他伸出他那根細瘦的手臂，撈起袖子，露出膀子來。我們都湊過去看，藉著碎石徑那邊射過來的螢光燈，我們看見老鼠那青瘦的臂膀上，冒著三枚烏黑的泡瘡。

「喔唷，這是甚麼玩意兒？」小玉用手去摸。

「哎——」老鼠觸電般跳了起來，「別碰，好痛，是火泡子——那個死郎用香煙頭燒的。」

「你這個該死的賤東西，你又搞這一套了，」小玉指著老鼠的鼻尖說道，「總有一天你撞見鬼，把你剁成肉餅吃掉！」

老鼠吱吱傻笑了兩聲，齜著他那一口焦黃的牙齒。

「小玉，」老鼠低聲懇求道，「你去替我向師傅講一講，千萬別去告訴烏鴉好不好？」

「我替你講情，你怎麼謝我？請我去看新南陽的《吊人樹》吧？」小玉揪了老鼠耳朵一下，「你這個小賊，以後偷了東西，別忘記跟小爺分贓。」

「沒有問題，」老鼠咧開嘴笑道，他低下頭去，抬起手臂，瞅著他自己臂上那幾枚烏黑的燎泡，好像很感興味似的。

小玉去了一會兒，回來向老鼠說道：

「師傅講：暫且饒了你這條小狗命，下次再犯，一定嚴辦！瞧瞧你那副德性，提到烏鴉便嚇得屁滾尿流！我問你，你到底怕他甚麼？是不是他那個東西特別大，把你的魂嚇掉了還是怎的？」

我們都大笑起來，老鼠也跟著我們笑得吱吱叫。烏鴉是老鼠的長兄，老鼠說，他自小便沒了爹娘，是在烏鴉家裡長大的。烏鴉在江山樓晚香玉當保鑣，脾氣兇暴得不得了。老鼠在他那裡，整天讓他拳打腳踢，像個小奴隸一般。我們問老鼠為甚麼不跑出來。老鼠聳聳肩，也講不出甚麼理，他說他跟烏鴉跟慣了。有一次，老鼠偷了一個客人一只手錶，警察找到烏鴉家。烏鴉把老鼠吊了起來，一根三尺長的鋼絲鞭一頓狠抽，打得老鼠許久伸不直腰，見了我們，佝起背，歪扯著臉，笑得一副怪模樣。

「阿青。」

小玉在我耳朵旁叫了一下，悄悄扯了我一把衣裳。我跟著他，走下台階，鑽進那叢樟木林中去。

「拜託，拜託，」小玉抓住我的手臂，興奮的央求道。

「怎麼樣？又要我替你圓謊？怎麼請我吧。」

「好兄弟，明天我帶兩個大芒果回來給你吃，」小玉笑道，「回頭老周來找我，你就說我阿母生病，回三重埔去了。」

「算了吧，」我搖手笑道，「上次也是說你老母有病，他還信麼？」

「管他信不信！」小玉冷笑道，「我又沒有賣給他。懶得跟他吵罷咧！」

老周是小玉的乾爹，兩個人好好分分也有一年多了。老周在中和鄉開了一家染織廠，手頭還很寬，一天到晚給小玉買東西。上個禮拜，老周才送給小玉一只精工錶，小玉戴著那只精工錶，到處亮給人看：「是老周買給我的！」我問小玉，是不是跟定老周了，小玉卻吁了一口氣，嘆道：「老頭子對我不錯的，就是管得太狠，吃不消！」老周逼小玉搬到中和鄉跟他住，小玉不肯，只答應一個禮拜去三四天。小玉是匹小野馬，老周降不住他，兩人常常為了這個吵架。

「這次又是個甚麼新戶頭啦？」我問道。

「告訴你，千萬替我保密，是個華僑。」

「嘿，拜華僑乾爹了呢！」

「師傅告訴我，是從東京來的，本省人，據說很神氣，我這就到六福客棧去見他去。」

小玉說著，蹦蹦跳跳，便往樹林子外面跑去，一面又回頭向我叫道：

「老周那裡千萬拜託！」

樹林中都是毒蚊子，站了片刻工夫，我的手臂已經給叮起好幾個皰了。我抓著癢，往外走去。突然身後有一隻手，搭到我肩上。

「誰？」

我嚇了一跳，猛回轉身，卻看見吳敏那張臉，在幽暗中，好像一張飄在空中的白紙一般。

「是你呀！甚麼時候出院的？」

「今天下午。」吳敏的聲音微弱、顫抖。

「你這個傢伙，出來了也不告訴我們一聲！」

「我就是來找你們的，剛才老鼠告訴我，你跟小玉到這裡來了。」

我朝蓮花池那邊走去，吳敏卻一把抓住我的手臂央求道：

「不要到那邊去好麼？人那麼多。」

我回轉身，往公園大門博物館那邊走去，小徑兩旁的螢光路燈，紫色的燈光，照在吳敏臉上，好像塗了一層蠟一般，慘白慘白，一點血色也沒有。他那張原來十分清秀的面龐，兩腮全削下去，一雙烏黑露光的大眼睛，坑得深深的。他舉起手，去擦額上的汗，我發覺他左腕上，仍然繫著一圈紗布繃帶，好像戴著一只白手銬似的。那天吳敏躺在台大醫院急診室裡，左手腕上割下了兩寸長的一道刀痕，鮮紅的筋肉都翻了出來，淌得一身的血。吳敏沒錢交不出保證金，醫院不肯替他輸血。幸虧我、小玉、老鼠我們三人及時趕到，一個人輸了五百CC的血給他，才保住了他一條性命。他見了我們，兩隻失神的大眼睛眨巴眨巴，嘴巴張了半天，一句話也說不出來。小玉卻氣得蹦跳，罵道：

「你媽的，這種下作東西，為甚麼不去跳樓？摔死不乾脆些？還要小爺來輸血！」

吳敏割腕的前一天，還到公園裡來，見到我們，說道：

「阿青，我不想活了。」

他說時，笑笑的，我們都以為他在開玩笑。小玉接口道：

「你去死，你去死，你死了我來替你燒紙錢！」

誰知道他真的用把刀片把手腕割得鮮血淋淋。

「阿青——」吳敏囁嚅的叫了我一聲，我們在博物館石階上，背靠著石柱坐了下來。

「嗯？」我望著他。

「你能借點錢給我麼？」吳敏一直低著頭，「我還沒吃晚飯。」

我伸手到褲袋掏了半天，掏出了三張縐癟癟帶著汗臭的十元鈔票來，遞給了他。

「就是這點了。」

「過兩天再還給你，」吳敏含糊說道。

「免啦，」我揮了揮手，「你沒錢，為甚麼不向師傅去討？」

「不好意思再向他開口了，」吳敏乾笑了一下，「住院的錢都是他墊的，一萬多塊呢。」

「哇，這次師傅好大方！」我叫道，「到底你是他心愛的徒兒！」

「我答應他，以後一定要想辦法還他的。」

「這麼多錢，你一輩子也還不清。我勸你還是快點去找個有錢的乾爹，替你還債吧。」我笑道。

吳敏一直垂著頭，那隻綁著白紗布的手不停在地上劃字，半晌，幽幽的問道：

「阿青，那天你到張先生家，到底見到張先生沒有？他對你說些甚麼來著？」

吳敏割腕那天下午，我到敦化南路光武新村去找張先生。從前吳敏住在張先生家，我到那兒找過他一次，吳敏正跪在地板上，揪著一塊大抹布在擦地板。他打著赤膊，一雙光足，一頭的汗。他看見我非常高興，從冰箱裡拿了一瓶蘋果西打來請我喝。他跪在地板上，一面奮力擦，一面跟我聊天。張先生那間公寓佈置得非常華美，一套五件頭黑漆皮高靠背的大沙發，几案都是銀光閃閃克羅米架子鑲玻璃面的。客廳正面牆有一座高酒櫃，裡面擺著各式各樣的洋酒瓶。

「張先生這個家真舒服，我一輩子能待在這裡，也是願的。」吳敏仰起面對我笑道，他一臉緋紅，熱汗淋淋。

那天我到張先生家，張先生正靠坐在客廳裡一張沙發上，蹺著腳，在看電視，客廳裡放著冷氣，涼陰陰的。張先生只穿了一條鐵灰的綢睡褲，腳下趿著一雙寶藍緞子拖鞋。來開門的是蕭勤快——我們都叫他小精怪。小精怪長得濃眉大眼，精壯得像匹小蠻牛，但是一把嘴卻甜得像蜜糖，我們師傅楊教頭對他說道：

「小精怪，你那把嘴這麼會講話，樹上那隻八哥兒，你去替我哄下來。」

「張先生，」我進到客廳裡便對張先生說道：「吳敏自殺了。」

張先生起初吃了一驚。

「人呢？死了麼？」

「在台大醫院，手腕割開了，正在輸血。」

「哦——」

張先生舒了一口氣，卻又轉過頭去看電視了。彩色螢光幕上，映著〈群星會〉，青山和婉曲兩人正做著情人的姿態，在合唱：

菠蘿甜蜜蜜

菠蘿就像你

蕭勤快也踅了過來，一屁股坐在張先生旁邊，一隻腳卻蹺到沙發上，手在摳著腳丫子，兩個人好像同時都給青山和婉曲的歌吸住了，看著電視，眼睛也不眨一下。青山挽著婉曲的腰，踱來踱去，一首歌都快唱完了，張先生才猛然記起了似的，轉過頭來，問我道：

「吳敏自殺，你來找我幹甚麼？」

張先生大約四十上下，開了一家貿易洋行，專門出口塑膠玩具。他是個英俊的男人，鼻梁修挺，頭髮抿得一絲不苟，鬢腳微微帶著一絲花白。可是他那張削薄的嘴，右邊嘴角卻斜拖著一條深得發黑的痕跡，好像一逕掛著一抹冷笑似的。吳敏躺在急診室裡輸血的時候，在我耳根下央求：請張先生到醫院去一趟。可是我望著張先生嘴角那抹近乎兇殘的笑容，一時舌結，一句話也說不出來了。

「你來得正好，吳敏還有一包舊衣服留在這裡，你順便帶給他吧，」張先生說著卻向蕭勤快指示了一下，「去把那包衣服拿來。」

蕭勤快趕忙跳下沙發，跑到裡面去，取出一包舊衣服來。那是幾件發了黃縐成一團的內衣褲，還有兩件破舊的花襯衫。蕭勤快把那包舊衣服朝我手裡一塞，連翻了幾下他那雙鼓鼓的金魚眼，滿臉得色。我回到台大醫院，沒有把那舊衣服拿出來，我對吳敏說：張先生不在家。

「阿青，你知道，我在張先生家也住了一年多了。總是規規矩矩守在家裡，一次都沒有自己出來野過。張先生的脾氣不好，可是我總是順從他的。他愛乾淨，我天天都拚命擦地板。起初我不會燒菜，常挨罵。後來看食譜，看會了，張先生有次笑著對我說：『小吳，你的豆瓣鯉魚跟峨嵋的差不多了。』我高興得不得了，以為張先生心裡很喜歡呢。那曉得他那天無緣無故發了一頓脾氣，便叫我馬上搬走，多一天都不許留。我沒想到張先生竟是一個那樣沒有情義的人。阿青，你那天到底見著張先生沒有？他還在生氣麼？——」

吳敏的聲音從黑暗中傳來，顫抖抖的，聽得人心煩。突然間，我好像又看到了張先生在嘴角上那道深深的、兇殘的笑痕了似的，我打斷了吳敏的怨訴：

「我見著他了，他跟蕭勤快兩人坐在沙發上看電視，看〈群星會〉。」

「哦——」吳敏曖昧的嘆了一口氣，過了片刻，他立起身來。

「我先走了，我去買點東西吃。」

吳敏走下台階，他那張白紙一樣的臉，在黑暗裡飄泊著。

回到蓮花池那邊，已是午夜時分。播音台的擴音器已經寂滅，公園裡的遊人都已離去。於是我們的王國，從黑暗裡便倏地湧現了出來。蓮花池的台階上，黑影幢幢。三水街那一群小么兒，三三兩兩，木屐踏得啪噠啪噠，異常囂張。亭子那邊，我們那位年高望重的元老盛公，正拖著蹣跚的步子，蹭向我們的師傅楊教頭，衰疲的探問道：「有新鮮的孩子麼？」盛公已經老耄，而且背脊還患了嚴重的風濕。他找孩子作伴，只是為著陪他老人家消個夜，喝杯燒酒罷了。盛公晚上常常失眠，他說他只要看一看一張年輕的面靨，他那顆不甘寂寞的心，便如同服了一粒安眠藥似的，才肯消歇。盛公是萬年青影片公司的董事長，攝製過好幾張超級文藝愛情影片，賺了不少錢。據說盛公從前在上海自己也曾是位紅小生，跟許多有名的女明星配過戲，可是他卻無限感嘆的對我們說道：「榮華富貴有甚麼用？孩子，青春才是世上最寶貴的東西哪！」那個尾隨在老鼠後面，氣噓噓叫著「耗子精」的，是聚寶盆的江浙名廚盧司務，盧司務體重兩百零五磅，笑起來，好像一尊歡喜佛。他對老鼠有偏愛，「老鼠麼，我就喜歡他那幾根排骨，好像啃鴨翅膀，愈啃愈有味！」遠遠在樹林子那邊，掩掩藏藏，不敢拋頭露面的，是一群良家子弟的大學生；那幾個還來不及脫去制服的是外島回來，到台北度假的充員士兵；還有一些三重鎮到公園來打秋風登記有案的小流氓；還有西門町拍賣行、裁縫鋪、皮鞋店的小夥計。也有心臟科的名醫生，一位軍法官，還有曾經紅得發紫現在已經禿了頭常戴著一頂巴黎帽的台語明星；還有那位皺得滿面山川狂熱的追求美的影子的藝術大師，藝術大師常常說一些我們不甚明瞭的話：「肉體、肉體哪裡靠得住？只有藝術，只有藝術才能長存！」所以他把我們王國裡的美少年，都畫成了圖畫。當然，還有我們那位資格最老、歷盡滄桑的老園丁郭老。郭老一個人遠遠的企立在那棵綠珊瑚的下面，白髮白眉，睜著他那雙老眊的眼睛，滿懷悲憫的瞅著公園裡這一群青春鳥，在午夜的黑暗裡，盲目的、危急的，四處飛撲。郭老在長春路開了一家照相館青春藝苑。他收集了我們的照片，貼成了一本厚厚的相簿，取名「青春鳥集」。他把我編成八十七號，命名為小蒼鷹。

在我們這個王國裡，我們沒有尊卑、沒有貴賤，不分老少、不分強弱。我們共同有的，是一具具讓慾望焚煉得痛不可當的軀體，一顆顆寂寞得發瘋發狂的心。這一顆顆寂寞得瘋狂的心，到了午夜，如同一群衝破了牢籠的猛獸，張牙舞爪，開始四處狺狺的獵狩起來。在那團昏紅的月亮引照下，我們如同一群夢遊症的患者，一個踏著一個影子，開始狂熱的追逐，繞著那蓮花池，無休無止，輪迴下去，追逐我們那個巨大無比充滿了愛與慾的夢魘。

在黑暗中，我踏上了蓮花池的台階，加入了行列，如同中了催眠術一般，身不由己，繞著蓮花池，一圈一圈不停的轉著。黑暗中，我看見那一雙雙給渴望、企求、疑懼、恐怖，炙得發出了碧火的眼睛，像螢火蟲似的，互相追撲著。即使在又濃又黑的夜裡，我也尖銳的感覺得到，其中有一對眼睛，每次跟我打照面，就如同兩團火星子，落到我的面上，灼得人發疼。我感到不安，我感到心悸，可是我卻無法迴避那雙眼睛。那雙炯炯的眼睛，是那樣的執著、那樣的急切，好像拚命在向我探索，向我懇求甚麼似的。他是一個身材高瘦的陌生人，在公園裡，我從來沒有見他出現過。

「去吧，不礙事的，」我們師傅楊教頭在我身後湊近我耳根低聲指示道，「我看見他跟了你一夜了。」

那個陌生客已走下了台階，站在石徑那端一棵大王椰下，面朝著我這裡，高高的矗立在那裡，靜靜的，然而卻咄咄逼人的在那兒等待著。陌生客，平常我們都盡量避免，以免搭錯了線，發生危險。我們總要等我們的師傅鑑定認可後，才敢跟去，因為楊教頭看人，從來不會走眼。我走下台階，步到那條通往公園路大門的石徑上。我經過那位陌生客的面前，裝做沒看見他，逕自往大門走去，我聽見他跟在我身後的腳步聲，踏在碎石徑上。我走出公園大門，一直往前，蹭到台大醫院那邊，沒有人跡的一條巷子口路燈下，停下腳來，等候著。

在路燈下，我才看清楚，那個陌生客跟我站在一起，要比我高出大半個頭，總有六呎以上，一身嶙峋的瘦骨，一根根往外撐起。他身上那件深藍的襯衫，好像是繃在一襲寬大的骨架上似的。他那長方形的面龐，顴骨高聳，兩腮深削下去，鼻梁卻挺得筆直的，一雙修長的眉毛猛的往上飛揚，一頭厚黑的濃髮，蓬鬆鬆的張起。他看起來，大約三十多歲，臉上的輪廓該十分直挺的，可是他卻是那般枯瘦，好像全身的肌肉都乾枯了似的。只有他那雙深深下陷、異常奇特的眼睛，卻像原始森林中兩團熊熊焚燒的野火，在黑暗中碧熒熒的跳躍著，一逕在急切的追尋著甚麼。當他望著我，露出一絲笑容的時候，我便提議道：

「我們到圓環去。」

3

瑤台旅社二樓二五號房的窗戶，正遙遙向著圓環那邊的夜市。人語笑聲，一陣陣浪頭似捲了上來，間或有一下悠長的小喇叭猛然奮起，又破又啞，夜市裡有人在兜賣海狗丸。對面晚香玉、小蓬萊那些霓虹燈招牌，紅紅綠綠便閃進了窗裡來。房中燠熱異常，床頭那架舊風扇軋軋的來回搖著頭。風，吹過來，也是燥熱的。

在黑暗中，我們赤裸的躺在一起，肩靠著肩。在黑暗中，我也感覺得到他那雙閃灼灼、碧熒熒的眼睛，如同兩團火毬，在我身上滾來滾去，迫切的在搜索、在覓求。他仰臥在我的身旁，一身嶙峋的瘦骨，當他翻動身子，他那尖稜稜的手肘不意撞中我的側面，我感到一陣痛楚，喔的叫了一聲。

「碰痛你了，小弟？」他問道。

「沒關係。」我含糊應道。

「你看，我忘了，」他把那雙又長又瘦的手臂伸到空中，十指張開，好像兩把釘耙一般，「這雙手臂只剩下兩根硬骨頭了，有時戳著自己也發疼——從前不是這個樣子的，從前我的膀子也跟你的一樣那麼粗呢，你信不信，小弟？」

「我信。」

「你幾歲了？」

「十八。」

「就是了，從前我像你那樣的年紀，也跟你差不多。可是一個夏天，也不過三個月的光景，一個人的一身肉，會驟然間耗得精光，只剩下一層皮，一把骨頭。一個夏天，只要一個夏天——」

他的聲音從黑暗裡傳來，悠遠、飄忽，好像是從一個深邃的地穴裡，幽幽的冒了出來似的。

常常在午夜，在幽冥中，在一間隱蔽的旅棧閣樓，一鋪破舊的床上，我們赤裸著身子，兩個互相隱瞞著姓名的陌生人，肩並肩躺臥在一起，陡然間，一陣告悔的衝動，我們會把心底最隱密、最不可告人的事情，互相吐露出來。我們看不清彼此的面目，不知道對方的來歷，我們會暫時忘卻了羞恥顧忌，將我們那顆赤裸裸的心挖出來，捧在手上互相觀看片刻。第一次跟我到瑤台旅社來的，是一個中學體育老師，北方人，兩塊腹肌練得鐵板一樣硬，那晚他喝了許多高粱，嘟嘟噥噥，講了一夜的醉話。他說他那個北平太太是個好女人，對他很體貼，他卻偏偏不能愛她。他心中暗戀的，是他們學校高中籃球校隊的隊長。那個校隊隊長，是他一手訓練出來的，跟了他三年，情同父子。可是他卻無法對那個孩子表露他的心意。那種暗戀，使他發狂。他替他提球鞋、拿運動衫，用毛巾給他揩汗。但是他就不敢接近那個孩子。一直等到畢業，他們學校跟外校最後一次球賽，那天比賽激烈，大家情緒緊張。那個隊長卻偏偏因故跟他起了衝突。他一陣暴怒，一巴掌把那個孩子打得坐到地上去。那些年來，他就渴望著撫摸，想擁抱那個孩子一下。然而，他卻不知道為了甚麼，失去控制，將那個孩子臉上打出五道紅指印。那五道指印，像烙痕般，一直深深刻在他的心上，時時隱隱作痛。那個體育老師，說著說著一個北方彪形大漢，竟嗚嗚哭泣起來，哭得人心驚膽戰。那晚下著大雨，雨水在窗玻璃上蜿蜒的流著。對面晚香玉的霓虹燈影，給混得紅綠模糊一片。

「五天前，我的父親下葬了。」

「嗯？」我沒有聽懂他的話。

「五天以前，我父親下葬在六張犁極樂公墓，」他在抽一根煙，煙頭在黑暗中亮起紅紅的一團火，「據說葬禮很隆重，我看見簽名簿上，有好多政府要人的名字。可是我卻不知道六張犁在哪兒，我從來沒有去過。你知道麼，小弟？」

「你從信義路一直走下去，就到了，極樂公墓在六張犁山上。」

「信義路四段下去麼？台北的街道改得好厲害，統統不認識了，我有十年沒有回來——」他吸了一下煙，長長的吁了一口氣，「前天夜裡，我才從美國回來的，走到南京東路一百二十二巷我們從前那棟老房子，前後左右全是些高樓大廈，我連自己的家都認不出來了。從前我們家後面是一片稻田。你猜猜，田裡有些甚麼東西？」

「稻子。」

「當然，當然，」他搖著一桿瘦骨稜稜的手臂笑了起來，「我是說白鷺鷥，小弟。從前台北路邊的稻田裡都是鷺鷥，人走過，白紛紛的便飛了起來。在美國這麼些年，我卻從來沒看見一隻白鷺鷥。那兒有各種各樣的老鷹、海鷗、野鴨子，就是沒有白鷺鷥。小弟，有一首台灣童謠就叫〈白鷺鷥〉，你會唱麼？」

「我聽過，不會唱。」

白鷺鷥

車糞箕

車到溪仔坑——

他突然用台灣話輕輕的哼了起來，「白鷺鷥」是一支天真而又哀傷的曲子，他的聲音也變得幼稚溫柔起來。

「你怎麼還記得？」我忍不住笑了。

「我早忘了，一回到台北不知怎的又記起來了。這是我從前一個朋友教我的，他是一個台灣孩子。我們兩人常跑到我們家後面松江路那頭那一片稻田裡去，那裡有成百的鷺鷥。遠遠看去好像田裡開了一片野百合。那個台灣孩子就不停的唱那首童謠，我也聽會了。可是這次回來，台北的白鷺鷥都不見了。」

「你是美國留學生麼？」我問道。

「我不是去留學，我是去逃亡的——」他的聲音倏地又變得沉重起來，「十年前，我父親從香港替我買到一張英國護照，把我送到高雄，搭上了一隻日本郵輪，那隻船叫白鶴丸，我還記得，在船上，吃了一個月的醬瓜。」

他猛吸了兩口煙，沉默了半晌，才嚴肅的說道：

「我父親臨走時，對我說：『你這一去，我在世一天，你不許回來！』所以，我等到我父親過世後，才回到台灣，我在美國，一等等了十年——」

「小弟，你知道麼？我的護照上有一個怪名字：Stephen Ng。廣東人把『吳』唸成『嗯』，所以那些美國人都從鼻子眼裡叫我『嗯，嗯，嗯』——」

說著他自己先笑了起來，我聽著很滑稽，也笑了。

「其實我姓王，」他舒了一口氣，「王夔龍才是我的真名字，那個『夔』字真難寫，小時候我總寫錯。據說夔龍就是古代的一種孽龍，一出現便引發天災洪水。不知道為甚麼我父親會給我取這樣一個不吉祥的名字。你的名字呢，小弟？」

我猶豫起來，對陌生客，我們從來不肯吐露自己的真姓名的。

「別害怕，小弟，」他拍了一拍我的肩膀，「我跟你，我們都是同路人。從前在美國，我也從來不肯告訴別人自己的真姓名。可是現在不要緊了，現在回到台北，我又變成王夔龍了，Stephen Ng，那是一個多麼可笑的名字呢？Stephen Ng 死了，王夔龍又活了過來！」

「我姓李，」我終於暴露了自己的身分，「他們都叫我阿青。」

「那麼，我也叫你阿青吧。」

「你是在美國舊金山麼？」我試探著問道，我們公園裡有一個五福樓的二廚，應聘出國，到舊金山唐人街一家飯館當起大廚師來。他寫信回來說，舊金山滿街都是我們的同路人。

「舊金山？我不在舊金山，」他猛吸了一口煙，坐起來，把煙頭扔到床前的痰盂裡，然後雙手枕到腦後，仰臥到床上。

「是紐約，我是在紐約上岸的，」他的聲音又飄忽起來，讓那扇電風扇吹得四處迴盪，「紐約全是一些幾十層的摩天大樓，躲在下面，不見天日，誰也找不著你。我就在那些摩天大樓的陰影下面，躲藏了十年，常常我藏身在紐約最黑暗的地方——中央公園，你聽說過麼？」

「紐約也有公園麼？」

「怎麼沒有？那兒的中央公園要比咱們的新公園大幾十倍，黑幾十倍，就在城中心，黑得像一潭無底深淵。公園裡有好多黑樹林，一叢又一叢，走了進去，就像迷宮一般，半天也轉不出來。天一暗，紐約的人，連公園的大門也不敢進去。裡面發生過好多次謀殺案，有一個人的頭給砍掉了，身體卻掛在一棵樹上。還有一個人，一個年輕孩子，身上給戳了三十幾刀——」

他說著卻嘆了一口氣道：

「美國到處都是瘋子。」

「中央公園裡，也有我們的同路人麼？」我悄聲問道。

「唉，太多了，我上了岸，第三天晚上，便闖進中央公園裡去。就在那個音樂台後面一片樹林裡，一群人把我拖了進去，我數不清，大概總有七八個吧。有幾個黑人，我摸到他們的頭，頭髮好似一餅糾纏不清的鐵絲一般。他們的聲音在黑暗裡咻咻的喘著，好像一群毛聳聳的餓狼，在啃噬著一塊肉骨頭似的。在黑暗中，我也看得到他們那森森的白牙。一直到天亮，一直到太陽從樹頂穿了下來，他們才突然警覺，一個個夾著尾巴溜走了，只剩下一個又老又醜的黑人，跪在地上，兀自抖瑟瑟的伸出手來，抓我的褲角。我走出林子外，早晨的太陽照得我的眼睛都張不開了——」他把那一雙瘦稜稜像釘耙似的長手臂伸到空中，抓了兩下，「一夜工夫，我覺得我手臂上的肉，都給他們啃掉了似的，紅紅紫紫，一塊塊的傷斑。那個夏天，我跟那些美國人一樣，也瘋了起來，瘋得厲害。我看著自己身上的肉，像頭皮屑，一塊塊紛紛掉落，就像那些痲瘋病人一般，然而我一點知覺也沒有。有一天，我坐在大街上，拿著一把刀片，在割自己的小腿，一刀刀割得鮮血直流——」

「噢，為甚麼呢？」我問道，他講得那麼舒坦，好像是在割雞割鴨似的。

「我要試試，我還有沒有感覺。」

「不痛麼？」

「一點也不痛，我只聞到血腥味。」

「噯，」我噯昧的叫了起來，我覺得風扇吹到身上，毛毛的。

「有幾個女人看見，嚇得大叫。警察跑過來，把我送到了瘋人院裡去。你去過瘋人院麼，阿青？」

「沒有。」

「瘋人院裡也有意思呢。」

「怎麼會？」

「瘋人院裡有好多漂亮的男護士。」

「是麼？」我笑道，好奇起來。

「我進的那家瘋人院在赫遜河邊，河上有許多白帆船，我天天就坐在窗口數帆船。我頂記得，有一個叫大偉的男護士，美得驚人，一頭閃亮的金髮，一雙綠得像海水的眼睛。他起碼有六呎五，瘋人院裡的男護士都是大個子。他拿著兩顆鎮靜劑，笑咪咪的哄我吞下去，我猛一把抓住他的手，按到我的胸房上，叫道：『我的心，我的心呢？我的心不見了！』他誤會我向他施暴，用擒拿法一把將我撳到地上去。你猜為甚麼？我講的是中文，他聽不懂！」

說著我們兩個都笑了起來。

「他們放我出去，夏天早已過了，中央公園裡，樹上的葉子都掉得精光。我買了一包麵包乾，在公園裡餵了一天的鴿子——」

他突然沉默起來，我側過頭去看他，在黑暗中，他那雙眼睛碧熒熒的浮在那裡。床頭那架風扇軋軋的搧過來一陣陣熱風，我背上濕漉漉的浸在汗水裡。窗外圓環夜市那邊，人語車聲，又沸沸揚揚的湧了過來。兜賣海狗丸的破喇叭，吹得分外起勁，可是不知怎的，那樣瘖啞的一支喇叭，卻偏不停的在奏那首「六月茉莉」，一首極溫馨的台灣小調，小時候，我常常聽到的，現在讓這些破喇叭吹得嗚嗚咽咽，聽著又滑稽，又有股說不出的酸楚。

「那些蓮花呢，阿青？」

「甚麼？」我吃了一驚，沉寂了半天，他的聲音突然冒了出來。

「我是說公園裡那些蓮花，都到哪裡去了？」

「噢，那些蓮花麼？聽說市政府派人去拔光了。」

「唉，可惜了。」

「他們都說那些蓮花很好看呢。」

「新公園是全世界最醜的公園，」他笑道，「只有那些蓮花是美的。」

「據說是紅睡蓮，對麼？」

「對了，鮮紅鮮紅的。從前蓮花開了，我便去數。最多的時候，有九十九朵。有一次，我摘了一朵，放在一個人的掌心上，他捧著那朵紅蓮，好像捧著一團火似的。那時候，他就是你這樣的年紀，十八歲──」我感到他那釘耙似的手，尖硬的手指，伸到我的頭髮裡，輕輕的在爬梳著，他那雙野火般跳躍的眼睛，又開始在我身上滾動起來，那樣急切、那樣強烈的乞求著，我感到一陣莫名的懼畏起來。

「王先生，我得走了。」我坐起身來。

「不能在這裡過夜麼？」他看見我在穿衣褲，失望的問道。

「我得回去。」

「明天可以見你麼，阿青？」

「對不起，王先生，明天我有約。」

我低下身去繫鞋帶，我不知道我為甚麼撒這個謊。我並沒有約會，可是明天，至少明天，我不能見他。我害怕看到他那雙眼睛，他那雙眼睛，好像一逕在向我要甚麼東西似的，要得那麼兇猛、那麼痛苦。

「那麼甚麼時候再能見到你呢？」

「我們在公園裡，反正總會再碰面的。」

我走到房門口時，回頭說道。一口氣，我跑下瑤台旅社那道黑漆漆、咯吱咯吱發響的木樓梯，跑出那條濕嘰嘰臭薰薰的窄巷，投身到圓環那片喧囂擁擠，到處掛滿了魷魚、烏賊，以及滑膩膩豬頭肉的夜市中。我站到一家叫醉仙的小食店門口，望著那一排倒鉤著油淋淋焦黃金亮的麻油鴨，突然間，我感到一陣猛烈的飢餓。我向老闆娘要了半隻又肥又大的麻油鴨，又點了一盅熱氣騰騰的當歸雞湯。咕嘟咕嘟，一下子我先把那盅帶了藥味滾燙的雞湯，直灌了下去，燙得舌頭都麻了，額上的汗水簌簌的瀉下來，我也不去揩拭，兩隻手，一隻扯了一夾肥腿，一隻一根翅膀，左右開弓的撕啃起來，一陣工夫，半隻肥鴨，只剩下一堆骨頭，連鴨腦子也吸光了。我的肚子鼓得脹脹的，可是我的胃仍舊像個無底大洞一般，總也填不滿似的。我又向老闆娘要了一碟炒米粉，悉悉索索，風掃殘葉一般，也捲得一根不剩。結賬下來，一共一百八十七。我掏出胸前口袋裡那捲鈔票，五張一百的，從來沒有人給過我那麼多錢。剛才他把皮夾裡所有的鈔票都翻出來給我了，還抱歉的說：剛回來，沒有換很多台幣。

離開圓環，我漫步盪回錦州街的住所去。中山北路上，已經沒有甚麼行人，紫白色的螢光燈，一路靜盪盪的亮下去。我一個人，獨自跨步在行人道上，我腳上打了鐵釘的皮靴，擊得人行道的水門汀嗑、嗑、嗑發著空寂的回響。我把褲帶鬆開，將身上濕透了的襯衫扯到褲子外面，打開了扣子。路上總算起了一陣凌晨的涼風，把我的濕襯衫吹得揚了起來。我全身的汗毛微微一張，感到一陣沉滯的滿足，以及過度滿足後的一片麻木。

弟娃——4

我猛然驚坐起來，聽見自己叫喊道。滿地扎眼的陽光，已是中午時分，房中熱氣沸騰。背上的汗水一條條流下來，好像許多條毛蟲在上面爬動，癢癢痳痳的。床上的草蓆印著一大塊陰黑的汗跡，又是一個火烈的大熱天。我跟小玉合租的這間房間，是三夾板隔出來的，只有五個榻榻米大，除了一張床，兩只竹篾籠子，甚麼都放不下了。因為朝西，一到下午，太陽兇狠的射進來，房裡就像蒸籠，熱得人惴惴不安。

我坐在床上，頭感到一陣剛睡醒的昏疲，喉頭卻乾得在冒火。窗外傳來一陣女人的尖笑，大概錦州街那些吧女都熱得跑到巷子裡去乘涼調笑去了。巷子裡的酒吧還沒有上市，收音機卻開得大大的，噴出一流狂躁的爵士樂來。漸漸的，我髣髴記了起來，剛才矇矓間，我看見了弟娃。他就站在我的床頭，穿著他的童軍制服，有肩帶的那一套。我清清楚楚的看到他那張雪白的娃娃臉，他笑嘻嘻的伸出手來，對我說道：

「阿青，我的口琴呢？」

去年弟娃生日，十五歲，我送了一管口琴給他，是在功學社買的，蝴蝶牌，兩百七十塊，花了我半個月的送報錢。弟娃愛得不忍釋手，上學他把口琴插在褲子後面袋裡，晚上他便放在枕頭底下。睡到床上，還要拿出來吹兩下，開始弟娃只會吹單音，後來我教他和聲，他一學便會，而且吹得比我還要有板有眼。那時候學校裡正在教「踏雪尋梅」，弟娃天天回家便吹奏這首輕快得像流水似的曲子。有時我們上了床，熄了燈，弟娃還要把口琴掏出來，把被窩蒙起頭來吹，口琴聲從被窩裡透出來，悶得嗚嗚的響。有一次，把父親吵醒了，他氣沖沖跑進來，一把將弟娃被窩掀開，弟娃怕挨揍，趕緊雙手抱住頭，縮成一團。父親看著，竟笑了。那是唯一的一次，我看見父親那張蒼紋滿佈嚴峻的臉上，綻開那樣一抹慈藹的笑容。我跳下床，從床底拖出我那只竹篾籠子，從裡面掣出了我送給弟娃的那管蝴蝶牌口琴來。幾個月沒有擦拭，口琴的白銅皮有點發黃了。我放到口邊隨便吹了兩下，聲音還是十分清越的，只是有點霉味。我從家裡跑出來的那天，這管口琴正好插在褲袋裡。是我從家裡唯一帶出來的東西。

三個多月了，這是第一次，我想起弟娃來。這三個多月，是一連串沒有記憶的日子。白天，我們到處潛伏著，像冬眠的毒蛇，一個個分別蜷縮在自己的洞穴裡。直到黑夜來臨，我們才甦醒過來，在黑暗的保護下，如同一群蝙蝠，開始在台北的夜空中急亂的飛躍。在公園裡，我們好像一隊受了禁制的魂魄，在蓮花池的台階上，繞著圈圈，在跳著祭舞似的，瘋狂的互相追逐，追到深夜、追到凌晨。我們竄逃到南陽街，一窩蜂鑽進新南陽裡，在那散著尿臊的冷氣中，我們伸出八爪魚似的手爪，在電影院的後排，去捕捉那些面目模糊的人體。我們躲過西門町霓虹燈網的射殺，溜進中華商場上中下各層那些悶臭的公廁中。我們用眼神、用手勢、用腳步，發出各種神秘的暗號，來聯絡我們的同路人。我們在萬華，我們在圓環，我們在三水街，我們在中山北路——我們詭祟的穿進一條條潮濕的死巷，閃入一間間黝暗腐朽日據時代殘留下來的客棧裡。直到深夜，直到夜真的深了，路上的行人絕了跡，我們才一個個從各個角落裡，爬回到大街上來，這時，這些冷落的、不設防的街道，才是真正屬於我們的。我們手裡捏著一疊沁著汗水的新台幣，在黎明前的一刻，拖著我們流乾精液的身體，放肆而又虛脫，漫步蹭回各自的洞穴裡去。

這三個多月來，我的腦袋裡一直是空空的，好像有人將我的頭蓋揭開，把我的大腦一下子挖掉了一般，一點思念、一點感覺也沒有了。弟娃，我最心愛的弟娃，我竟沒有去想過他。可是剛才那一刻，他卻明明站在我的床前，離得我那樣近，伸出手來，笑嘻嘻的向我說道：阿青，我的口琴呢？我記得我一把抓住了他的手，他的手是冰涼的。就像那晚一樣，父親先去睡了，我一個人坐在弟娃身邊守住他，我去捏他的手，他的手冰冷，冷得叫我打了一個寒噤。我們在他身體下面墊了許多塊磚頭大的乾冰。那些乾冰一直在冒冷煙，弟娃如同睡在霧中一般。在市立殯儀館，他們把他裝進了一副小棺材裡。他的小棺材，薄薄的，像只木箱，我趁他們不備，溜進了停屍間去，掀開了弟娃的棺材蓋。弟娃十分侷促的仰臥在裡頭，他們替他化了妝，在他那張雪白的娃娃臉上，塗上了淡淡的胭脂。他們把他的雙手合攏在胸前，他的肩膀都給擠得拱縮了起來。弟娃看起來好像在裝睡的模樣，滿面調皮滑稽，好像隨時都忍不住要笑出來似的。我們把弟娃運到碧潭公墓去，兩個抬棺的腳伕，粗手粗腳，棺材從車上抬下來，東碰西撞，棺材頭撞在車門上呼呼作響。我一陣暴怒，走過去，猛推了腳伕一把，喝道：

「輕些，知道麼？」

「還不起來？日頭曬屁股了！」

麗月探頭進來笑道，她只穿了奶罩三角褲，披著一件粉紅綢子的短袖睡衣，一頭髮捲還沒有拆去。

「小玉回來過麼？」我問。

「問你呀，那個小玻璃，昨晚又野到哪裡去了？」麗月乜斜著眼睛瞅著我，噗哧一聲笑了出來，「阿青，你老實招來吧，昨晚你釣到大魚沒有？是條青花還是條老泥鰍？」

「還有飯麼？」我不理會麗月。

「你上個月欠我的伙食還沒還清，還想吃飯麼？」

「先還一百，這總可以吧？」我從褲袋裡掏出一張一百元的鈔票來，麗月一把搶了過去，笑道：

「快去吧，早上做的稀飯都發餿啦。」

我跟著麗月，走到她隔壁房去。她的房間，只跟我們的隔了一層薄薄的三夾板。從前麗月那個美國大兵情人強尼和她同居的時候，她把我們這間房佈置成一間小客廳。強尼拋下她回美國後，她便分租給小玉，只收他四百塊一個月，還讓他搭中飯。小玉認識老周後，常常不回來住，他便叫我搬了進來，分擔他一半租金。

麗月是小玉的表姐，她很疼小玉，常常揪住小玉的腮叫他小玻璃。麗月體格很棒，而且風騷，在紐約吧裡大紅特紅，那些美國兵都叫她麗麗。麗月用手捧起她那兩團大奶子，面一揚，很不屑的說道：「怕甚麼？老娘有的是本錢！」有時候她白天去上班，家中阿巴桑忙著做事，便把她那個三歲大和強尼生的那個雜種仔小強尼趕到我們房間來，要我們看顧。那個雜種是個小可愛，一身潔白的娃娃肉，綠瑩瑩的眼珠子，卻是一頭烏黑微鬈的頭髮。麗月本來把她的雜種仔丟給了孤兒院，後來捨不得，又去把他接了回來。麗月說，小雜種的老爸，是個很標致的美國郎。她案上有一張他穿了一身白色海軍制服的照片，咧著嘴，一雙眼睛花花的，風風流流的模樣。麗月跟他同居，倒貼了他一年，還替他生了一個小雜種，他拍拍屁股，便溜回國去了。一共只來過三封信，寄了二十塊美金給小強尼買聖誕禮物。麗月無可奈何的嘆道：「美國鳥，是很有良心的麼？」然而她說她並不恨他，她原諒他，他來了她還是跟他睡覺。

「啊唷，有魷魚吃！」

我看麗月房中飯桌上擺著一碟酸菜炒魷魚，一碗白稀飯。

「麗月姐，你真是一個好人！」我摸了一下麗月扎實潤涼的膀子。

「去你的，少拍老娘馬屁，」麗月坐到我對面笑道，「我問你，玉仔昨晚到底又到哪裡去打野食去了？」

「小玉麼？找到一位華僑乾爹啦，是從東京來的。」

「伊娘咧！」麗月咯咯騷笑了起來，「那個小玻璃專愛吃『沙西米』！去年有一個大阪來的華僑，開中華料理的。玉仔為了他失魂落魄，做了好幾個月的櫻花夢。昨天半夜老周還來找他，我替他撒謊，說他回三重鎮去了。老周只是不信，抓住我訴苦，一口呢呢儂儂的上海話，我也聽不大懂。我看那個胖阿公對玉仔還有幾分真心。」

「老周上星期才給小玉買了一只精工錶，一千五，自動的，還有日曆呢。」

「我看到啦，玉仔戴在手上亮來亮去，」麗月笑嘆道，「誰教那個胖阿公偏偏迷上這個沒心肝的玻璃貨，算他倒楣！」

「阿母——」

阿巴桑帶著小強尼走了進來，那個小雜種一看到母親，便搖搖晃晃，笑嘻嘻的一頭撞進他母親懷裡叫道。麗月一把將小強尼抱了起來，剝開他的開襠褲，在他那渾圓的小屁股上咬了一口，恨道：

「你這個小野仔，小雜種，你要了你阿母的命啦！」

阿巴桑是個大胖子，性情異常急躁，爬上樓半天還喘不過氣來，臉上的汗水滴滴答答的。她把手裡一對紅蠟燭，兩炷香，四五串錫箔元寶，還有一大疊紙錢往桌上一擱，便一五一十跟麗月算起賬來，我猛然才想起，今天竟是七月十五，中元節了。

「你給誰燒冥紙，麗月姐？」我問道。

「給我那個死鬼阿爸！」麗月嘆息道，她提起一串元寶來，窸窸窣窣的抖響著，「他在的時候，天天向我討錢。死了，夢裡頭還要向我討。不燒給他，我害怕，怕他到閻王面前去告狀。」

「麗月姐，你分一半元寶給我，我錢給你，」我掏出了二十塊錢來遞給麗月。

「你又燒給誰啦？」麗月詫異道。

「我燒給我阿弟。」

「他也向你要錢麼？」

「他向我要口琴，」我說，「今天是他的生日——十六歲了。」

「口琴？」麗月哈哈大笑，「那個地方大概也有口琴賣的吧？人家說，陰間跟我們這裡一樣，甚麼都有。一定也有許多酒吧，我死翹翹了就到下面去當吧女去！要不然，越戰打死那麼多美國兵，怎麼辦？」

麗月笑得亂晃起來，兩個大奶子戰彈彈的，她指著我叫道：

「玻璃鬼！玻璃鬼！你和玉仔兩人死了，一定也變成玻璃鬼。你活著是甚麼貨，死了也是甚麼貨，想改也改不了！」

我把兩串元寶拿回房中，擱在床上，然後到澡房去沖了一個冷水澡，把頭髮也洗乾淨了。我換上了一套新買的衣服，一條深藍達克龍的西裝褲，一件套頭藍白條子的緊身衫。我把一頭又長又硬桀驁不馴的頭髮也梳得整整齊齊，還抿上了一些小玉的髮蠟。臨走時，我將那管蝴蝶牌的口琴，插到後面褲袋裡。我經過麗月房門口，麗月吹了一聲口哨，叫道：

「這一身打扮，又去找郎客了！」

我頭也沒回，跑下樓去，闖進了外面的世界裡。中山北路上上下下，好像都落滿了白色冒煙的溶液一般，空氣熱得在閃閃顫動。我趕忙掏出我那副寬邊深黑的墨鏡來戴上，這副太陽眼鏡，是一個客人遺留在旅館裡五斗櫃上的，我收了起來，據為己有。白天在人群裡，我便戴上這副寬邊墨鏡，把臉遮去一半。這樣，即使碰見熟人，也可以裝著沒有看見，迴避過去。

我在中山北路乘上公共汽車，坐到車子的最後一排角落裡去，汽車裡很燥熱，剛洗完澡，一坐下來，一身又濕了。我要乘到西門町，然後轉到南機場去。母親就住在南機場那裡。有五年多，沒有見到母親了。我得到關於她最後的消息，是她在南機場跟一個開地下茶室的男人同了居。那還是弟娃告訴我的，他曾經到南機場去看過母親兩三回。母親帶他到西門町一條龍去吃蒸餃，兩人吃了三籠。可是母親後來卻吩咐弟娃：以後沒有事，不要再去找她了。這次弟娃去世，母親並不知道。好幾次我都想告訴她，不知怎的，總沒有去成。因為許多年沒有跟母親見過面，怕見了大家尷尬，沒有話說。

想到母親、想到弟娃，我又不禁想起我們那個七零八落、破敗不堪的家來。

5

我們的家，在龍江街，龍江街二十八巷的巷子底裡。就如同中國地圖上靠近西伯利亞邊陲黑龍江那塊不毛之地一樣，龍江街這一帶，也是台北市荒漠的邊疆地區。充軍到這裡來的，都是一些貧寒的小戶人家。我們那條巷子裡，大都是一些不足輕重的公家單位中下級人員的宿舍。兩排木板平房，一棟棟舊得發黑，木板上霉斑點點，門窗瓦簷統統破爛了，像一群襤褸的乞丐，拱肩縮背，擠在一堆。左邊第一棟是秦參謀家，一扇大門給颱風颳掉了，一直沒有補上，好像禿著嘴巴，缺了一顆門牙似的。秦參謀喜歡坐在大門缺口一張矮凳上，手裡抱著一把胡琴，自拉自唱，據他自己說他唱的是麒麟童麒派，嗓子沙啞得患了重傷風一般。去年他中了風，臉走了形，嘴巴歪掉了。可是他仍奮力的唱著「逍遙津」，很蒼涼的在喊：欺寡人——。他一張嘴，下巴便好像掉下來了似的，一臉痛苦不堪的神情。右邊第一棟住著蕭隊長和黃副隊長兩家，蕭太太和黃太太吵了十幾年的架，因為兩家共用一個廚房。常常在深夜裡從她們廚房中傳出來一聲聲有板有眼的砧板咒。橐、橐、橐的刀聲，配著尖厲的詛咒，在寒風中，聽得人毛骨悚然。蕭太太是大塊頭，聲音宏亮，總是佔上風。黃太太卻乾瘦得像條縮了水的黃瓜，一逕癟著嘴，淚眼汪汪，滿面悽苦，好像給蕭太太咒得永世不得超生了似的。大概大家的生活都很困難，一家家傳出來，都是怨聲。我記得，那麼些年，我們那條巷子好像從來沒有安寧過。這邊哭聲剛歇，那邊吆喝怒罵又洶洶然揚了起來。然而我們那條二十八巷，卻是一條叫人不太容易忘懷的死巷，它有一種特殊的腐爛臭味，一種特殊的破敗與荒涼。巷子兩側的陽溝，長年都塞滿了腐爛的菜頭、破布、竹篾、發鏽的鐵罐頭，一溝濃濁污黑的積水，太陽一曬，鬱鬱蒸蒸，一股強烈的穢氣便沖了上來，在巷子裡流轉迴盪。巷子中央那個敞口的垃圾箱，內容更是複雜。常常在堆積如山的穢物上，會赫然躺著一隻肚子鼓得腫脹的死貓，暴著眼睛齜著白牙；不知是誰家毒死的，扔在那裡，慢慢開始腐化；上面聚滿了綠油油一顆顆指頭大的紅頭蒼蠅，人走過，嗡地一下都飛了起來，於是死貓灰黑的屍身上，便露出一窩白蠕蠕爬動的蛆來。巷子是黃泥地，一場大雨，即刻變成一片泥濘，滑嘰嘰的，我們打著赤足，在上面吱吱喳喳的走著，腳上裹滿了泥漿，然後又把黃滾滾的泥漿帶到屋裡去。如果天氣久旱，風一颳，整條巷子飛沙走石。於是一家家破缺的牆頭撐出來的竹篙上，那些破得絲絲縷縷的尿布、三角褲、床單、枕頭，在黃濛濛的風沙中，便異常熱鬧的招翻起來。

這條死巷巷底，那棟最破、最舊、最陰暗的矮屋，便是我們的家。前年黛西颱風過境，把我們的屋頂掀走了一角。我跟父親用一塊黑色的大油布鋪在漏洞上，遮蓋起來，上面壓了許多紅磚頭。雨下得大，屋內還是會漏的，於是鉛桶、面盆、有時連痰盂也用上，到處接水。如果雨一夜不歇，屋內便叮叮咚咚，響到天明。我們的房子特別矮，陽光射不進來，屋內的水泥地分外潮濕，好像一逕濕漉漉在出汗一樣，整棟屋子終年都在靜靜的、默默的，發著霉。綠的、黃的、黑的，一塊塊霉斑，從牆腳下，毛茸茸的往上爬，一直爬到天花板上。我們的衣服，老是帶著一股辛辣嗆鼻的霉味，怎麼洗也洗不掉。

然而父親卻說，我們能夠弄到那樣一幢房子，已經是萬幸了。民國三十八年，父親那個兵團在大別山和八路軍交戰，被圍困了一個多禮拜，救兵趕不到，父親被俘擄了。後來逃脫，來到台灣，革去了軍籍。幸虧父親一個舊日的老戰友黃子偉黃處長，賣了一個人情，才讓父親暫時棲住在這棟矮小破爛的宿舍裡。差不多每個星期天，父親都到隔壁二十六巷黃子偉叔叔家裡去，去的時候，總是拎著一瓶紅露酒，一包鹽脆花生；然後和黃叔叔兩人對坐著，用水碗子裝酒，你一碗我一碗的猛灌，嘴裡的花生米嚼得咔嚓咔嚓。父親本來就是一個剛毅木訥、不善言辭的人，喝了酒，更加一句話也沒有了。他默默的坐在那裡，一臉紫脹，兩眼通紅，一直挨到太陽下去，屋內黑了，父親才立起身來，乾咳一聲，說道：

「呃，不早了——」

「在這裡吃飯吧，」黃叔叔也立起身來。

「改天再來。」

父親也不等黃叔叔回話，便踏著他那受過嚴格訓練的軍人步伐，昂然離去。他的胸脯誇張的挺著，頭高揚到滑稽的地步，一雙穿得張了口的舊皮靴，踏在地上，發著啪噠啪噠空洞的響聲。

據說父親從前打日本人是立過功勳的——這是他自己告訴我們的。他講到「長沙大捷」那一仗，突然間會變得滔滔不絕，操著他那濃濁的四川土腔，夾七夾八口齒不清的吐出一大堆我們半懂不懂的話來。他那張磨得灰敗、皺紋滿佈的黑臉上，那一刻，會倏地閃起一片驕傲無比的光彩。父親說，那一仗下來，長沙郊外那條河河水染得通紅，他那柄馬刀，砍日本人的頭砍得刀鋒捲起。他房中案頭上一張全身戎裝的照片，綑著斜皮帶，穿著長筒馬靴，手裡捧著一頂穿了幾個彈孔的日軍軍盔，臉上露著勝利的得色。那張照片，便是在長沙郊野戰場上拍的，地上七橫八豎都躺滿了士兵的死屍。那時父親剛升團長，並且還受了勳。父親的床頭擱著一只小小的紅木箱，箱子用一把銅鎖鎖住，箱子裡便珍藏著父親那枚二等寶鼎勳章。在我考上育德中學高中那一年，有一天，父親把我召進他房中，鄭重其事的把他床頭那只小紅木箱捧到案上，小心翼翼的將箱子打開，裡面擱著一枚五角星形的紅銅鍍金勳章，中間嵌著藍白兩色琺瑯瓷的寶鼎。鍍金已經發烏了，花紋縫裡金面剝落的地方，沁出了點點銅綠來。

繫在頂角的那條紅藍白三色緞帶，也都泛了黃。父親指著那枚舊勳章，對我說道：

「阿青，我要你牢牢記住：你父親是受過勳的。」

我覺得那枚勳章很好看，便伸手去拿，父親將我的手一把擋開，皺起眉頭說道：

「站好！站好！」

等我立正站好，雙手貼在褲縫上，父親才拿起那枚勳章，別在我的學生制服衣襟上，然後他也立了正，一聲口令喝道：

「敬禮！」

我不由自主，趕忙將手舉到額上，向父親行了一個舉手禮。我差不多笑出了聲來，但是看見父親板著臉，滿面嚴肅，便拚命忍住了。父親說，等我高中畢業，便正式將那枚寶鼎勳章授給我。他一心希望，我畢業的時候，保送鳳山陸軍軍官學校，繼承他的志願。

父親做了一輩子的軍人，除了衝鋒陷陣以外，別無所長，找事十分困難。又是靠黃叔叔的面子，才擠進了一家公私合營的信用合作社，掛了一名顧問的閒職，月薪三千台幣。在機關裡，他連張辦公桌也沒有的，其實用不著天天去上班。可是父親每天仍舊穿著他那唯一一套還像樣的藏青嗶嘰中山裝，手臂下夾著一只磨得泛了白拉鍊只能拉攏一半的公事黑皮包，跑出跑進，踏著他那僵硬的軍人步伐，風塵僕僕的去趕公共汽車。父親跟舊日的同僚，統統斷絕了來往。有一次，有兩個父親的老部下到我們家來探望他，父親穿著內褲躲進了廁所裡，隔著門對我悄聲命令道：

「快去告訴他們，不在家！」

就在我們那間悶熱潮濕、終年發著霉的客廳裡，父親頑強的坐在他那張磨得油亮的竹靠椅上，打著赤膊，流著汗，戴著老花眼鏡，在客廳那盞昏黯的燈下，一日復一日，一年復一年，在翻閱他那本起了毛脫了線上海廣益書局出版的《三國演義》。有一年台北地震，我們屋頂的磚瓦震落了好幾塊，我們都嚇得跑到巷子裡去。等我們回返家中，卻發覺父親仍舊屹然端坐在客廳的竹椅上，手裡兀自捏住他那本《三國演義》，他頭上那盞吊燈，給震得像鐘擺一般，來回的擺盪著。

父親獨自坐在客廳裡研究天下大勢「分久必合，合久必分」的道理時，母親便一個人在客廳外的天井中，蹲在地上，彎著腰，在搓洗那些堆積如山無窮無盡的床單衣裳。因為貼補家用，母親每天都去兜攬一大堆別人家的床單衣裳回來洗。她長年都埋葬在那堆髒衣裳裡，弓著背，拚命的搓，奮力的洗，兩隻手在肥皂水裡，一逕泡得紅通通的。她蹲在地上，撈起裙子，露出一雙青白的小腿來，一頭烏黑的長髮紮成一刷大馬尾，拖在身後。有時候，母親一面搓洗，一面一個人忘情的哼著台灣小調，搓著搓著，她會突然揚起面，皺著眉頭，放聲唱了起來：

啊——啊——被人放捨的小城市——寂寞月暗暝——

她的聲音尖細、凌厲，顫抖抖的一聲奮揚起來，聽得人毛骨悚然，比《悲情城市》裡那個台語悲旦白鶯唱的還要叫人心酸。

母親的身世和來歷都是十分曖昧不明的。據說她是桃園鄉下一戶養鴨人家的養女，養父是個酒鬼，百般虐待，幸虧養母還疼她，少受了許多罪。可是有一天，養父一把鐮刀飛過去，把她額頭上削去了一塊皮，於是她便逃了出來，跑到中壢，在第一軍團軍營附近一家下等茶室，當起女招待來。那段日子，母親的行為大概不甚檢點，經常跟第一軍團那些軍爺們製造事件。有一次，兩個少尉軍官為她爭風吃醋，動起武來，險些出了人命案子。事情鬧大了，母親在中壢立不住腳，才到台北來幫人做下女。黃媥媥懷孕時，請了母親臨時幫忙，就是那樣，便跟父親搭上了。那年父親四十五，母親才十九歲。黃媥媥提起這件事，總捣起嘴巴笑。

「我叫你們阿母送紅蛋去的，誰知你們阿爸紅蛋留下，連人也留下了！」

母親年輕時，大約的確是一個很有風情的女人。她長得身段嬌巧，細細的腰肢，一頭豐盛的長髮，烏亮亮像匹黑緞子搬披到背上來。她那張雪白的娃娃臉，一小撮嘴巴，嘴角翹翹的，滿臉稚氣，看起來，好像是一個總也長不大的小女孩。可是她那雙大大的、深坑下去的眼睛，一雙烏亮的眸子裡，卻一逕閃爍得像兩隻受了驚的小鹿一般，東躲西藏，充滿了徬徨疑懼。有時候，她會突然眉頭一鎖，一雙大眼睛便像兩團黑火般燃燒了起來，好像心中一腔怨毒都點著了似的。

母親站在父親身邊，只到他的肩膀。兩個人走在街上，父親昂頭挺胸，好像在閱兵，大步大步的跨著，母親跟在他身後，碎步追趕，不住的兩邊張望。那樣一個蒼老灰敗、滿頭白髮倒豎的大男人，身後卻跟著一個娃娃臉、驚惶不定的小女子——他們兩人，是我們巷子中一對極不相稱、走在一起令人發噱的老夫少妻。

然而父親大概也曾熱愛過母親的，只是他表示的方式卻十分暴烈。有一次，母親在門口跟一個賣菜的小夥子調笑，她拿一根蘿蔔去敲那個年輕男人敞裸的胸膛，那個小夥子便乘機捏了一下母親的膀子。父親恰巧撞見了，回家以後，也不發言，倏地從門背後抽出一根藤鞭子，嗖、嗖、嗖在母親背上便猛抽了三下。母親跌倒在地，她細小的身軀蜷縮成一團，兩隻肩膀猛烈的抽搐著，一雙青白的小腿不斷的在蹬踢。她躺在地上的那副樣子，使我想起我們過年時宰殺的一隻小母雞，喉頭割斷了，躺在地上，兩隻雞爪子不斷痙攣的蹬踢著，在做垂死的掙扎，一身雪白的羽毛濺滿了鮮紅的血點子。母親躺在地上，並不哭泣，也不叫喊，一臉青蒼，一小撮嘴巴緊緊閉著。她那雙大眼睛望著父親，好像要跳了出來似的。第二天，母親沒有起床。父親回家時，卻將一包花紙包著的盒子，往母親床頭一塞，急急轉身便走了出去。盒子裡是一件嶄新的細麻紗連衣裙，豆綠的底子，起著大團大團的紅芍藥。母親爬下床，將新衣裳換上，站在鏡子面前左顧右盼起來。可是她露在外面的背項上，卻添了兩條手指粗的鞭痕，橫斜在那裡，青紅青紅的浮腫起來，像兩條蛇，蟠爬在她那雪白的背上。

我八歲的那年，有一天，母親忽然失蹤了。她帶走了她所有的衣裳，也帶走了父親買給她的那條花裙子。她跟了小東寶歌舞團裡一個小喇叭手，私奔而逃。她也參加了他們那個歌舞團，環島巡迴表演去了。小東寶歌舞團的宿舍本來駐紮在長春路，母親常常去領他們團員的衣服回來洗。有一次，我經過他們宿舍窺見母親正跟那些團員們混在一起，在唱歌。那個小喇叭手，是個二十來歲的小夥子，穿了一身絳紅的制服，胸前兩排金色銅扣，袖子上兩道寬寬的金邊，他歪戴著一頂白色金邊的帽子，露著兩片滲黑油亮的髮鬢來。他雙手舉著一管閃爍的銅喇叭，仰著身子，吹奏得異常囂張。母親夾在一夥女團員中間，一齊笑嘻嘻的在唱「望春風」。她的頭上也歪戴著一頂白色金邊的男人帽子，我從來沒有看見她笑得那般開心過。

母親出走的那個晚上，父親擎著他從前在大陸上當團長用的那管自衛手槍，虛惘的搖揮著，跑了出去，聲稱要去斃掉那對狗男女。可是他半夜回來，卻醉得連路都走不穩了。他把我和弟娃叫去，咿咿唔唔訓了一大頓我們不甚明瞭的話，講到後來，他自己卻失聲痛哭起來，他那張皺紋滿佈灰敗蒼老的臉上，淚水縱橫──那是我所見過，最恐怖、最悲愴的一張面容。弟娃嚇得大哭，我卻感到全身的汗毛都張開了，寒意凜凜。

母親出走，我似乎並沒有感到特別難過。大概因為母親對我從小嫌惡，使我對她只有畏懼，沒有依戀。母親生我的時候，頭胎難產，子宮崩血，差點送掉性命，因此，她一口咬定我是她前世的冤孽，來投胎向她討命的。她常常用大拇指來搓平我的額頭，對我說道：

「黑仔，莫要皺眉頭，小孩子額頭上有皺紋，要不得，犯凶的。」

母親叫我黑仔，叫弟娃白仔。我長得像父親，高大黝黑，弟娃卻跟母親脫了形。一身雪白，一張娃娃臉，他那一雙烏黑的大眼睛，好像是從母親那裡借來的，可是卻沒有母親眼裡那股怨毒，一逕眨巴眨巴，好像在憨笑似的。母親說，她懷著弟娃時，夢見了送子觀音，弟娃是觀音娘娘特地送給她的，所以才長得跟她那樣像。她親自給弟娃縫了一套火紅綢子的衣服，脖子上給他戴了一只鍍銀的白銅項圈，項圈上掛著十二生肖的鈴鐺，弟娃滿地一爬，那些龍蛇虎兔的鈴鐺便叮叮噹噹的響了起來，於是母親大樂，一把便將弟娃抱起摟入懷中，從他頭頂一直親到他那雙胖嘟嘟圓滾滾的小腿上，親得弟娃扎手舞腳，咯咯不停的傻笑。

有一天，母親在天井裡替弟娃洗澡，她用她自己那塊檀香皂，把弟娃一身都擦滿了肥皂泡子，她坐在木盆邊，佝著背，一頭烏黑的長髮，嬝嬝的婉伸到膝上，她一面掬起手，舀水澆到弟娃白白胖胖的身子上，一面柔柔的哼著〈六月茉莉〉。弟娃笑，母親也笑，他們母子倆清脆歡悅的笑聲，在那金色的陽光照耀下，迴盪著。等到母親走進屋內去拿毛巾，我走了過去，站在木盆邊，正當弟娃笑嘻嘻向我伸出手的那一刻，我一把抓住他的膀子，在他那白嫩嫩的娃娃肉上，狠狠的咬下了八枚青紅的牙齒印。母親趕出來，舉起火鉗將我的膝蓋打得烏青瘤腫，好幾天，走路都是瘸的。我看著那青腫的膝蓋，流出濃血來，心中只感到一陣報復的快意，我不哭，也不討饒。那次後，母親對我又添了幾分嫌惡，說我一定是五鬼投的胎。

然而母親一走，我跟弟娃兩個人卻突然變得相依為命起來。弟娃一向是跟母親睡的，母親出走那天晚上，他卻跑到我房中，爬到我床上，拚命擠到我懷裡來，大概他心裡害怕。那晚我自己也很疲倦，便摟住他，學母親那樣，拍著他的背，一塊兒睡去。

母親離家後，我只見過她一次。那是她出走的第四個年頭，我剛上初中。小東寶歌舞團回到台北，在三重鎮美麗華戲院表演。我偷偷帶著弟娃，乘公共汽車過台北橋到三重鎮去。美麗華原來是演歌仔戲的，在重新路一個巷子口，戲院只是一個三夾板圍起的大棚子，大門入口的地方，垂著兩幅花布門幔，圍牆板壁上貼滿了彩色廣告海報：小東寶歌舞團青春熱舞。上面印著許多露著大腿的舞女。一個戴著花紙帽的男人，站在入口處，舉著一只講話筒，大聲呼喊：標致小姐！精彩表演！我帶著弟娃買了兩張票，擠進了戲院，裡面黑壓壓的人頭，差不多滿座了，鬧鬨鬨的。戲棚裡是水泥地，地上撒滿了果皮、瓜子殼、香煙頭、汽水瓶子。座位是一條條沒有靠背的長板凳，擠得密密的。觀眾差不多全是男人，許多打著赤膊，汗嘰嘰的露著上體。大多數的人趿著木屐，坐下來後，便將木屐踢掉，一隻光腳板蹺到凳子上。裡面的空氣混濁，暖烘烘的一股子汗酸腳臭。我跟弟娃擠到戲台左側最邊頭的一張凳子上坐了下來。戲台上掛著一張破舊的茶紅幔子，台上有一排反射的座燈，把戲台照得通亮。戲台右邊坐著歌舞團的樂隊，有五個人，都穿著他們那絳紅色銅扣金邊的制服，在那裡大吹大打，好像萬華市場大拍賣時洋鼓洋號那般喧囂、那樣熱鬧。我發覺帶著母親私奔的那個小喇叭手，就坐在樂隊前排第二個座位上。他揚著頭，鼓著腮幫子，眼睛瞪得老大，吹奏得很得意似的，手上的喇叭照得金光閃閃。他沒有戴帽子，梳了一個十分標勁的飛機頭，烏光水滑的。台上的司儀擎著麥克風出來報了幕，講了幾句風話，台下掀起一陣口哨飛采，突然間，六個舞女便從幕後跑了出來。她們都穿著短短的粉紅裙子，白白的大腿全露在外面，每個人的頭上箍著一圈亮晶晶的金色鎖片子，兩隻手腕上也戴滿了閃爍的手釧子。她們出來後，肩靠肩站成一排，等樂隊換了一支曲子，她們倏地都甩出一隻手來，往台下一指，一齊尖聲唱了起來：

寶島姑娘真美麗——

台下的觀眾更加興奮起來，大聲叫道：跳！跳！跳！樂隊敲打得愈來愈急切，於是台上的舞女互相勾肩搭背，一字排開，開始飛踢大腿，跳起舞來。她們一邊踢，一邊唱，手釧子錚錚鐺鐺。台下的男人們，拍手的拍手，叫好的叫好。司儀手執著麥克風，也在大聲喊：嗨！嗨！嗨！好像在替那些舞女加油似的。

我和弟娃的座位很偏，看得不太清楚。我站了起來，張望了半天，赫然發覺，原來台上左邊第一個舞女，就是母親。她們六個人，都搽得一臉大團大團紅通通的胭脂，眉毛眼睛畫得又是藍又是紫，臉譜勾得一模一樣，不容易分別。母親已經三十出頭了，可是她身材嬌小，又那樣打扮著，看起來，竟像個十八九歲的小姑娘。她比其他的舞女都矮小，踢起腿來，總比她們遲緩一些。她一逕咧著塗得紅紅的嘴巴，露著一口白牙，做出一副笑容來。可是她那雙大眼睛卻一直急切的眨巴著，好像十分倉皇吃力的模樣。我告訴弟娃，母親也在上面跳舞，弟娃趕忙爬到凳子上去，尋找了片刻，突然，他叫了一聲：「阿母——」便站在凳子上哭泣起來了。

6

南機場克難街兩邊，都是賣西瓜的小販，地上撒滿了吃剩的西瓜皮西瓜子。稀爛鮮紅的西瓜肉，東一塊，西一塊，招來許多嗡嗡的蒼蠅。在太陽底下曬狠了，那些爛紅的西瓜皮肉都在冒著一股發了酵甜膩的餿氣。母親住的那棟房子就在克難街底的一個貧民窟裡。那是一棟十分奇特的建築物，一所日據時代殘留下來兩層樓的水泥房子，牆壁堅厚，牆上沒有窗戶，只有一個個小黑洞，整所房子灰禿禿，像是一座殘破的碉堡，據說是日本人駐軍用的。我進到房子裡，一道螺旋形的水泥樓梯蜿蜒上升，伸到那看不清的幽暗裡去。裡面陰森森，洋溢著一股防空洞裡潮濕的霉味。一座樓裡不知道住了多少戶人家，裡面人聲嘈雜，大人的喝罵，小孩的啼哭，可是因為幽暗，只見黑影幢幢，卻看不清人的面目。我扶著那道水泥欄杆，摸索著，爬到了二樓頂，母親住的那家門口去。大門敞著，有一個老太婆坐在門口一張矮凳上，點著頭在打盹。那個老太婆穿著一件黃白麻紗的敞領汗衫，她頸子上的皺肉像雞皮似的，鬆垂了下來；她腦後掛著一小撮髮髻，前額上的毛髮卻掉光了，一大片粉紅的髮癥侵到她眉毛上，好像她前額上的頭皮給揭掉了一般，露出鮮紅的嫩肉來。

「阿巴桑，黃麗霞在麼？」我卸掉了墨鏡，招呼她道。

「嗯？甚麼人？」老太婆睜開眼睛，嗄聲問道。

「黃麗霞，阿麗。」

老太婆也不答話，清了一清喉嚨，叭一下往地上吐了一口濃痰，朝我狠狠打量了一下，才用手往裡面一間房間指了兩下。我走進去，穿過一道磚砌的徜堂，徜堂到底那間房，房門垂著一張醬黃的布簾。我撈開簾子，房中黝黯，甚麼也看不見，只有隨著簾縫射進去一道昏慘慘的日光。我探索著走進了房中，裡面又悶又熱，迎面撲來一陣腥羶的惡臭，好像是死雞死貓身上發出腐爛的穢氣一般。

「阿母——」我悄悄叫了一聲。

我佇立片刻，等到我眼睛漸漸習慣了房中的幽暗後，才模糊看到房中有張掛著一頂方帳的床，床上隆起好像躺著一個人。我走了過去，站在床前，又叫道：

「阿母，是我，阿青。」

「阿青麼？」

那是母親的聲音，尖細，顫抖，從黑暗中幽幽的傳了過來。一陣窸窣摸索的聲音，啪的一下，床頭的一盞暈黃的電燈打亮了。母親佝僂著側臥在床上，身上裹著一件黑色絨線外套，下半身也裹著一條花布套棉被。她的頭深深的陷入了枕頭裡，枕頭邊堆著厚厚一疊粗黃的衛生紙；床上罩著的那頂方帳，污黑污黑的，好像是用舊了的抹布拼湊起來的一般，綴滿了一塊塊的補釘。我走到她床頭邊，她掉過臉來，我猛吃一驚，她那張臉完全變掉了。她原來那張圓圓的娃娃臉，兩頰的肉好像給挖掉了一樣，深深的凹了進去，顴骨嶙峋的聳了起來，她的兩隻大眼睛整個陷落了下去，變成了兩個大黑洞，眼塘子烏青，像兩塊瘀傷，臉肉蠟黃，兩邊太陽穴貼了兩片拇指大的黑膏藥，一頭長髮睡成了一餅一餅的亂疙瘩。她的兩隻手緊緊抓攏，像一對蹺起的雞爪子，她那本來十分嬌小的身軀，給重重疊疊的衣裳被窩裹埋在床上，驟然看去，像是一個乾縮了的老女嬰。她伸出她那雞爪般的手，一把撈住了我的手腕，尖起她淒厲的聲音，迫促的叫道：

「你來得正好，阿青。快，快，把你阿母抱起來，床前有個痰盂，你看見嗎？」

我把被窩掀開，將母親從床上抱起來，她的身體乾瘦得只剩下一把骨頭，我一隻手托住她的背脊，我摸得到她背脊上突起來一節節的硬骨。她身上透著一股嗆鼻的藥味和汗臭。我把她放在痰盂上，痰盂裡已裝滿了半盆黃濁濁的尿液，我進來時聞到那股奇異的腥羶，就是那裡發出來的。母親坐在痰盂上，佝著身子，怨怨艾艾的說道：

「剛才我喚破了喉嚨也沒有人理我，那個死老婆子在裝聾呢！他們看見你阿母病得動不得了，便都來欺負我。她敢站在我房門口，對她兒子說：『那個查某不中用啦，還醫她做甚麼？』——」母親嗤嗤的冷笑了兩聲，「考背，偏偏你阿母又死不去，天天在這裡拖！」

母親解完小便，用幾張粗黃的衛生紙揩乾淨。我把她從痰盂上抱起來，放回床上。

「我怕冷，阿青，替我把被蓋好，」母親顫抖著聲音叫道。我趕忙將被窩裹到她身上。她這間房間的窗戶都緊緊關了起來，而且還蒙上了厚簾子，我的背上一直在淌汗。

「你知道麼？阿青，他們都在等我死呢！」母親壓低了聲音，她伸出她那瘦得只剩下一把筋骨烏黑的右手來給我看，她的無名指上猶鬆鬆的套著一枚磨得泛了紅的金戒指。「他們等我一死，就要來脫我這只金戒指。別做他娘的春夢啦！我吞到肚子裡去，也不會給那兩個夭壽的！可是阿青，你阿母窮得要命，想吃片西瓜也沒有錢買——」

母親說著，她那雙深坑的眼睛打量了我一下，突然笑道：

「嘿嘿，你這一身穿得滿標致的嘛，你發財了麼，阿青？乖仔，給點錢給你阿母買東西吃好麼？我餓了一天了，他們拿來的東西，是餵豬的糠，哪裡是人吃的？」

我掏出昨天剩下的兩百塊錢，分了一張一百元給母親，母親那雙瘦得像雞爪子的手，揑住那張鈔票，直打顫。她那張變得醜怪破爛的臉卻綻開了，笑得像個小女孩一般。她急忙把那張鈔票塞到枕頭底下，生怕別人看見，會搶走似的。她把錢藏好，拍拍枕頭，仰臥下去，長長的舒了一口氣。

「醫生說，毒跑到骨頭去了，要鋸掉——」母親用手在她下身劃了一下，「兩條腿都要鋸掉，鋸掉一條腿要七千塊錢呢！莫說我沒錢，有錢我也不鋸！醫生說，毒已經散開了，一攻心就要死了。死不是死，我這種女人還活著做甚麼——」母親突然顛巍巍的撐起身來，她那雙陷落的大眼睛灼灼閃起光來，「阿青，你答應你阿母一件事好麼？阿母從來沒有求過你，你就替你阿母做這一件事好麼？」

「好的。」我應道。

「你阿母是活不長的了，阿母死了，你到廟裡去，替你阿母上一炷香，哪個廟都行。你去跪在佛祖面前，替你阿母向佛祖求情。你阿母一輩子造了許多罪孽，你求佛祖超生，放過你阿母，免得你阿母在下面受罪。你阿母一生的罪孽，燒成灰都燒不乾淨！死，你阿母是不怕的，就是怕到下面那些罪受不了——」

母親說著，她那深坑的眼眶突然冒出兩行眼淚來，流到她那凹下去的面頰上。我將床頭那疊粗黃的衛生紙遞了兩張給她。她接過去，揩了揩面上的淚水，擤了一擤鼻涕，才又倒臥到床上去。隔了半晌，她長長的吁了一口氣，嘆道：

「你們阿爸，其實他對我，也還不錯的。只是，只是——」

她皺起眉頭，咂了咂嘴。突然間，她嘴巴一撇，輕佻的笑了起來，問我道：

「怎麼啦？老頭子還好麼？還天天呷酒麼？」

「不知道，」我搖了搖頭，「我有三個多月沒看見他了——阿母，我也離開家了。」

「是麼？是麼？」母親亢奮起來，眨著她那雙下陷閃灼的眼睛。隨即她卻伸出手來，拍了一拍我的手背，點著頭，嘆道：

「你也跑出來了，阿青。」

「是阿爸趕我出來的，」我說道。

「哦，是麼？」

母親喃喃應道，她的大眼睛默默的注視著我，手擱在我的手背上。一剎那，我感到我跟母親在某些方面畢竟還是十分相像的。母親一輩子都在逃亡、流浪、追尋，最後癱瘓在這張堆塞滿了發著汗臭的棉被的床上，罩在污黑的帳子裡，染上了一身的毒，在等死。我畢竟也是她這具滿載著罪孽，染上了惡疾的身體的骨肉，我也步上了她的後塵，開始在逃亡、在流浪、在追尋了。那一刻，我竟感到跟母親十分親近起來。

「那麼，現在只剩下弟娃一個人跟著你阿爸了？」母親細顫的聲音，變得酸楚起來。

「阿母——」我覺得我的喉頭好像給塞住了，叫不出聲音來了似的。

「阿青，弟娃到底是你的親骨肉，你對他是要好的——」

「阿母，弟娃死了，」我終於大聲說了出來，好像胸中一塊瘀血，一下子吐了出來似的。母親呆呆的望著我，似乎沒有聽懂我的話，「弟娃死了三個多月了，阿母——」

我坐到母親頭邊，緊緊執住她那雙瘦小的手爪子，我的手心在沁冷汗，我的牙關打著顫，我俯下身去，向母親急切的傾訴起來。我告訴她：弟娃是生肺炎死的。長春路康福醫院的吳醫生說他是重感冒，只給他打了一針退燒針。第三天，弟娃便昏迷了。他一夜咳嗽，全身燒得滾燙。我們送他到台大醫院去急救。他們給他上了氧氣，弟娃直著脖子喘了一夜，天亮時，才斷的氣。斷氣的時候，是我抱住他的。醫院裡的人要把弟娃抬走。我用腳猛踢他們，不准他們碰他。後來阿爸將我拉開，醫院裡的人用一塊白布把弟娃蓋了起來，抬走了。母親靜靜的聽著，沒有作聲，我講完後，我們默默的相對了好一會兒。突然間，母親奮力掙脫了我的手，僵直直的便從床上坐了起來，一隻手顫抖抖的指著我，厲聲喝道：

「你們把我的白仔害死了！」

「阿母，」我立起了身來。

「肺炎？甚麼肺炎？我不懂！你們把我的白仔害死了——」母親那雙深沉的眼睛閃得好像要跳出來了似的，瘦削的臉扭曲起來，又像哭，又像笑，「我知道，一定是你，你這個黑心的，你把我的白仔害死了，還跑來哄我，告訴我生甚麼肺炎死的。是你把我的白仔害死的，我要你賠命——」

母親那雙雞爪似的手握著拳頭搥起床來，一面放聲悲嚎，一聲比一聲大，一聲比一聲慘烈。外面那個老太婆噔噔噔跑了進來，雙手亂揮，嚷道：

「瘋了！瘋了！」

我退了幾步，跑出了母親的房間，跌跌撞撞，從那道幽暗迴旋的水泥樓梯，奔了下去，母親那尖厲的慘嚎，一聲聲從樓上追逐下來。我逃到屋子外面，腳下猶自不停的奔跑著。外面烈日，白得天旋地轉，我感到一陣暈眩，冷汗從頭上水瀉一般，流了下來。我跑了一段路，才停下來，喘著氣，回頭望去，那座碉堡似的水泥樓房，灰禿禿的矗立在烈日的太陽下，牆上佈滿了一個個小黑洞，好像一座大監獄似的。

7

西門町的野人咖啡室也是我們的聯絡站之一，有時候小玉、老鼠、吳敏我們幾個人要互通消息，便到野人去留一張字條：「八點鐘新南陽門口。」「九點半中華路商場二樓吳抄手。」下午四點鐘，台北已經給八月的太陽烤得奄奄一息了，我鑽進野人的地下室裡，每張桌子早坐滿了人，三三兩兩，全是青少年的頭顱。他們身上穿著大紅大黃，聚在一堆，併成了一朵朵的向日葵。裡面燈光昏朦，乳白的冷氣煙靄在游動著，冷氣裡充滿了辛辣的煙味。那架大唱機正在播著火爆的搖滾樂。披頭四放肆的在喊：

Ya—Ya—Ya

我覷了半天，發現只有靠冷氣機的那一角有一張檯子，是一個人坐著的，我走過去，問道：

「這裡有人坐嗎？」桌上擺著幾只盛冷飲的空杯。

他抬起頭，搖了一下。我摘下墨鏡，在他對面坐了下來，他指著兩只空杯說：

「他們剛走。」

他是一個約莫十四、五歲的男孩，穿著一件洗得泛了白的童軍制服，上衣拉到褲子外面，也沒有扣好，小腹露了出來。制服的兩條肩帶，一條紐子掉了，翻了起來。他的背靠著冷氣機，腿蹺到一張椅子上，腳上一雙涼鞋，大腳趾露在外面，一翹一翹的動著。他面前的冷飲杯空掉了，裡面那根麥管也給咬折了。他手裡夾著根香煙，看見我坐下，趕忙塞到嘴裡猛抽兩下，可是他夾煙的姿勢一看就知道是個剛學抽煙的嫩腳色。

「剛才走的兩個傢伙，昨天夜裡偷了一架老美的汽車，」他告訴我，很興奮的樣子。

「甚麼牌子的汽車？」

「賓士！」

「喔唷，高級車嘛。」

「他們開去兜風，開到仁愛路四段，一撞便撞到了電線桿上。兩個小子爬出車來，鬼一樣的溜掉了。他們說，那架嶄新的賓士，撞得像隻癟了嘴的癩蝦蟆！」

他說著，開心的笑了起來。我想到那部美國佬的汽車撞成癩蝦蟆的模樣，也禁不住笑了。他咯咯的笑個不停，那張曬得鮮紅的圓臉上，咧著兩顆又白又大的門牙。他的頭髮大概暑假剛留起來的，只有寸把長，鬈鬈的覆在額上。我看見他制服左胸上繡著恆毅中學五九三的學號。

「那兩個小子是西門町兄弟幫的。」

「你也是他們一夥的嗎？」我問他。

「才不是！」他嘴巴一撇，十分不屑，「兄弟幫那些傢伙最污了！」

我點了一杯番石榴汁，用麥管吸了兩口。我發覺他在乾瞅著我，拚命在吸煙，我便對他說：

「分一半給你。」

他起先有點不好意思，遲疑了片刻，終於訕訕的笑著將空杯推了過來，我倒了一半番石榴汁給他。

「我喝了一杯鳳梨汁、一杯芒果汁，就還沒喝番石榴汁。我在這裡泡了一個下午，四個多鐘頭，錢也喝光了。本來我還打算去看電影的。」他吮著番石榴汁笑道。

「你一個人在這裡窮泡幹甚麼？」

「到哪裡去呀？外頭熱得發昏！」他咋一下舌頭。

「去游水呀！」

「昨天我才去東門游泳池，擠得像沙甸魚，水是臭的！本來我打算留在家裡看武俠小說，喂，你也練武功麼？」

「我的段數才高哩，我在小學就看《射鵰英雄傳》了！」

「哈，哈，我也剛看完《射鵰》，」他拍起手叫道，「我在恆毅住宿，天天晚上躲在被窩裡用手電筒照著看，好過癮！有一天，給吳大傀頭捉到了，把《射鵰》全部沒收去了。吳大傀頭是我們的舍監，有兩百磅，一講話，就喘氣，指著我罵道：『儂這個小鬼頭，頂勿守規矩！』」

「你是上海癟三麼？」

他又咯咯的笑個不停。

「勿是！勿是！」他猛搖頭，打著上海腔，「我後媽是上海女人，她一天到晚指著我的額頭罵：『小赤佬！小赤佬！』她說要是恆毅開除我，她就把我送到阿里山上面那間中學去。你聽過上海女人罵人麼？她們的聲音像刮玻璃那麼尖！我後媽一喊，我老爸便搗起耳朵開溜。他從前還是飛行員哩。就是噴射機也沒有我後媽的嗓子刺耳！」

「你老爸從前開甚麼飛機？」

「轟炸機，B-25，轟──」他用手做了一個飛機俯衝的姿勢，「他現在在家裡養雞。」

「甚麼？」唱機裡正在放一支湯姆瓊斯的歌，聲音奇大，我聽不清楚。

「他養雞！」他大聲叫道：「我們家有五百多隻來亨雞。」

我突然笑了起來，我覺得沒有比開轟炸機的駕駛員養來亨雞更滑稽的事了。

「我們家臭烘烘的，雞屎臭！我老爸天天在雞棚裡撿雞蛋，我後媽就在屋裡搓麻將。從早上搓到半夜，從半夜搓到天亮。你猜我後媽為甚麼不喜歡我待在家裡？」

「你調皮搗蛋。」

「勿是！勿是！」他又笑著搖頭，「我在家，她就輸錢。因為我愛看武俠小說，看『書』把她看『輸』了。她說我是個倒楣鬼。」

「倒楣鬼，你叫甚麼名字？」

「趙英，趙子龍的趙，英雄的英。」

「他們都叫我阿青。」

「幾點鐘了？阿青。」他用手撥我的手錶來看，隨著又嘆了一口氣，說道：

「悽慘，才四點半，我後媽又在打麻將，要我八點鐘以後再回家。」

「我們看電影去，」我提議道。

他從口袋裡掏了半天，掏出一張五塊錢的鈔票。

「我出來時，帶了五十塊的，打彈子輸掉了二十，」他又吐了一下舌頭。

「我請你，」我說。

「真的麼？」

「我們去看新世界的『獨臂刀』。」

「棒極了！」他叫了起來，「我最愛看王羽的武俠片，打得真過癮。」

「快點，」我立起身，「我們去趕四點半的那一場。」

我們鑽出野人，連跑帶跳，穿過西門町幾條鬧街，趕到新世界去。「獨臂刀」是最後一天，又是星期日，好座位都賣光了。我們只買到兩張前座第三排的票。坐在椅子上，頭仰得高高的，銀幕上的人頭大得不得了，砍砍殺殺，血肉橫飛，那些刀刀劍劍好像要飛到我們頭上來了似的。我去買了一包五香牛肉乾，跟趙英一邊啃，一邊看王羽滿天裡翻筋斗，他的動作乾脆利落，是真功夫，打得確實過癮。

「應該還來個續集，」我們看完戲，走出戲院，趙英意猶未盡的說道。

「續集我來編，」我說道。

「你怎麼編？」

「編個『無臂刀』，把王羽那一條手臂也砍掉。」

「沒有手怎麼拿刀？」

「傻子，不會運氣功麼？」我笑道。

趙英也咧著兩顆大門牙咯咯的笑了起來。我們正穿過斑馬線，一輛計程車駛過來，倏地停下，恰好停在趙英身邊，趙英順手便在車頭上打了一掌，打得車頭蓬的一響，他併起兩根指，學電影裡王羽那副姿勢，指著計程車司機喝道：

「呔！小俠在此，不得無禮！」

我們跑過街去，只聽得計程車司機在後面哇哇亂罵。六點多鐘，西門町的人潮開始洶湧起來，我們穿過一些大街小巷，總是人擠人，暖烘烘的，都是人氣。我們吃多了牛肉乾，嘴裡鬧渴，我摸摸口袋，只剩下二十多塊錢了，便在一家冰果店買了兩根紅豆冰棒，一人一根，沿著武昌街，一路啃著，信步走到了西門町淡水河的堤岸上。淡水河上的夕陽，紅得像團大火球，在河面上熊熊的燒著。

淡水河堤五號水門這一帶，是西門町鬧區的邊緣。那些高樓大廈排列到這邊，倏地便矮塌了一大截，變成一溜破爛的平房，七零八落，好像被那些高樓大廈擠得搖搖欲墜，快坍到河裡去了似的。西門町的繁華喧囂，到了這裡，突然消歇，變得荒涼起來。住在這些破爛矮屋的居民，大都是做木材生意的，附近的堤岸邊，堆滿了長條的滾木，這些滾木都在水裡泡過，上面生了黴菌。我跟趙英越著滾木堆，爬到了堤岸上。堤上空盪盪的沒有人，堤下的淡水河，好像給那團火球般的夕陽燒著了似的，滾滾濁浪，在迸跳著火星子。河對面的三重鎮，上空籠罩著一片黑濛濛的煤煙，房屋模糊，好像是一大團稀髒的垃圾堆在河對岸。遠處通往三重鎮的中興大橋，長長的橫跨在河中央，橋上車輛來來往往，如同一隊首尾相接的黑蟻。河面上有一隻機帆，滿載著煤屎，嘟嘟嘟在發著聲音，一面巨大的黑帆，正緩緩的朝著天邊那團大火球撞去。

「好紅的太陽！」

趙英爬上了河堤叫道，朝著夕陽奔跑過去，風把他的衣角拂了起來，長長的河堤上，他那身影映著那輪火紅的夕陽，伶俐的跳躍著。他跑到長堤盡頭，停了下來，回頭向我張開雙臂招揮起來，我忙跟了過去，趙英猶自喘息著，笑道：

「你看，有人在釣魚。」

河堤下面不遠的沙灘岸邊，地上插著兩根釣魚竿，釣魚的人不知哪裡去了，釣竿給釣絲拖得彎彎的。

「這裡的魚多得很，我也來釣過。」我說道。

「是麼？有些甚麼魚？」

「鯽魚、鯉魚、鰱魚，統統有。」

「你釣到魚了麼？」

「當然，釣過好多條。」

「真的麼？」

「有一次我跟我弟弟來，釣到兩條巴掌大的鯉魚。」

「喔唷，豆瓣鯉魚很好吃呢！」趙英笑道。

「鯉魚最容易釣，這裡水髒，鯉魚多。」

「你用甚麼做釣餌？」

「蚯蚓，就在河邊可以挖得到，這裡的蚯蚓好肥，有指頭那麼粗。」

「棒透了！」趙英拍手道，他在堤上坐了下來，「哪天我們來挖蚯蚓釣魚好麼？」

「好的，」我應道，我也坐了下來，我感到褲子後面口袋有根硬東西梗在那裡，我伸手去掏，是那管口琴。

「甚麼牌子的？」趙英瞅見我手上的口琴，問道。

「蝴蝶牌。」我將口琴遞給他看。

「是名牌嘛，」趙英接過口琴，端詳了片刻。

「你也會吹口琴麼？」我問道。

「當然，」趙英昂起頭，得意洋洋，「我是我們學校口琴社的社員，青年節我代表我們學校出去比賽，還得過第二名哩！」

「那麼你吹吹看，」我說道。

「你要聽甚麼？」

「你最近學了甚麼歌？」

「有一首英文歌『You Are My Sunshine』你聽過麼？」

「嘿，你還會洋歌呢！」

「You are my sunshine

My only sunshine
You make me happy
When skies are gray——」

趙英咧著嘴，唱了兩句。

「是我們學校裡美國神父教我們的。」

趙英雙手捧起口琴，試了兩下，便吹奏起來了，他吹得十分純熟滑溜，和聲的拍子也扣得很準。

「硬是要得嘛，」趙英奏畢，我拍手笑道。

「這管口琴聲音簡直棒極了！」趙英笑嘻嘻說道，「從前我有一管國光牌的，也很棒。可是放在宿舍裡，不知給哪個小子偷掉了，氣得我發昏！幾天吃不下飯去。我要去買一管新的，你猜我後媽說甚麼？『丟了正好，有了那個東西，你書也不唸！』你說氣不氣人？」

趙英手裡顛來倒去玩弄著那管口琴，捧到嘴邊去吹一下，又用衣角去揩拭一下。

「這管口琴送給你，」我說道。

「真的？」趙英抬起頭來，眼睛瞪得老大，不敢置信的笑道。

「你再吹一支歌來聽，這管口琴就真的送給你。」

「沒問題，你還要聽甚麼？」

「『踏雪尋梅』你會吹麼？」

「當然會！」

趙英趕忙又撈起衣角來把口琴擦了一下，試吹了兩下，奏起一支「踏雪尋梅」來。他盤坐在地上，歪著頭，捧著口琴，在嘴邊來回靈敏的滑動著，雙手一張一合。夕陽罩在他的身上，把他那張圓圓的臉照得又紅又亮，他手上的口琴，閃著金紅的光輝。一陣傍晚的暖風，從淡水河面拂了上來，將嘹亮的口琴聲，拂得悠悠揚起。「踏雪尋梅」，我跟弟娃在學校裡都學過的，是吳暖玉老師教的。弟娃的聲音很好，最愛唱歌，洗澡的時候，也一個人自得其樂唱個不停，大概是母親那兒傳過來的。吳暖玉很喜歡弟娃，說他有音樂天才，把他推薦到懷靈堂的唱詩班去唱聖詩。禮拜天弟娃穿著白袍子，唱起詩來嘴巴張得圓圓的，很滑稽的模樣。初中畢業晚會，吳暖玉讓弟娃上台去唱「踏雪尋梅」，她鋼琴伴奏。弟娃穿著一身童軍制服，圍了一條白領巾，領巾上鎖著一枚銀色的銅環，一張雪白的娃娃臉興奮得通紅。他太緊張了，聲音都有些顫抖。唱完下來，一直追著我問：阿青，我唱得怎麼樣？並不怎麼樣，我說。弟娃急得一頭的汗，吳老師說還不錯嘛。你窮緊張，嗓子都發抖了。噯、噯，弟娃急得直頓足。不錯！不錯！唱得很有感情，像歌王卡羅素，我拍著弟娃的肩膀笑道。真的麼？弟娃在我身後追著問道。真的麼，阿青。你莫著急，弟娃，我說。弟娃，我來替你想辦法。阿青，我不要去唸大同工職，弟娃坐在河堤上，手裡握著那管口琴，我要唸國立藝專。不要緊，弟娃，我來慢慢想辦法。可是阿爸說學音樂沒有用，弟娃低著頭，拱著肩，手裡緊緊握著那管口琴。我來替你想辦法，我說，弟娃，再等兩年，等我做了事，我來供你唸書。可是阿爸說學音樂要餓飯，弟娃的頭垂得低低的，夕陽照在他手裡那管口琴上，閃著紅光。弟娃，莫著急，我說。阿爸說唸大同出來，馬上可以到工廠去做事。再等兩年，弟娃。我不要到工廠去，弟娃的聲音顫抖抖的。等我做了事，我來供你。我要去唸藝專。再等兩年，弟娃。弟娃手裡那管口琴跳躍著火星子。弟娃。弟娃。弟娃的頸背給夕陽照得通紅。弟娃，莫著急。弟娃。弟娃。弟娃——

「啊——」

他驚叫道，他的兩隻手拚命掙扎。我的雙手從他背後圍到他前面，緊緊的箍住了他的身體。我的面頰抵住他的頸背。我的雙臂使盡了力氣，箍得自己的膀子都發疼了。他的一隻手肘猛撞到我的脅上，一陣劇痛，我鬆開了手。他跳開了，轉過身，一臉驚惶，不停的在喘氣。半晌，噹的一聲，他把那管口琴擲到我腳跟前，抖著聲音，說道：

「你這個人，你想幹甚麼——」

火紅的夕陽，照得我的眼睛都張不開了，我感到全身的血液倏地都衝進了腦門裡一般，頭脹得發疼，太陽穴迸跳起來，耳朵一直嗡嗡發響。在夕陽影裡，我看見趙英的身子急切的跳躍著，轉瞬間，變成了一個小黑點，消失在河堤的那一端。堤上空盪盪的，那管口琴躺在地上，猶自閃著紅光。我俯下身去，將口琴拾了起來，沿著河堤，朝中興大橋那邊走去。橋上的螢光燈已經亮起，好像一拱白虹，遠遠跨在淡水河上。我猛回過頭去，看見西門町那邊上空，霓虹燈網已經張了起來，好像一座高聳入雲的彩色森林一般。

8

裡面是黝黑的，電燈壞了，只有靠鐵路那邊那扇窗戶透進來西門町中華商場那些商店招牌閃爍的燈光。在黝黑中，我也看得到他那雙眼睛，夜貓般的瞳孔，在射著渴切的光芒。他那腫大的身軀，龐然屹立在那裡，急迫的在等待著。我立在洗手盆前，打開水龍頭，嘩啦嘩啦，不停的在沖洗著雙手。在燠熱的黑暗裡，強烈的阿摩尼亞，一陣陣從小便池那邊洶湧上來。樓下的幾家唱片行，在打烊的前一刻，競相播放著最後一支叫囂的流行歌曲。自來水嘩啦嘩啦的流著，直流了十幾分鐘，他才拖著遲疑的步子，那腫大的身影探索著移了過來。

在幽森的黑暗裡，我看到他那顆殘禿得發了白的頭顱在上下的浮動著。那天晚上，在學校的化學實驗室中，我也看到趙武勝那顆光禿肥大的頭顱，在急切的晃動。實驗室裡，滿溢著硝酸的辛味，室中那張手術檯似的實驗桌上，桌面長年讓硝酸腐蝕得崎嶇不平。我仰臥在上面，背脊磕得直發疼。桌沿兩排鐵架上，試管林立，硝酸的辛辣嗆人眼鼻。那晚，我躺在那張實驗桌上，腦裡一直響著鐵錘的敲擊聲音：鼕，鼕，鼕，一下又一下，一直在我的天靈蓋上敲打著。我看見他們將一枚枚五寸長的黑鐵釘，敲進弟娃那塊薄薄的棺材蓋裡。鐵錘一下去，我的心便跟著緊縮起來，那麼長的鐵釘刺下去，好像刺進弟娃的肉裡一般。前一天的那下午，弟娃剛下葬，腳伕們將他那副薄棺材緩緩的降入那個黑洞穴裡，當棺材轟然著地的那一刻，我眼前一黑，昏死了過去。空隆——空隆——空隆——中華商場外面鐵路上，有火車急駛過來，穿過西門町的心臟。車聲愈來愈近，愈響，就在窗下，陡然間，整座中華商場的大樓都震撼了起來。我企望著窗外那些閃爍的燈光，突然興起一股奔逃的念頭，往那扇窗戶外面，飛躍出去。可是我並沒有馬上離開，我將一團溫濕不知數目的鈔票塞進褲袋裡，又扭開水龍頭，嘩啦嘩啦，在黑暗中，一直讓涼水沖洗我那雙汗污的手。

9

小蒼鷹——

回到公園，在大門口，我碰到我們的老園丁郭老。他正企立在博物館前的石階上，白髮白眉，一身玄黑，在向我打招呼。

郭老是我來到公園頭一晚遇見的人。那天下午，我給父親逐出家門後，身上沒有帶錢，在台北街頭流浪到半夜，終於走進了公園裡。從前我曾聽過一些公園的故事，那些故事，好像聊齋傳奇。可是那晚，我獨自立在公園大門博物館石階前，仰望著博物館那座圓頂的建築物，巍峨矗立在蒼茫的夜空下，門前一排合抱的石柱，我真的覺得好像闖進了一座巨大的古代陵墓一般。穿過公園裡黑魆魆的叢林時，我心中充滿了懼畏、好奇，以及一股惴惴然的興奮。我摸索著閃進了蓮花池中央那座八角亭閣內，縮在一角，屏息靜氣，從亭閣的窗欞窺望出去。在昏紅的月光下，我頭一次看到池畔的台階上，那些幢幢黑影，圍繞著蓮花池，無休無止，在打著圈圈。我又餓又倦，支撐不住，蜷臥在亭內的椅子上，終於矇著了過去，直到一個聲音在我耳邊呼喚道：

「小弟——」

我才驚醒，倏地坐了起來。是郭老進來，把我喚醒了。

「莫害怕，小弟，」郭老拍著我的肩膀安撫道。

我睡得一身冰冷，牙關一直在發抖，答不出話來。郭老在我身邊坐下，在朦朧的月光下，我也看得到郭老那一頭長長的白髮，覆到了耳後，好像一掛柔軟的銀絲一般，他那雙雪白的長眉，直拖到眼角上。

「是頭一次進來吧？」郭老朝我點了點頭，笑嘆道，他的聲音蒼老、沙啞，「不用緊張，這裡都是咱們同路人。你們一個個遲早總會飛到這個老窩裡來的。我就是這裡的老園丁，這裡的人都叫我郭公公，你們來了，先要向我報到的。喏，你瞧……」

郭老指向外面蓮花池台階上，一個全身著黑、高高細細的人影，正晃蕩蕩踱過去。

「那個瘦鬼是小趙，人都叫他趙無常。十二年前，他頭一夜到公園裡來報到，也是我來迎接他的。」

「十二年前？」我驚訝道。

「唉、唉，」郭老惋嘆道，「十二年可不算短呀？對啦，十二年前一個夜裡，就像你今晚一樣，他闖進了咱們這個老窩來。那時候他不是這副鴉片鬼模樣，扎扎實實，還是個挺體面的小夥子哩！誰知道，幾年下來，耗得只剩下幾根骨頭，我看他現在連一百磅都不到了。剛進來，我還替他拍過幾張相片，你看了再也不相信……」

郭老搖了兩下頭。

「青春藝苑，你聽過麼？」郭老問我。

「沒有。」

「傻小子，那麼有名的照相館你都沒聽說！」郭老笑道：「是我開的，就在長春路。從前我還是一個小有名氣的攝影師呢！其實我拍照單是為了興趣，喜歡找些有靈氣、有個性的人來拍。比如公園裡這些娃娃，野雖野，一個個倒性格得很，最合我的胃口。他們的相片，我集了一大冊呢。」

郭老說著卻立起了身來，對我說道：

「小弟，這裡睡不得的，睡著了要著涼。來，我帶你回去，我那裡還有糯米糕、綠豆稀飯，你跟我回家，我給你瞧瞧我那些傑作，讓我來慢慢講些公園裡的故事給你聽。」

郭老的青春藝苑在長春路二段的一條巷子裡，兩層樓，樓下是照相館，櫥窗內放置著許多幅藝術人像。

「這是陽峰，你認識麼？」郭老指著正當中一幀非常英俊的男人相片問我，我搖搖頭，那個男人梳著一個標勁的飛機頭，笑咪咪的。

「十幾年前，他是台語片的紅小生，演『港都夜雨』、『悲情城市』出名的。」

「我聽說過『悲情城市』，可是沒有看過，」我說道，我記得母親從前看『悲情城市』看了三次，看一回哭一回。

「你當然沒有看過，那是張好老好老的片子了，」郭老微笑道，「陽峰有時也會溜到公園來，現在他一逕戴著一頂巴黎帽，把腦袋遮住，他的頭開了頂，禿光了。他演『悲情城市』的時候，還神氣得很呀！人家稱他是台灣的寶田明——幸虧我替他拍了這張照，把他年輕時的樣子留了下來。」

郭老領著我上了樓，樓上是他的住所，客廳的牆壁上也掛滿了影像，人物風景都有，全是黑白照。有的是一角坍塌的廟宇，有的是一枝剛綻開的杏花。有一張整幅都是一個皺得眉眼不分老人的臉，也有一張卻是一個初生嬰兒圓嘟嘟隆起的小屁股。

「從前我參加過許多攝影比賽，我的人像還得過全省影展的金鼎獎呢。現在上了年紀，不行了，」郭老伸出他那雙筋絡虯結乾枯的手給我看，「生風濕，拿起照相機，便發抖。」

郭老命我坐下，他走到冰箱那邊，取出了一碟白瑩瑩的糯米糕來，又舀了一碗綠豆稀飯，擱到我面前茶几上。我也不等郭老開口，伸出一雙污黑的手，抓起一塊糯米糕便往嘴裡塞，第一塊還沒嚥下去，第二塊又塞進嘴裡了，米糕掃完了，端起那碗綠豆稀飯，唏哩呼嚕的便往嘴裡倒，喝得太急，流得一下巴。

「嘖，嘖，」郭老砸嘴道，「餓成這副德性，一天沒吃東西了吧？是從家裡逃出來的麼？」

我用手背揩去下巴上的稀飯，沒有作聲。

「連鞋子也沒有穿！」郭老指著我那雙泥裹裹的光腳嘆道，他隨手拾起了一雙草拖鞋，撂到我腳跟前，「你不必告訴我，你的故事我已經猜中八九分了——像你這樣的野娃娃，這些年，我看得太多嘍。你等我去換件衣裳，讓我這個老園丁來講講公園裡的歷史給你聽。」

郭老蹭到房中，不一會兒出來，身上卻披上了一襲寬大的白綢子睡袍，腳上趿著雙黑緞面的拖鞋，飄飄曳曳的搖了過來，雙手捧著一只藍布包袱，在我身邊坐下。

「小弟，我來給你瞧瞧我這件寶物。」郭老雙手顫抖抖的解開了包袱的結，裡面是一本沉紅色絨面，五吋厚的大相簿，絨面上印著「青春鳥集」四個燙金大字。絨面舊得發了烏，燙金早已剝落得斑斑點點了。

「公園的歷史，都收在這個裡頭了……」郭老緩緩的掀開了相簿的封面。

相簿裡，一頁頁排得密密的，都貼滿了相片。大大小小，全是一些少年像，各種神情、各種姿勢、各種體態都有。有的昂頭挺胸，一臉十七八歲天不怕地不怕的孟浪，有的畏畏怯怯，一雙雙睜得大大的眼睛裡，充滿了過早的憂傷、驚懼。有一個是兔唇，有一個斷了一隻腿，有許多鼻尖上猶自爆滿了青春痘。但也有幾個卻長得端端正正，眉眼間透著一股靈秀聰明。每張相片下面，都編了號，註明了日期和名字。

「呵、呵，這就是我的小麻雀了，」郭老用手輕輕的撫拭了一下一張相，臉上突然綻開一抹憐愛的笑容，郭老臉上皺紋重疊，一笑一臉便龜裂了一般。照片裡的孩子剃著光頭，打著赤膊，渾圓的臉上笑嘻嘻的兩枚酒窩，門牙卻缺掉了一顆。相片下面註著「四十三號　小憨仔　民國四十五年」。

「小傢伙，才十四歲，就從宜蘭逃到台北來流浪了。撒謊、偷東西甚麼都來，是個毫不知羞恥的小東西！天天就會纏著我給他買小美冰淇淋吃。還會勒索呢，說甚麼也不肯讓我替他照相。這一張，是我一桶椰子冰淇淋換來的。可是後來，到底也飛掉了。倒是留了一張字條：郭公公，我走了，拿了你五十塊錢……」

郭老搖了一搖他那銀髮皤然的頭顱。

「兩年後，我又碰見了那隻小痲雀，他躲在三水街一條不見天日的死巷裡，蹲在臭烘烘的陰溝旁，長滿了一臉的毒瘡。」

郭老翻開了另一頁，上面貼著一張橫眉怒目的少年全身像，少年斜靠在陋巷巷口的一堵破牆上，穿了一件背心汗衫，一隻手扠著腰，手膀子的肌肉塊子節節瘤瘤的墳起，一叢硬髮豎得高高的。

「就是他！」郭老突然用手指重重戳了一下那張少年的照片。

「你瞧，」他拉開睡袍的領子，他那鬆皺的頸皮上，齊在耳根，蜿蜒著一條三寸長的疤痕，「我這條老命也差點送在他這個小流氓的手裡。他叫鐵牛，我把他比做梟鳥，兇殘暴戾，就像那隻惡鳥！去年大年夜，他向我討錢，我給他一百錢，他嫌少，滿嘴髒話，我氣起來就打了他一記耳光，那個小兇手竟動起刀來了！」

郭老忿忿的吁了一口氣。

「若說那個小傢伙天良完全泯滅了呢，也不見得。那天半夜，他又跑了回來。我不開門，他就跳牆進來，撲倒我腳跟下，痛哭流涕，頭磕得砰砰響，求我饒赦他、收容他，直叫我郭公公。上回他在公園裡抽『愛情稅』，拿刀片去割人家女孩子的裙子，給警察捉了去，苦頭吃足。本來要送到外島去管訓的，全靠我千方百計把他保了出來。我問他為甚麼毛病不改，他說他就是看不慣女人，我問他：『你看不慣女人，你母親不是女人麼？』你猜他說甚麼？『誰知道她是不是！』」

郭老搖頭笑了起來。

「這個小子橫不橫？不過他也有他的道理，他連母親是誰也不知道，他是在三重鎮的陰溝裡滾大的。這個混小子，麻煩多著呢，日後也不知道要鬧出甚麼事故來！」

郭老起身去沏了一壺釅釅的紅茶，替我斟了一杯，我們一面飲茶，郭老抱住那本厚厚的相簿，一頁頁翻下去，一面講給我聽許許多多公園裡傳奇的故事，一個比一個引人入勝，一個比一個驚心動魄……

「喏，他叫桃太郎，你瞧瞧，是不是有點像小林旭？他爸爸是日本人，在菲律賓打仗打死的。莫看他長得清清秀秀，性子卻是一團火。不知怎的，偏偏跟西門町紅玫瑰一個理髮師十三號愛上了，兩個人雙雙逃到台南去。十三號原定了親的，到底給家裡人捉將回去，一逼便結了婚。成親的那個晚上，桃太郎還去吃喜酒。喝得嘻嘻哈哈，跟新郎兩人你一杯我一杯猛灌。誰知道他吃完喜酒，一個人走到中興大橋，一縱身便跳到了淡水河裡，連屍身也撈不到。十三號天天到淡水河邊去祭，桃太郎總也不肯浮起，人家說他的怨恨太深，沉到河底，浮不上來了……」

「這一個，這一個是涂小福，上個月我還到市立精神療養院去看他，給他帶了兩盒掬水軒的餅乾去，他見了我，一把拉住我的袖子，笑嘻嘻的問道：『郭公公，美國來的飛機到了麼？』五年前，小涂跟一個從舊金山到台灣來學中文的華僑子弟纏上了，兩個人轟轟烈烈的好了一陣子，後來那個華僑子弟回美國去，涂小福就開始精神恍惚起來，天天跑到松山機場西北航空公司的櫃檯去問：『美國來的飛機到了麼？……』」

「這些鳥兒，」郭老感慨道，「不動情則已，一動起情來，就要大禍降臨了！」

郭老翻到中間的一頁，停了下來。整頁只有一張大照片，差不多佔滿了，照片下面註著：

五十號　阿鳳　民國四十七年

相片是八吋長六吋寬的一張黑白半身照，已經微微泛黃了。相中是一個面貌長得十分奇異的少年，約莫十七八歲。少年身上穿著一件深黑翻領襯衫，襯衫的鈕扣全脫落了，襯衫角齊腹部打了一個大結，胸膛敞露，胸上刺著密密匝匝錯綜的鳳凰、麒麟紋身，還有一條獨角龍，張牙舞爪，蟠據在胸口。少年一頭又黑又粗的頭髮，大鬈大鬈，獅鬃一般怒蓬起來，把額頭都遮去了，一雙長眉，飛揚跋扈，濃濃的眉心卻連結成一片。鼻梁削挺，犀薄的嘴唇，狠狠的緊閉著。一雙露光的大眼睛，猛地深坑了下去，躲在那雙飛揚的眉毛下，在照片裡，也在閃爍不定似的，臉是一個倒三角，下巴兀的削下去，尖尖翹起。

郭老對著這張影像，注視良久，他那一頭柔絲般的銀髮，在顫顫的閃著光。

「這些孩子裡，他的身世，最是離奇、最是淒涼了……」

郭老那蒼老、沙啞的聲音，突然變得悲戚起來，開始緩緩的流著。

10

「阿鳳，是在台北萬華出生的，萬華龍山寺那一帶，一個無父、無姓的野孩子。阿鳳的母親，天生啞巴，又有點癡傻，見了男人，就咧開嘴憨笑。但是啞巴女偏偏卻長得逗人喜愛，圓滾滾一身雪白像個粉團，人都叫她『粽子妹』，因為她從小便跟著她老爸在龍山寺華西街夜市擺攤子，賣肉粽。有人走過他們攤子，啞巴女便去拉住人家的衣角，滿嘴咿咿啞啞，別人看見她好玩，便買她兩個肉粽。後來啞吧女長大了，還是那樣不懂顧忌。有時候她一個人亂逛，逛到寶斗里妓女戶的區域去，她趿著一雙木屐，手裡拎著一掛烤魷魚，一路啃一路搖搖擺擺，腳下踢踢踏踏，自由自在。衝著那些尋歡的男人，她也咪咪笑。附近一些小流氓欺負她是啞巴，把她挾持了去睡覺，回家後，她向她老爸指手劃腳，滿嘴咿啞，她老爸看見她蓬頭散髮，裙子上濺了血，氣得就是一頓毒打。每次啞巴女給她老爸打了，便打著赤足跑到龍山寺前面坐在路邊一個人默默掉淚。鄰近那些年輕攤販們看見啞吧女哭泣，互相使眼色，笑道：『粽子妹又挨扎了！』啞巴女十八歲那一年，一個颱風來臨的黃昏，她收了攤子，推著車子回家，半路上便遭一群流氓劫走了，一共五個人。啞巴女那次卻拚命抗拒，那幾個流氓把她綑綁起來，連門牙都磕掉了一枚，事後把她拋到龍山寺後面的陰溝裡，在大風雨中，啞巴女一身污穢爬了回去。就是那一夜，啞巴女受了孕。她父親給她亂服草藥，差點沒毒死，大吐大瀉，胎始終打不下來。懷足了十個月，難產兩天多，才生下一個結結實實哭聲宏亮的男嬰來。啞巴女父親多一刻也不許留，連夜便用一只麻包袋裝起那個哇哇哭叫的男嬰，送到了靈光育幼院裡。阿鳳便是在中和鄉那家天主教的孤兒院裡長大的。

「從小阿鳳便是一個稟賦靈異的孩子，聰敏過人，甚麼事一學便會，神父們教他要理問答，他看一遍，便能琅琅上口。院裡有一位河南籍姓孫的老修士特別喜歡他，親自教他識字講解聖經的故事。但是阿鳳那個孩子的脾氣，卻是異乎常人的古怪，忽冷忽熱，喜怒無常。

他最不合群，在院裡一向獨來獨往，別的孤兒惹了他，他拳打腳踢便揍過去，當他犯了眾怒，那些孩子聯合起來修理他，他卻連手也不回，任他們泥巴沙子撒了一頭一臉，然後獨個兒到自來水龍頭去慢慢沖洗乾淨，孫修士問起他臉上的青腫，他狠狠閉著嘴，一聲也不吭。阿鳳自小便有一個怪毛病，會無緣無故的哭泣。一哭一兩個時辰停不下來，哭得全身痙攣。有時候，三更半夜，他會一個人躲到院中小教堂裡，伏在椅子上嗚嗚抽泣。孫修士發覺了，問他哭甚麼，他總說心口發疼，不哭不舒服。阿鳳漸漸長大，變得愈來愈乖戾了。一個聖誕夜，院長領著孩子們在教堂做彌撒，他拒絕上前領聖體。院長申斥了他幾句，他突然暴怒起來，跑到聖壇上，一把將幾尊瓷聖像掃落地上，砸得粉碎。院長把他關了一個禮拜的禁閉，孫修士天天領著他跪誦玫瑰經。阿鳳十五歲那一年，他終於從靈光育幼院裡逃了出來，再也沒有回去過。

「阿鳳一闖進公園，便如同一匹脫了轠的野馬，橫衝直撞，那一身勃勃的野勁，誰也降不住他，就是我的話，他還順從三分。因為他剛出道時，便跟公園三重鎮幾個登記有案的流氓幹上了，給捅了好幾刀。是我把他帶回家，替他療好的。他躺在床上，撫弄著自己腹上一道紅腫的傷口，對我笑著道：

「郭公公，再戳深一點，就省了你這些麻煩了！」

「阿鳳——他真是個公園裡的孩子，公園裡的一隻野鳳凰。他在蓮花池畔的台階上，逛來逛去，蓬著一頭獅鬃似的黑髮，昂頭挺胸，一副目中無人的狂勁兒。當時還有不少老頭子迷他呢！萬年青電影公司的盛公就是其中的一個，盛公想收養他，把他帶回到他八德路那間公館裡，將他從頭到腳打扮起來，替他在西門町上海造寸縫了一套法蘭絨淺灰的西裝，又在亨得利買了一只銀殼的勞力士戴在他的手腕上，把他裝扮得闊少爺一般，然後帶他上麗池去吃西餐。盛公倒是有意栽培，想送他進學校唸書，將來讓他拍電影，當明星。可是那隻野鳳凰在盛公公館裡，只待了一個星期便又飛回到公園裡來了。西裝手錶當得精光，當了幾千塊，他把公園裡那些野孩子一大夥帶到楊教頭開的那家桃源春去，點了兩桌菜，跟那些野孩子猛吃猛喝，大打牙祭，喝醉了，他便爬到桌子上去唱歌，唱『雨夜花』。正當大家樂不可支，拍手喝采，他卻跳下桌子，一個人頭也不回的走掉了。

「因為他的脾氣難纏，公園裡的人，縱是有心，也不大敢去招惹。到了他十八歲那一年，合該氣數已到，偏偏遇見了他那個煞星。對頭是個大官的兒子，還是個獨生子呢，因為屬龍，小名叫龍子，龍子人長得體面，世家又顯赫，大學畢業，在一家外國公司做事，本來都預備要出國留學了，原該是前程似錦的。那曉得龍子跟阿鳳一碰頭，竟如同天雷勾動了地火，一發不可收拾起來。龍子在松江路底租了一間公寓，悄悄築了一個小窩巢，把阿鳳藏到了裡面。那時松江路底還是一片稻田，他們那幢小公寓就在田邊，一打開窗子，就看得見一大頃綠油油的稻秧了。他們兩個人打著赤膊光著腳，跑到田裡去挖田螺捉泥鰍，糊得一身的爛泥，坐在田邊，敲破一只香瓜，你一口我一口便大嚼起來，兩個人確實過過一段快樂的日子的。但是那隻野鳳凰哪裡肯那樣安安分分守在巢裡？有時半夜三更他便飛回到公園去了，騎在蓮花池畔的石欄杆上，仰起頭，在數星星。龍子追了來，要他回家，他說：『這就是我的家，你要我回到哪裡去？』偏生龍子也是一副狂風暴雨的脾氣，兩人一言不合，在公園裡便揪鬥成一團，一身的衣裳也扯得稀爛，打完了，又坐在台階上，互相抱頭痛哭。公園裡的人都笑他們，說他們得了『失心瘋』。那段期間，常常在深夜裡，龍子坐了一部計程車，滿台北找了去，見了人就問：『你看見阿鳳麼？』公園裡有些人吃醋，有些人幸災樂禍，編出許多話來：『阿鳳到新南陽去了。』『阿鳳跟人到桃源春吃消夜去了。』『阿鳳麼？不是讓盛公帶走了麼？』於是龍子就真的一一到那些地方去追尋，有時追到天都亮了，才一個人失魂落魄的回到公園裡來，在那蓮花池畔的台階上，焦灼的來回走著，從這一頭走到那一頭，從那一頭走回到這一頭。

「有一天晚上，阿鳳跑到我這裡來，一臉發青，一雙深坑的眼睛灼灼發亮。

「『郭公公──』他的聲音都在發痛，『我要離開他了，我再不離開他，我要活活的給他燒死了。我問他，你到底要我甚麼？他說，我要你那顆心。我說我生下來就沒有那顆東西。他說：你沒有，我這顆給你。真的，我真的害怕有一天他把他這顆東西挖出來，硬塞進我的胸口裡。郭公公，你是知道的，從小我就會逃，從靈光育幼院翻牆逃出來，到公園裡來浪蕩。他在松江路替我租的那間小公寓，再舒服也沒有了。他從家裡偷偷搬來好多東西：電扇、電鍋、沙發，連他自己那架電視也搬了來，給我晚上解悶。可是──可是不知怎的，我就是耐不住，一股勁想往公園裡跑，郭公公，你記得麼？我十五歲那年在公園裡出道，頭一次跟別人睡覺，就染上了一身的毒，還是你帶我到市立醫院去打盤尼西林的。我對他說：我一身的毒，一身的骯髒，你要來做甚麼？他說：你一身的骯髒我替你舔乾淨，一身的毒我用眼淚替你洗掉。他說的是不是瘋話？我說：這世不行了，等我來世投胎，投到好好的一家人家，再來報答你吧。郭公公，我又要溜掉了，飛走了，開始逃亡了！』

「阿鳳失蹤了兩個多月，龍子找遍了全台北，找得紅了眼、發了狂。在一個深夜裡，那還是一個除夕夜，龍子終於在公園的蓮花池畔又找到了阿鳳。阿鳳靠在石欄杆上，大寒夜穿著一件單衣，抖瑟瑟的，正在跟一個又肥又醜、滿口酒臭的老頭子，在講價錢。那個酒鬼老頭出他五十塊，他立刻就要跟了去。龍子追上前拚命攔阻，央求他跟他回家，阿鳳卻一直搖頭，望著龍子滿臉無奈。龍子一把揪住他的手說：『那麼你把我的心還給我！』阿鳳指著他的胸口，『在這裡，拿去吧。』龍子一柄匕首正正的便刺進了阿鳳的胸膛。阿鳳倒臥在台階的正中央，滾燙的鮮血噴得一地──」

郭老的聲音戛然中斷，眼簾漸漸垂下，他那張龜裂般的皺臉，好像蒙上了一層蛛網似的。

「後來呢？」沉默了半晌，我囁嚅問道。

「後來麼──」郭老那蒼啞的聲音微微顫抖起來，「龍子坐在血泊裡，摟住阿鳳，瘋掉了。」

我在郭老家裡居留了三天，聽郭老把公園裡的滄桑史原原本本的敘述了一遍。他教授我公園裡許多的規矩，甚麼人可以親近，甚麼人應該遠離，甚麼時候風聲緊，應該躲避。郭老的「青春藝苑」請了一位照相師傅，普通客人，便由照相師傅在樓下照。但我的相，郭老卻親自在樓上替我拍，自己拿到暗房去沖洗。拍了十幾張，他才選中一張半身像，編進了他那本「青春鳥集」裡。我的編號是八十七號，郭老說，我就是一隻小蒼鷹。臨離開，郭老又找出了一套舊衣裳來給我換上，那套衣裳是鐵牛留下來的，他跟我的身材差不多。郭老塞了一百塊錢到我口袋裡，雙手按著我的肩膀，定定的注視著我，沉重的叮囑道：

「去吧，阿青，你也要開始飛了。這是你們血裡頭帶來的，你們這群在這個島上生長的野娃娃，你們的血裡頭就帶著這股野勁兒，就好像這個島上的颱風地震一般。你們是一群失去了窩巢的青春鳥。如同一群越洋過海的海燕，只有拚命往前飛，最後飛到哪裡，你們自己也不知道——」

11

「他終於又回來了。」

郭老跟我兩人步向蓮花池的時候，自言自語說道。

「你說誰，郭公公？」我側過頭去問他。

「你昨天晚上遇見的那個人。」

「你認識他麼？」我詫異道。

郭老點了點頭，嘆道：

「我就知道總有一天，他又會回到這個地方來的。」

我們走近台階，郭老卻停了下來，指向聚在台階上那一夥人，對我說：

「上去吧，你去聽去，他們正在談論他，已經鬧了一夜了。」

台階上眾星拱月一般，一大夥人圍繞著我們師傅楊教頭正在那裡指手劃腳，大家似乎都非常興奮激動。老龜頭、趙無常，還有三水街的一幫小么兒也在豎著耳朵聽。原始人阿雄仔昂頭挺胸，立在楊教頭身後，雙手扠著腰，龐然大物，如同一個耀武揚威的鏢師一般。

「小兔崽子，快給我過來！」楊教頭一看見我，便嗖的一下手上兩尺長的扇子指向我，一疊聲嚷道：「讓師傅瞧瞧，身上少了塊肉，扎了幾個洞沒有。」

我走上台階，楊教頭一把將我揪過去，身前身後摸了幾下，笑道：

「算你命大，還活著回來。你知道昨晚你跟誰睡覺了？」

「他叫王夔龍，剛從美國回來的。」

「肉頭！」楊教頭一巴掌掀到我背上，「王夔龍是誰你也不知道？」

「他知道個屁，」趙無常嘴巴一撇，「他那時只怕還穿著開襠褲哩！」

趙無常一張鬼臉瘦得剩下三個指頭寬，身子像根竹篙，裹著一件黑色套頭衫，晃蕩晃蕩，頸脖扯得長長的。我們這一夥兒裡，趙無常的資格最老，他喜歡向我們倚老賣老，誇耀他從前在公園裡的風光。

「乖乖，」趙無常的聲音又破又啞，呱呱聒噪，好像老鴉，朝我張開一口焦黑的煙屎牙，「你昨晚下了水晶宮去陪『龍子』去啦！」

「龍子跟阿鳳」的故事，在公園的滄桑史裡，流傳最廣最深，一年復一年、一代又一代的傳下來，已經變成了我們王國裡的一則神話。經過大家的渲染，龍子和阿鳳都給說成了三頭六臂的傳奇人物。我怎麼也想像不到，昨天晚上跟我躺在一塊兒，伸張著一雙釘耙似的手臂的那個人，就是我們傳說中的那個又高又帥、經常穿著天青色襯衫跟公園裡野孩子狂戀的龍子。

「昨晚我就疑心了，」楊教頭興奮的搧著扇子，「可是他整個人好像剛從火爐邊爬出來似的，烤得焦爛，哪裡還認得出來？倒是他在台階上，走來走去那副火燒心的急相，還是跟從前一模一樣。有人說，這些年他一直關在瘋人院裡，又有人說，他老早出國躲了起來。誰料得到？十年後，深更半夜，他猛地又鑽了出來！」

「就是說啊，」趙無常又開始懷舊起來，「我頂記得他從前找尋阿鳳那股瘋勁了。我不過開了一句玩笑：『阿鳳跟盛公回家了！』他揪賊似的把我揪進了車子裡，逼著我帶他到盛公家，半夜去敲人家的門。盛公以為流氓搗亂，把警察都叫了來。後來我問阿鳳：『你怎麼這樣冷心冷面？』阿鳳扯開衣裳，露出一身的刺青，指著胸口上那條張牙舞爪的獨角龍，說道：『我冷甚麼？我把他刺到身上了還冷甚麼？你哪裡知道？總有一天，我讓他抓得粉身碎骨，才了了這場冤債！』我們那時只當他說癲話，誰知日後果然應驗了。」

「那個姓王的，神氣甚麼？真以為他是大官兒子了？」一雙眼睛長在額頭上，」老龜頭突然氣忿的插嘴道，他在嚼檳榔，一張口一嘴血紅，「有一晚，他獨自坐在台階上，大概在等他那個小賤人，我看見他孤零零，好心過去跟他搭訕，只問了一句：『王先生，聽說你父親是做大官的呀。』他立起身便走，理也不理，老子身上長了痲瘋不成？」

「你這個老無恥！」楊教頭笑罵道，「人家老子王尚德不是做大官是做甚麼的？要你這個老潑皮去巴結？我問你：你算老幾？人家理你？癩蝦蟆也想吃天鵝肉？真正是個不要臉的老梆子！」

我們都笑了起來，老龜頭搔了兩下他頭子上那塊長了魚鱗似的牛皮癬，塞住了口。

「前幾天我在電視上才看到王尚德的葬禮，」趙無常插嘴道，「嘖，好大的場面！送葬的人白簇簇的擠滿了一街，靈車前的儀仗隊騎著摩托車，亂神氣！」

我也在報上看到王尚德逝世的消息，登得老大，許多要人都去祭悼了。王尚德的遺像和行述，佔了半版。王尚德穿著軍禮服，非常威風。他的行述我沒有仔細看，密密匝匝，一大串的官銜。

「要不是他老子做大官，他殺了人還不償命麼？」老龜頭餘恨未消似的說道。

「償甚麼命？他人都瘋了，」楊教頭答道，「法官判他『心智喪失』。開庭那天我去了的，檢察官問他為甚麼殺人，他搖著雙手大喊：『他把我的心拿走了！他把我的心拿走了！』不是瘋了是甚麼？」

「那一陣子，鬧得滿城風雨，我還記得，」趙無常劃燃了火柴點上一支香煙，深深的吸了一口，「報紙上的社會版天天登，龍子和阿鳳兩人的相片都上了報，有家報紙的標題還損得很：『假鳳虛凰，迷離撲朔。慾海青天，此恨綿綿。』開庭那天我也在，法院就在一女中的斜對面，擠得人山人海，招來好多女學生。王夔龍一出來，她們也跟著叫：『龍子，龍子』——」

「兒子們！」楊教頭猛然將扇子一舉，露出「好夢不驚」來，「散會吧，穿狗皮的來了！」

遠遠有兩個巡警，大搖大擺，向蓮花池子這邊跨了過來。他們打著鐵釘的皮靴，在碎石徑上，踏得喀軋喀軋發響。我們倏地都做了鳥獸散，一個個溜下了石階，各分東西，尋找避難的地方去了，我們的師傅楊教頭，領著原始人阿雄仔，極熟練、極鎮定的，混入了播音台前的人群裡。於是，我們蓮花池畔的那個王國，驟然間便消隱了起來。

「阿青！」

我走進黑林子裡，跟一個人迎面撞了一個滿懷，是小玉。

12

「明天晚上八點正，在梅田，一分鐘也不許晚！」

我們坐在衡陽街大世紀的二樓，過道末端的一個鴛鴦座上，一個人吮著一杯冰檸檬水，小玉那雙飛挑的桃花眼興奮得炯炯發光。大世紀也是我們常到的聯絡站，比野人咖啡館幽靜多了。

「梅田在哪裡？」我問道。

「驢蛋！」小玉搥了我一下，「梅田也沒聽過！就在中山北路國賓飯店過來兩條巷子裡。那裡的台灣小菜，比青葉、梅子還要棒。明天晚上，他就請我們這幾個人。」

「台灣小菜有甚麼稀奇？他是華僑，你為甚麼不帶他去上大酒館？五福樓呀、聚寶盆呀。我們也沾沾光，去吃桌酒席？」

「唏，說你不生性！」小玉世故起來，「人家林樣，離家這麼多年，頭一次回來，總想嚐嚐家鄉味呀！大酒館，你怕沒有生意人請他？我喜歡梅田那個地方，亂有情調。烤花枝，涼拌九孔——美麗多多！」

小玉告訴我：那個日本華僑叫林茂雄，有五十多歲了。本來是台北人，後來打仗，給日軍徵到中國大陸去，在東北長春軍醫院裡，當了七八年的護理人員。後來他在東北娶了一個滿洲姑娘，生了一兒一女。戰後他全家跟一個東北朋友一同到日本合夥經商，苦了好幾年，最近才發跡起來。這次，他們在東京的那家成城藥廠派他到台灣來設立經銷部，他才有機會重返故鄉。

「我今天帶著林樣逛了一天的台北，兩人逛得好開心！」小玉一臉容光煥發，「阿青，林樣人很好呢，你看——」他指著他身上那件紅黑條子開什米龍的新襯衫，「是他買給我的。」

「你這個勢利鬼！」我笑道，「你一看見日本來的華僑，眼睛都亮了，難道你真的又去拜個華僑乾爹不成？」

小玉冷笑道：

「華僑乾爹為甚麼不能拜？我老爸本來就是華僑嘛——他現在就在日本。」

「哦？」我詫異道，「那你為甚麼不早告訴我？又說你老爸早死掉了，葬在你們楊梅鄉下。那天我還明明聽見你向老周討錢，說是買香燭替你老爸上墳。你哄死人不賠命！」

「告訴你？」小玉打鼻孔眼裡哼了一下，「為甚麼要告訴你？誰我也沒告訴！」

我們公園裡的人，見了面，甚麼都談，可是大家都不提自己的身世，就是提起也隱瞞了一大半，因為大家都有一段不可告人的隱痛，說不出口的。

「阿青，我問你，」小玉突然歪起脖子，一臉歹意的覷著我笑道，「你有老爸麼？」

「甚麼話！」

「你老爸姓甚麼？」

「姓李！姓甚麼？」我有點惱怒起來，猛吸了兩口檸檬水。

「你老爸真的姓李？你真的知道你老爸是誰，呃？」小玉的嘴角挑起，笑得非常刁惡。

「幹你娘！」我忍不住一拳豁了過去。

「呵，呵，」小玉卻得意非凡的笑了起來，「你看，白問你一聲，你就輸不起了！」他俯下頭去，默默的吮著他的檸檬水，半晌，他倏的頭一昂，掉在額上的一綹長髮一下甩回到頭頂上，兩顴鮮亮，一雙桃花眼閃爍起來。

「告訴你們？告訴你們我是一個無父的野種？我從來沒見過我老爸，也不知道他是誰。我不姓王，那是我阿母的姓。我阿母告訴我，我阿爸是一個日本華僑，姓林，叫林正雄。他有個日本姓，中島，我阿母叫他『那卡幾麻』。我的身分證上，父親那一欄填著『歿』。人家問我：『你老爸呢？』『死啦。』『老早死了。』我總裝做滿不在乎——」小玉聳聳肩，「可是我心裡一直在想：那個馬鹿野郎不知道現在在哪裡？在東京？在大阪？還是掉到太平洋裡去了？那年他回台灣做生意，替資生堂推銷化妝品。他去上酒家，在東雲閣碰到我阿母——兩人就那樣姘上了。我阿母說，她上了那個馬鹿野郎的大當！他回日本，說定一個月就要來接我阿母去，我阿母已經懷了我了。哪曉得他連東京的地址都是假的，一封封信都退了回來。我從小就對我阿母說：『阿母，莫著急，我去替你把「那卡幾麻」找回來。』從前我一天到晚跑那些觀光旅館：國賓、第一、六福客棧，統統跑遍了，你猜我去幹甚麼？」

「去兜生意。」

「卵㞗！」小玉笑了起來，「我去旅館櫃檯去查，查日本來的旅客名單。唉，艱苦呢！先查他的中國名字，又要查他的日本名字。我常常做大夢：我那個華僑老爸突然從日本回來，發了大財，來接我阿母跟我到東京去。」

「又在做你的櫻花夢啦！」我笑道。

「阿青，你等著瞧，總有一天，我會飛到東京去，去賺大錢，賺夠了，我便接我阿母去，我來養她，讓她好好享幾年福，了了她一輩子想到日本去的心願。我要她離開她現在這個男人——那個混賬東西，不許我們兩母子見面呢！」

「這又是為了甚麼？」

「唶，」小玉嘆了一口氣，「我在他的麵裡下了半瓶『巴拉松』。」

「乖乖，你還會毒人哪！」我咋了一下舌頭。

「那個山東大漢，人並不壞。他整天叫『入你奶奶』『俺入你奶奶』。」小玉笑道，「他是個貨運司機，開大卡車的，從前在部隊裡當過駕駛兵。山東佬，壯得像條牛，我阿母一把就讓他抓到床上去了。我跟他兩人起先混得還不壞，他到台中運貨回來，總帶盒我最愛吃的鳳梨乾給我。喝了兩口酒，他便捏起鼻子學女人聲音唱河南梆子逗我笑。可是有一次，我在家裡跟人打炮，卻讓山東佬當場捉到了！」

「小無恥，怎麼偷人偷到家裡去了？」我叫道。

「有甚麼稀奇？」小玉聳了一下肩膀，「我十四歲就帶人回家到廚房裡打炮去了。我們住在三重鎮，附近有好幾個老頭子對我好，常常給我買東西：鋼筆、皮鞋、襯衫，給我買一樣，我就跟他們打一次炮，叫他們乾爹，有一個賣牛肉湯的，是個大麻子，可是他最疼我。晚上我到他攤子去，他總給我盛一大碗牛肉湯，熱騰騰的，又是牛筋，又是瘦肉，還有香菜，喝了受用得很！他家裡有老婆的，我便帶他回家，從後門溜進廚房裡去。誰知那次卻偏偏讓那個山東佬撞了正著。你猜他拿甚麼傢伙來打我？卡車上的鐵鍊子！『屁精！屁精！』他一邊罵，一條鐵鍊子劈頭劈臉就刷了下來。要不是我阿母攔住，我這條小命早就歸了陰了！你說，我要不要毒他？」

小玉望著我，一臉無可奈何的神情。

「幸好沒毒死，」小玉嘆了一口氣，「他在醫院裡洗胃，我阿母卻趕了回來，把我的衣服打了一個包袱，一條金鍊子套在我脖子上，對我說道：『走吧，等他回來你就沒命了！』就那樣，我便變成了『馬路天使』。」

說著小玉咯咯的笑了起來。

「老周昨晚又來找過你了，」我突然記起了麗月的話，「麗月說，那個胖阿公氣咻咻的。要是他知道你又在外面打野食，他不撕你的肉才怪！」

「去他的，」小玉立起身來，拾起了桌上的賬單，「那個餿老頭子，好麻煩。好兄弟，拜託拜託，你替我撒個謊吧，就說小爺割盲腸去了！」

回到錦州街，麗月還沒有下班。阿巴桑已經帶著小強尼睡下了，全屋電燈都已熄滅。我摸到房裡，在瞑暗中，卻突然看到下午擱在床上的那一串錫箔元寶，正在微微的閃著銀光。我提起那串抖瑟瑟的元寶，穿過廚房，到外面的天台上去，天台一角，一只裝滿了沙的洋鐵罐裡，一炷香，還在燃著幾點星火，大概是阿巴桑燒祭留下來的。我蹲下身去，劃亮了一根火柴，點燃了手裡那串錫箔。那些元寶燒得嘶嘶響，一個個燒成了灰，一縷一縷，飄落到地上，顫顫的獨自閃著暗紅的火燼。我抬頭望去，天上那輪七月十五的中元節的月亮，又紅又大，偏西了，正壓在遠處高樓的頂尖上。

返轉房中，我連衣裳也沒有脫，汗黏黏的便倒臥床上去。我的身體已經疲倦得發麻，四肢癱瘓在草蓆上，好像解體了一般，動彈不得。在黑暗中，我看見窗外反射進來那些酒吧的霓虹燈，像彩蛇般，在竄動著。漸漸的，我的腦子卻愈來愈清醒起來。三個多月了，這是頭一晚，我突然感到我竟是如此思念著弟娃，思念得那般渴切、猛烈。

13

晚上八點正，我們到了中山北路的梅田。我們的師傅楊教頭只帶了原始人阿雄仔跟我兩人去，老鼠因為烏鴉不准出來，吳敏頭暈，在楊教頭家休息。楊教頭穿得正正經經，一件泡泡紗草青條子的西裝上衣，一身粽子一般，箍出了圓滾滾的幾節肉來，還繫著根寬領帶，綠綢子底爬滿了朱紅的瓢蟲。一頭一臉的熱汗，白襯衫早沁得透濕。他把阿雄仔也打扮了一番，套上了一件不合身的花格子西裝，袖子太短，露出裡面一大截襯衫來，拱肩縮背像足了馬戲團裡穿著外衣的大黑熊。在梅田門口，楊教頭轉身叮囑我們：

「今晚規矩些，在人家華僑客面前，莫給師傅丟臉！」

梅田果然有點情調，裝潢是東洋風，門口跨著一拱小橋，橋下水池，流水潺潺，橋尾迎面還有一座假山，山頂閃著一盞小青燈。裡面收拾得窗明几淨，冷氣細細的涼著。四周牆上鑲著扇形的壁燈，晶紅的燈光，朦朦朧朧，幾個女招待的笑靨上，都好像塗著一層毛毛的紅暈一般。餐館盡頭，有人在演奏電子風琴，琴聲悠悠揚起。一位女招待迎上來，把我們帶上了二樓，樓上是隔間雅座，女招待揭開第二間的珠簾，小玉及那位華僑客林茂雄已經坐在裡面等候著了。我們進去，林茂雄趕忙起身過來迎接，小玉緊跟在他身後。林茂雄是個五十上下的中年人，兩鬢花白，戴著一副銀絲邊眼鏡，一張端正的長方臉，一笑，眼角拖滿了魚尾紋。他穿了一身鐵灰色西裝，繫著根暗條領帶，銀領帶夾上鑲著一顆綠玉。楊教頭搶上前去，先跟林茂雄重重的握了一下手，又替我跟阿雄仔兩人引見了。林茂雄把楊教頭讓到上座，將我跟阿雄仔安插在楊教頭左右。大家坐定後，楊教頭一把扇子指向小玉，說道：

「怎麼樣，林樣？我這個徒弟還聽話吧？」

「玉仔很乖哩，」林茂雄側過頭去，望著小玉笑道，他說得一口東北腔的國語，小玉挨坐在林茂雄身旁，笑吟吟的。他穿了一件水綠白翻領的襯衫。一頭長髮，梳得整整齊齊，好像剛吹過風，一副頭乾臉淨的模樣。

「玉仔，他這幾天做我的導遊，我們看了不少地方。台北，我是完全不認識了——」

林茂雄一手扶在小玉的肩上，微笑著。

「今天中午！我才帶林樣到華西街吃海鮮來，林樣說，比東京便宜多了，又好吃！」小玉面帶得色的笑道。

「你說吧，林樣，怎麼謝我這個師傅，」楊教頭唰地一下，打開摺扇，搧了起來。飯館有冷氣，楊教頭的胖臉上，汗珠子仍然滾滾而下。

「就是說啊，所以今晚特地要請楊師傅來喝杯酒呢！」林茂雄笑應道。

「光喝酒是不夠的，」楊教頭搖頭道，「日後咱們有機會到東京，林樣也得導遊一番，叫咱們開開眼界，聽說東京的孩子也標致得緊哪！」

「楊師傅到東京來，我一定做嚮導，帶你到新宿去觀光。」

「那些日本孩子看見我們師傅，只怕嚇得大氣都不敢出了！」小玉在旁邊插嘴道。

「呔！我把你這個不孝的畜生！」楊教頭手一揚，厲聲喝道，旋即卻放下手來嘆了一聲：「林樣，你不知道，徒弟大了，師傅難做。嘔氣得很！這幾個東西，笨的笨、蠢的蠢，都上不了得檯盤，唯獨這個小傢伙，鬼靈精怪，一把嘴，又像刀，又像蜜，差點的人，也降不住他。林樣，我看他跟你竟有點投緣。」

「玉仔跟我兩人很合得來。」林茂雄笑著拍了一拍小玉的後腦袋瓜。

一個十六七歲的女招待揭簾走了進來，端上一盆潔白的冰毛巾讓我們揩面，又遞給我們一人一張菜牌。林茂雄先讓楊教頭：

「楊師傅，你是行家，請先點吧。今天是玉仔的主意，吃台灣小菜。」

「我隨和得很，甚麼都吃，連人肉也吃！」

我們都笑了起來，女招待笑得用手摀住了嘴。

「那麼，就來碟西施舌吧，嚐嚐美人舌頭的味道！」

「嗨，」那個女招待趕忙應聲寫了下來。

「玉仔，你想要吃甚麼？」林茂雄轉頭問小玉。

「烤花枝，我要吃烤花枝！」小玉嚷道。

林茂雄又讓阿雄仔，阿雄咧開大嘴笑嘻嘻的說：

「雞、雞——」

「現甚麼寶？」楊教頭低聲笑罵道，「給他來道烤雞腿吧！」

「嗨，」女招待又趕忙應道。

我點了一碟鹽酥蝦，林茂雄自己也加了幾個菜，一道燒鰻，一道家常豆腐，一碟酸菜炒肚絲。

「日本人不吃內臟，我有好些年沒有吃到炒肚絲了。」林茂雄笑嘆道。

「先生要喝甚麼酒？」女招待怯生生的問道。

「把你們的陳年紹興熱來，」楊教頭命令道，「加酸梅！」

女招待去暖了一壺紹興酒來，一只高玻璃杯裡盛著酸梅，她要替我們斟酒，小玉卻趕忙接了過去道：

「不必了，讓我來。」

女招待應著走了出去，小玉把酒篩到裝酸梅的杯裡，浸漬片刻，先替林茂雄斟上一杯，又把別人的酒杯都注滿了，才立起身來，雙手捧起酒杯，朝林茂雄敬道：

「林樣，今天是你給我面子。我先乾了這杯酒，表示我一點敬意吧。」

說著小玉便舉杯，一口氣咕嘟咕嘟將一杯酒飲盡了，一張臉頓時鮮紅起來，一雙飛挑的眼睛眼皮也泛了桃花。

「慢來、慢來，別嗆著了，」林茂雄趕緊伸出手制止道。

「我從來不喝酒的，」小玉笑道，「今晚實在高興，所以放肆了！」

「嘖、嘖，」楊教頭咂嘴道，「林樣，你本事大，這個小傢伙腦後那塊反骨大概給你抽掉了——章變得這般彬彬有禮起來！」

「玉仔一直很懂禮麼，」林茂雄笑道，自己也吮了一口酒。

「沒有的事！」楊教頭擺手道，「他在別人面前，張牙舞爪，就像隻小鬥雞，你真是把他收服了！」

「等一下菜來了，先吃點才喝，空肚子鬧酒，要醉了，」林茂雄低聲對小玉說道。

「好的，」小玉點頭應道。

女招待送菜上來，頭兩道是烤花枝、烤雞腿。林茂雄挾了一塊烤花枝，擱在小玉碟子裡。阿雄仔看見那盤焦黃油亮的肥雞腿，伸出隻大手爪便去抓。我整天只吃了兩枚燒餅，老早餓得肚子不停的嘰咕嘰咕發響，一聞到那陣烤雞腿的肉香，頓時一嘴巴的清口水，手上的筷子跟阿雄仔的手爪差不多同時伸到盤中最大那隻雞腿上。

「喂，你們客氣些！」楊教頭喝道，轉向林茂雄道歉道，「林樣，請多多包涵！我命苦，收了這麼個傻仔，又加上一群沒見過世面的徒兒，處處出洋相！」

「讓他們去吧，」林茂雄笑道，「難得孩子們吃得這麼開心！」

林茂雄說著把外衣也卸了，小玉趕忙接了過去，掛到衣架上。楊教頭也除下了西裝，把領帶也鬆開了。林茂雄雙手端起酒杯來，向楊教頭敬酒道：

「楊師傅，請你先受了我這杯酒。」

楊教頭也慌忙不迭的舉杯回敬道：

「林樣是遠客，我應當先敬。」

兩人對過杯以後，林茂雄沉思了片刻，卻向楊教頭鄭重的說道：

「楊師傅，今晚請你來，我還有一件事想跟你商量：玉仔是個聰明孩子，我看他也還懂得好歹，由他這樣浪蕩下去，恐怕糟蹋了——」

「林樣！」楊教頭將扇子往桌上一拍，「你這句話，正說到我的心坎兒上！我是他師傅，難道還不望他好？他從前那些乾爹，有的開店鋪、有的開洋行。他肯上進，謀份正經差事，還不易如反掌？偏偏這個小傢伙，天生一副賤骨頭！沒常性，三天兩頭，一言不合，大搖大擺的就開小差。他自己不愛好，我當師傅的，拿他也無可奈何。」

「當然、當然。」林茂雄陪笑道，「師傅哪有不疼徒弟的道理？是這樣的，咱們成城藥廠在台北松江路設了間經銷處，要雇用一批人。我想把玉仔安插在公司裡，有份差事，學個一技之長，對他日後是好的。所以先向師傅問准，備個案。」

「那敢情好！」楊教頭應道，「林樣肯提拔，是他的福。只是一件：要看他本人如何。小傢伙，肚裡的鬼，只怕有一打！」

「我已經問過他了，他自己說願意，」林茂雄側過頭去望著小玉笑道。

「替林樣做事，我盡心就是了，」小玉一臉正經的說道。

「這回可是你自己說的，」楊教頭指向小玉，「咱們等著瞧吧——這倒好，日後傷風頭痛，直到小玉那裡拿藥就是了！」

「我們銷的，大部分是補藥，『胖美兒』之類，」林茂雄笑道，「台灣市場小，西德貨競爭又厲害，生意恐怕也不太好做。」

「人事呀！這裡甚麼都講人事！要拉大醫院，又要拉大醫生，藥品才銷得出去。」

「我們已經開始做廣告，徵經銷員了——我的意思，就是想叫玉仔跑跑外務經銷。」

「那行，他那把嘴還要得！」楊教頭嘉許道。

談笑間，我跟阿雄仔兩人已經把雞腿啃得只剩下幾根骨頭，一時菜都上齊了，而且林茂雄又一直叫我們不要拘束，我跟阿雄兩個人，筷子調羹並用，蝦子鰻魚豆腐肚絲，一人盛滿了一盤。梅田的台灣小菜果然勝過青葉梅子，味道精緻得多。我心裡想下次不知幾時才有機會上館子，吃夠本再說。

「這些年，我一直想回來看看——」林茂雄呷了一口酒，緩緩說道，「沒料到台北竟變得這麼繁華，好像十年前的東京一樣。玉仔今天帶我走過八條通——從前我們的老家就在那裡——現在全是旅館酒店，眼都看花了！」

「那一帶變動得厲害，」楊教頭接嘴道，「從前咱們在六條通開了一家『桃源春』，轟轟烈烈了一陣子——現在那家酒館已經換了兩個老闆，改成甚麼『阿里山』了！門口漆得大紅大綠，走過那裡我看著就刺心！林樣這次回來，親人都看到了？」

「老一輩的都不在嘍，」林茂雄唏噓道，「這次我回來，倒想找一位少年時代的朋友——」

林茂雄若有所思的頓了下來，他的雙顴微微的泛起酒後的酡色，牆上的扇形壁燈，晶紅的光照在他那一頭花白的頭髮上，塗上了一層暈輝。他的嘴角漾著一抹悵然的微笑，眼角的皺紋都浮現了起來。

「他叫吳春暉，我們住在一條巷子裡，兩個人很親近，跟兄弟一樣。那時我們一同上台北工業學校，學化工。兩人還約好，日後一塊兒到日本去學醫，回來合開診所。誰知道戰事一來，我卻給徵到大陸東北，一去便是這麼些年——」

「我也到過東北，冰天雪地，耳朵差點沒給凍掉！」楊教頭插嘴道。

「是啊，我剛到長春的時候，生滿了一腳的凍瘡，寸步難行。」林茂雄搖頭笑道，「後來才知道東北人的靴子裡原來都塞滿了烏拉草取暖的。」

「那個吳春暉呢？」小玉好奇的問道。

「噯，」林茂雄嘆息道，「他可憐，給日軍拉去東南亞打仗去了，下落不明，也不知道他現在還活著沒有？」

「他長得是甚麼樣子？」小玉問道。

「我只記得他年輕時候的面貌——」林茂雄沉吟了片刻，他打量了小玉一下，笑道，「說起來，你跟他，眉眼間倒有幾分相似。」

「是麼？」小玉笑道，「那個容易，林樣，我陪你去找！」

「傻仔，」林茂雄搔了一搔他那花白的髮鬟，「隔了三十年，我們相見也不認識了呀！」

「不要緊，只要痛下決心，一條街一條街，一個城一個城去找，總有一天找得到，」小玉頗為自信的說道。

「真正是小孩子說話。」林茂雄搖頭笑道。

小玉起身揀了一塊烤鰻魚，敬到林茂雄的碟子裡。林茂雄吃了一口，讚道：

「這家燒烤，確實不錯。」

「聽說東京的中國飯館也多得很哪，」小玉探問道。

「日本人愛吃中華料理，他們常常在中國飯館宴客，在日本開餐館很賺錢。東京有一家留園，是滿洲皇族開的。氣派大得很，普通人還吃不起哩，一道水晶雞，日幣三千圓！」

「林樣，我到東京去，在中國餐館打工，行麼？」小玉問道。

「你會燒菜麼？」

「不會可以學麼。」

「那邊餐館常常請不到廚子。」

「那麼我趕快到烹飪學校報名，考個廚子執照去，」小玉笑道。

「你不必打這些鬼主意了！」楊教頭道，「林樣回日本，乾脆把你裝進箱子裡，提走了事！林樣，聽說這幾年東京也繁榮得了不得！」

「東京變得更厲害，」林茂雄嘆道，「戰後我們去，差不多炸平了，眼看著一棟棟高樓建了起來。我們老闆有眼光，一去便在新宿番眾町那一帶買下一塊地，就那樣發了起來——他是我太太的舅舅，就是他把我們接去日本幫忙的——」

「番眾町那裡有一家酒吧叫一番館，裡面的孩子都穿著和服的。」小玉插嘴道。

「你怎麼知道？」林茂雄詫異道。

「一番館在番眾町七十五番地，」小玉笑嘻嘻的說。

「你這個孩子，」林茂雄摸了小玉的頭一下，「好像東京去過多少次似的，這麼熟！」

「我有一本東京地圖，」小玉笑道，「那些街道我都背熟了，我去了，一定不會迷路。有一天，我一定要到新宿一番館去瞧瞧那些穿和服的日本孩子去——林樣，要是我穿起和服來，會好看麼？」

「你穿上和服，倒像個日本娃娃。」

「『好色一代男』林樣看過麼？」小玉問道，「是一部彩色古裝片。」

「『好色一代男』？」林茂雄皺起眉頭思索了片刻，「是好老的影片了吧？」

「池部良演的，」小玉說道，「他在電影裡穿了一件白綢子黑緞帶的和服，亂瀟灑一陣！林樣也有和服麼？」

「有一件，在家裡穿穿。」

「甚麼顏色？」

「灰的。」

「哦，我喜歡白綢子的。以後我也去買一件；不過聽說好的貴得很。要是我在東京穿起和服來，他們真的把我當作日本仔怎麼辦？我又不會說日本話，只會一句：我哈腰——果哉一麻司，還是師傅教的。你肯教我說日文麼，林樣？」

「那要看，」林茂雄微笑道，「你在公司裡做事努不努力！」

「那我一定拚命幹就是了！」小玉笑道。

幾碟菜我跟阿雄仔兩個人，悶聲不響掃掉了一大半，阿雄仔用手拉雞腿吃，兩手抓得油嘰嘰，啃完了雞腿，又吮手指頭。小玉點的烤花枝，他只吃了兩夾，其餘的我趁他說話，都暗暗的計算光了，幾道菜，烤花枝最爽口，又香又脆。吃到最後，一只碟裡還剩下一枚鹽酥蝦，我挾起送進嘴裡，連頭帶尾一齊吞了下去。吃完菜，我們把兩瓶紹興酒也搗鼓光了，才散席。

14

「盛公家開『派對』！」

這個消息，像一則不脛而走的謠言，從早上開始，便在台北市我們這個隱秘的地下國度裡，每一個角落，散佈開來。從八德路傳到中山北路，從中山北路流到西門町，從西門町越過淡水河吹到三重鎮，然後再回頭，落到萬華三水街那條熱臭污穢的死巷中。在大街上，在小巷中，在野人地下室，在新南陽的後排座椅上，當然，最後歸集到我們的老窩公園裡——大家見了面，都會心的一笑，互相傳遞、互相印證：

「盛公又開『派對』了。」

「八德路二段。」

「晚上十點鐘。」

十點鐘，八德路二段一條弄堂裡，早已停滿了腳踏車、摩托車，還有一兩部小轎車。盛公那幢兩層樓的花園洋房，外面看去，一片昏暗，連門燈都沒有開。樓房上下，門窗緊閉，簾幕低垂。外人看見，都會以為宅內的人早已安息，燈火俱滅。誰也不會察覺，那座外表十分安靜規矩的巨宅裡，一個秘密聚會，正在如火如荼的進行著。只有走近客廳時，才聽到裡面隱隱約約的人語笑聲以及管弦的悠揚。客廳門口，一排排、一行行，早已堆滿了各式各樣的鞋子，有尖著頭繫帶子的老式生生皮鞋，有鏤著小洞的白皮鞋，有泥滾滾發著膠臭的運動鞋，還有幾隻赤裸裸的高跟木屐。盛公家的客廳，十分寬大，容得下四五十人，可是裡面一片黑壓壓擠滿了人頭。客廳中央那盞大吊燈，旋轉出紅、綠、紫三種顏色的燈光，配著唱機播放出來的「碎心花」的探戈節奏，轉得偌大一間客廳，像只大水缸，各色水浪，波濤起伏。一個個人的身上臉上，時紅時綠，好像一群色彩艷異的熱帶魚，在五顏六色的水波中，載浮載沉。裡面的人都扯高了喉嚨，叫著笑著跳著，可是誰也聽不清誰的話，因為客廳那座兩噸半的冷氣機，正開足了馬力，轟轟的噴射，把人語笑聲鎮壓下去。門窗關閉得緊，客廳裡一逕醞著一股清一色濃濁的男人味。

主人盛公坐在客廳一端凸起的台上一張檀木的太師椅上，居高臨下，睜著他那雙老眊的眼睛，既感興味又無可奈何的瞅著那一群暖烘烘的青春肉體，半刻也不肯安分的蹦跳著、飛躍著。盛公穿了一件黑絲綢香港衫，左邊胸袋上繡著一朵醉紅的海棠花。頭上殘剩的一撮稀髮，一綹綹梳得妥妥帖帖的覆在頭頂上。因為長年風濕，盛公的背一逕痛得彎成一把弓，背後襯著兩只軟泡泡的黑絲絨椅墊。盛公的萬年青電影公司剛推出一部文藝片「靈與肉」，轟動港台，創下近年來的票房紀錄。盛公心花怒放，便開起「派對」，來慶祝「靈與肉」的成功，連電影中那支主題曲「碎心花」也得了一個大獎。盛公對我們，確實是慷慨的。時常無緣無故，他會叫一桌酒席，讓我們吃得興高采烈，他夾在我們中間，拍著我們的背，說道：「能吃就吃吧，孩子。像我，連塊排骨都啃不動嘍。」盛公鑲了一口的假牙，只能吃蝦仁蒸蛋、雞血豆腐。盛公喜歡訴說他過去輝煌的故事：他從前在上海，是天一公司的台柱小生，跟徐來、王人美都配過戲。他說徐來最美，不愧是標準美人。他把他從前那些劇照拿出來，給我們看，我們都笑了起來。盛公悻悻然喝道：「笑甚麼？難道你們還不相信這就是我麼？」我們確實不相信，相片裡那個年輕英俊、眉眼靈秀的男人，竟會變成一個癟嘴駝背的醜老頭，上次盛公開「派對」，我們吃完喝完，大家成群結隊，一哄而散，誰也不肯留下來陪盛公消夜，喝紅棗桂圓湯，聽他那些講了又講的古老故事。在空曠的客廳裡，盛公獨自頹然靠在太師椅上，茶几上，煙屁酒罐，糖紙瓜子殼，堆積如山。盛公突然感傷起來，淌下了兩滴衰老的眼淚，對楊教頭慨嘆道：

「楊胖子，老來無子，到底是淒涼的。」

楊教頭是盛公唯一的知己，盛公的感慨，只有他才能了解。

「算了吧，盛公，」楊教頭安慰他道，「養兒子，不孝順，也是枉然！」

「那塊料還不錯，」盛公轉向坐在左手凳子上的楊教頭說道，他正覷著老眊的眼睛，指向人群中一個身著火紅緊身衫的少年。少年的身材很帥，長褪細腰，一個倒三角的胴體，寬厚的胸膛，兩塊胸肌賁張的隆起。少年揚面昂首，左顧右盼，一副目中無人的狂態，都堆在他那似笑非笑，上挑的嘴角上。盛公識人，「靈與肉」中的男主角林天，一經他提拔，登時平步青雲，熠熠的便紅了起來。

「那個騷東西麼？」

楊教頭用扇子遙點了紅衣少年一下，歪過頭去，湊到盛公耳下，報告了一段少年的履歷：華國寶，人都叫他華騷包，一天到晚愛亮出他身上那幾斤健身房練出的肌肉來。讀過一年藝專，便自以為是電影明星了。是個刁狂無比的浮滑少年。然而人卻聰明絕頂，也有才，倒真是一塊料！看見麼？跟在他身後，寸步不離，戴著一頂巴黎帽的，他是誰？是陽峰哪，「悲情城市」、「心酸酸」，從前台語片那個過了氣的紅小生。他整日在小華的身後，就好像在追逐自己的影子一般。這兩年陽峰的魂只怕也給他磨掉了，供他吃、供他住、供他讀書。華國寶卻冷冷的說道：「我不稀罕！」

老鼠在人群中竄來竄去，趁人不覺，從茶几上攫走了那包還未開封的「長壽」，迅速的塞進了褲子後面的口袋裡，又擠到那張大理石面的八仙桌邊，從一只朱漆的四色糖盒裡，狠狠的抓起一大把金銀紙包著的巧克力，正要往胸袋放，卻讓聚寶盆的盧司務一把捉住了手梗子，老鼠咧著一口焦黃的牙齒，無奈的笑道，「盧爺，要吃糖麼？」盧胖子笑得像尊歡喜佛，大肚子頂到老鼠的胸上，「糖，我不要吃，我倒想啃你的骨頭！」

吳敏那張臉變得愈蒼白了，他退縮到客廳遠遠的一角，閃躲到那架卍字烏木屏風後面去，掏出手帕，揩拭他額上的冷汗。他左手上的綳帶還沒有除去，白白的一圈，套在腕上，手銬一般。張先生剛跨了進來，他穿了一套很體面天藍色沙市井的夏天西裝，頭髮抿得一絲不苟，下巴剃得鐵青，他右邊嘴角拖著的那一道深紋，在紅艷艷綠森森的燈光下，如同一條陰黑的刀痕，斜橫在那裡，好像一逕在兇殘的微笑著似的。蕭勤快跟在他身後，濃眉大眼，茁壯得像頭小公牛，見了人便咧開他的厚嘴唇，得意的笑道：「我們剛到華聲去看戲：『靈與肉』。」

心臟科的名醫史醫生正伸出手去，按了一按三水街小么兒花仔的胸脯，說道：「花仔，你的心長歪了，難怪你這個人也是歪的。」史醫生常常要我們到他的永樂診所去檢查身體，他給我們義診，連金黴素也是贈送的。史醫生的診所裡有人送他一塊匾：仁心仁術。他確實是一個仁醫，非常關心我們的健康，常常給我們講解衛生常識。

鐵牛扠著腰，敞著胸，企立在那裡，一頭鐵硬的怒髮，根根倒豎，一條黑帆布的臘腸褲，箍得腿上的肌肉波浪起伏，皮帶也不繫，褲頭滑得低低的，全身都在暴放著野蠻的男性——可是藝術大師說，他在鐵牛的身上，終於找到了這個島上的原始生命，就像這個島上的颱風海嘯一般，那是一種令人震懾的自然美。他替鐵牛畫了好幾張畫像，他說，那才是他真正的傑作。藝術大師非常鄙薄那一群大學生，「文明和教育把他們的生命力都斲傷了，」他冷笑道：「他們像甚麼？一束塑膠花！」然而那群大學生卻獨自圍成了一個小圈圈，嘴裡夾著洋文，沾沾自喜的在跳著探戈的花步。

在盛公這間門窗緊閉、簾幕低垂、冷氣機開得轟轟響的客廳裡，我們一個個都放浪形骸的蹦跳起來，愈跳愈驃悍、愈猖狂，一個個都誇張的笑著、叫著，好像在向外面那個合法的世界挑戰、報復一般。在那轉得忽紅忽綠的燈光下，我看到了盛公那衰老無奈的臉，陽峰那張追悼哀傷的臉，華國寶那張狂傲的臉，吳敏那張蒼白的臉，張先生那張一逕浮著一抹兇殘微笑的臉，這一張張年老的、年輕的、美貌的、醜陋的臉上，都漾著一股若有所失的曖昧神情，好像都在企圖遮掩甚麼似的，遮掩一些最黑暗最黑暗的隱痛？一顆長年流著血不肯結疤的心？在那盞旋轉燈下，我又看到了那張古銅色高額削腮的臉——立在我面前的是那個頭一次帶我到瑤台旅社去，小腹練得鐵板一般硬的中學體育教員，他正朝著我，伸出了他那筋絡崎嶇的手臂來。在旋轉燈下，我看見了一隻隻的手：吳敏那隻綁著白繃帶受了重創的手，老鼠那隻被煙頭烙起了燎泡的手，陽峰那隻向華國寶伸了出來而又痛苦遲疑縮了回去的手。在這個封閉壅塞的小世界裡，我們都伸出了一隻隻飢渴絕望的手爪，互相兇猛的抓著、攉著、撕著、扯著，好像要從對方的肉體抓回一把補償似的。體育教員那隻手，像鋼爪一般，一把扣住我的右腕，掐得我的手骨直發疼。他是那樣急切的望著我，紅絲滿佈的眼裡，好像又有千言萬語要向我傾吐一般。我聞到了他呼吸裡噴出的酒味，他又醉了，就像那天夜裡一樣，醉得口齒不清，向我傾訴了一大堆他的傷心歷史，那樣一個北方大漢，竟會慟哭得令人手足無措。我感到非常尷尬，我實在不忍見到那張古銅色醉臉上淚水縱橫的模樣。在人堆中，肉磨著肉，我盲從奮力的蹦著跳著，一陣突如其來莫名的悲傷，千鈞壓頂陡然罩了下來。我覺得客廳裡的氧氣好像驟然抽掉，胸口一悶，令人窒息起來。我猛地掙脫了體育教員鋼爪似的手，奮力推開人堆，竄逃到客廳外面去。在客廳門口，我從那堆混雜的鞋子中，找到了我那雙打著鐵釘張了口的皮靴子。

15

午夜，公園裡熱濃的空氣稍稍清涼下來，那叢樟木林子，正在噴吐著一蓬蓬沁人腦脾的辛香。十七的月亮比十五的又昏黯了些，托在最高那棵大王椰的頂上，如同一團燒得快成灰燼的煤球，獨自透著暈紅暈紅的餘暉。四周沉寂，只有蓮花池那邊的台階上，傳來剁、剁、剁，一聲又一聲孤獨的步音，焦灼、迫切，漸漸消失到遠方，驀地回頭，卻又轉身過來，愈來愈急，愈來愈響。他那高大的身影，穿過來，穿過去。嶙峋、突兀，從台階這一端蹭蹬到台階那一端，無休無止的在徘徊、在踟躕，直到他跟我撞了個照面，他才倏地煞住了腳，一雙釘耙似的長手臂扣到我的肩上，他那雙炯炯的眼睛逼視著，如同原始森林中的兩團野火，猛的跳躍了起來。

「我一直在找尋你，阿青，找了好久了。」

16

「他們都說是我殺害了他，是麼？」

黑暗中，龍子的聲音，好像久埋在地底的幽界，又開始汩汩的湧現上來。

「我殺死的不是阿鳳，阿青，我殺死的是我自己。那一刀下去，正正插中了我自己的那顆心，就那樣，我便死去了，一死便死了許多年——」

我們兩個人，肩靠著肩，躺在一鋪墊著浸涼藤蓆的沙發床上。在南京東路三段的一條巷子底，王夔龍父親那幢日據時代留下來的古舊的官邸裡，我們躺在龍子從前那間臨靠後院的臥房內。床腳下，點著一餅濃郁的蚊煙香，香煙裊裊上升，床頭的紗窗外，幾扇芭蕉的闊葉，黑影參差，忽開，忽合，在掃動著。院子裡有夏蟲的鳴聲，顫抖、悠揚，一聲短，一聲長。

「許多年，我藏在紐約的曼赫登上，中央公園斜對面七十二街一座公寓大廈的小閣樓裡，變成了一個不見天日的野鬼。白天，我躲在百老匯一家地窖酒吧裡，打零工，賺些零用錢。到了深夜，到了深深的夜裡，我才露面，開始在曼赫登那些燈光燦爛、行人絕跡的街道上流蕩起來，從四十二街一直走到第八街，走到兩條腿瘦疲得抬不動了，我便在華盛頓廣場的噴水池邊，坐了下來，坐在那裡，坐到天明。有時候，我乘地下車，在紐約的地底下，橫衝直闖，從一路車換到另一路，一直乘到方向完全迷失，才從地底下爬出來，跨入一片完全陌生的黑暗地帶，在那些黑影幢幢的高樓中間，盲目的亂轉起來。有一次，半夜三更，我闖進了哈林黑人區，那個夏天，黑人暴動，每夜都有警察在跟黑人揪鬥，那晚我走到一團黑漆漆的人群中間，也給警察拳打腳踢趕上了警車，捉到拘留所去。可是那時我並不懂得害怕，因為我一點感覺也沒有——

「一個風雨交加的夜裡，我站在河邊公園的一棵大榆樹下，雨水從樹葉樹枝上沖下來，浸得我全身透濕透濕，我的雙足陷在泥淖裡，愈陷愈深，泥漿灌進了我的鞋子內，凍得我一雙腳都發了麻，我一直望著遠處華盛頓大橋在風雨中閃爍著的燈光，全然忘了還有一個人跪在我的腳下，在啃食著我的身體。又一個大雪紛紛的冬夜，我在時報廣場一家專演男色電影的通宵戲院裡，倒在最後一排，昏昏睡了過去。醒來時，大概已是清晨，一間又黑又大的戲院裡，上上下下只剩下我一個人坐在那裡，大銀幕上人體亂跳，可是我完全視若無睹，只是當我低頭看錶時，手腕上那只我在台灣考上大學時父親送給我做紀念的勞力士卻無翼而飛，讓人家順手剝走了。那些年，我在紐約的街頭上流浪，前前後後，大約總吃了幾百只牛肉餅了吧。可是我卻一直不知道牛肉餅是甚麼味道，我失去了味覺，嚼甚麼東西，都如同木屑一般。有一次，我在格林威治村買了一只牛肉餅，一口下去，把舌尖咬下了一塊肉來，一嘴的血，我自己也不知道，和著自己的血肉，把牛肉餅一齊吞到肚裡去。然而有一天，我突然恢復了知覺——

「那是一個聖誕夜，紐約大街的聖誕樹上都點滿了紅紅綠綠的彩燈，到處都在唱平安夜，那晚落雪落得早，五六點鐘，曼赫登上已經變白了，人們跟家人聚在屋內，開始聖誕晚餐。我也跟著一群人，在吃聖誕晚餐。我們一共有一百多個，有六、七十歲全身鬆弛得像只空皮囊的老人，有十幾歲四肢剛剛圓滑鼓脹的少年，有白人、黑人、黃人、棕色人，在那個聖誕夜裡，我們從各處奔逃到二十二街躲入一幢又黑又舊的高樓裡，在一間間蒸汽瀰漫的密室內，我們赤裸著身子，圍在一塊兒聚餐，大家靜默而又狂熱的吞噬著彼此的肉體。我離開那間三層樓像迷宮一般的土耳其蒸氣浴室，出到街上，外面已經瞢瞢亮了，天上的雪花給寒風颳得亂飛，到處白茫茫的一片。我坐地下車回家，走過中央公園門口，突然間，裡面樹叢中閃出一團黑影來，緊緊跟在我的身後。平常夏夜裡，中央公園那一帶樹蔭下，經常人影幢幢，在那裡互相追逐。就是冬天，有時候，還會剩下幾個孤魂野鬼，在寒風中，徬徨徘徊，直到天明。那天，我已筋疲力盡，遍身麻木，於是便加速腳步，往七十二街家裡走去。走到公寓門口，後面跟著我的那個人，卻追了上來，聲音顫抖的叫道：「先生，有零錢麼？我餓了。」我回頭看，發覺那竟是一個十幾歲的孩子。他裹在一件黑呢帶斗篷的大衣裡，斗篷蓋在眉上，遮掉他半張臉，他佝著背，一身抖瑟瑟的。我對他說，我樓上有熱可可，他便跟了我上去。進到房中，他脫去大衣，裡面只穿了一件暗紅色破舊的套頭緊身衫，露出他那瘦羸的身子來。他有一頭大鬈大鬈烏黑的頭髮，蓬鬆鬆的堆在眉上，一雙大得出奇的黑眼睛，深深嵌在他那張削薄青白的臉上，爍爍發光。他看起來約莫十六、七歲，像是一個波多黎哥的孩子。我沖了一杯熱可可端給他，他接過去，雙手捧起杯子，也不怕熱，咕嘟咕嘟一口氣喝得精光，他那張凍得青白的臉上才漸漸泛出一絲血色來。他坐在我的床沿上，一雙大眼睛望著我，在期待著。我知道，那個孩子要的是甚麼，二十塊、三十塊，一個禮拜的飯錢，一個禮拜的房租。我過去伸出手去剝他的衣服，我要盡快打發他走，好蒙頭睡覺。當我的手指尖戳中他的胸前，他突然啊的一聲驚叫了起來，我趕忙縮回手，孩子抬起了頭，對我歉然的笑著，可是他的眉頭卻緊皺著，一雙大眼睛好像痛得在迸跳似的。他自己緩緩的將衣衫卸下，露出了赤裸的上身來。在他那瘦骨稜稜的胸膛上，橫橫斜斜，赫然印著幾條傷痕，條條有手指大小，青的青、紅的紅，交叉的地方，一塊傷痕，有酒杯口大，正正壓在他的心口上，傷口破了，發了炎，浮腫了起來，鮮紅的，在淌著黃色的漿液。孩子告訴我，前幾天的一個晚上，他在公園裡，撞見一個穿皮夾克騎摩托車，褲帶上掛滿了鏗鏗鏘鏘白銅鎖匙有虐待狂的傢伙，將他帶了回去，用一根長長的鐵鍊子緊緊把他綑綁了起來，鞭著他像狗似的在地上爬。『綁得太緊了，磨破了——』孩子指著他胸口上那塊酒杯大的傷疤說道，他嘴角上一直浮著一抹歉然的笑容，那一刻，就在那一刻，突然間，我在他心口鮮紅的傷疤上，看見了那把刀，那把正正插在阿鳳胸口上的刀。阿鳳倒臥在地上，一身的血，也是那樣望著我，一雙大眼睛痛得亂跳，可是他那抖動的嘴角上，也是那樣，掛著一抹無可奈何歉然的笑容。多少年來，我完全失去了記憶，失去了知覺。可是那一刻，那一刻我好像觸了高壓電一般，猛地一震，心中掀起一陣劇痛，痛得我眼前一黑，直冒金星。我抓起那個孩子一雙冰涼的手，握在掌中，拚命揉搓。我跪倒在他面前，把他那雙又髒又濕裹滿了雪泥的靴子脫掉，捧起他那雙僵凍骯髒的腳，摟進懷裡，將面腮抵住他的腳背，來回摩擦，一直撫弄到他那雙僵凍的腳溫暖了為止。那個孩子被我弄得手足無措起來，我也不顧他反對，把他抱上了床，替他脫去衣褲，去找了一瓶雙氧水，用棉花蘸了，替他把胸上的傷痕輕輕洗乾淨，然後將一張厚厚的毛毯蓋到他身上去。我坐在他頭邊的地板上，守著他，直到他閉上眼睛，疲倦的睡去。我站起來走到窗邊，斜對面中央公園裡，樹上地上都蓋滿了一層潔白的雪，太陽剛升起，照得一片晶亮，炫人眼目。我企立在窗前，一身的血，在翻騰，在滾燒，臉上一陣陣的熱，如同針刺一般。從前的事，一幕一幕，像萬花筒似的，拼湊起來。猛抬眼，我瞥見窗玻璃裡，映著一具骷髏般的人影，多少年來，那是我第一次，看到了自己——

「那個孩子，在我那裡居留了三個多月。他的名字叫哥樂士，哥樂士是波多黎哥人，是從聖璜來的，他的英文破破碎碎，夾滿了西班牙話。他告訴我，三年前他們全家移民到紐約，父親不願負擔家累，棄家而走，母親就那樣瘋掉了，給關進了市立精神病院。有一天，我們走過東河河邊，哥樂士指給我看，對面河岸凸出一個半島，半島尖端，有一所紅磚大樓，四周圍了很高的鐵絲網。『我母親就關在那裡頭。』哥樂士對我說道，他說他在紐約街頭已經流浪了一年多了，遇見過不少奇奇怪怪的人，也染上了一身的惡疾，他的生殖器上，凸起一塊塊的紅斑，我帶他到醫院去治療，他患了二期梅毒，打了許多針。他的內衣褲總沾著點點斑斑黃濁的膿汁，晚上換下來，我便用消毒藥水替他洗乾淨。我那鋪單人床窄小，晚上我們躺在一起，我一翻身，手肘觸中他胸上的創傷，總是痛得他從睡夢中叫醒，於是我便把我的床讓了出來給他睡，我躺在他床下的地板上，在黑暗中，我聽得到他均勻熟睡的鼻息。三個多月，我天天餵他雞蛋牛奶，還有草莓冰淇淋——哥樂士人瘦，食量卻大得出奇，每天可以吃一小桶冰淇淋哩——他的面頰漸漸豐滿起來，胸前那幾道鐵鍊子箍出來的創傷也慢慢平復了，結成一條條殷紅的疤痕。有一天，哥樂士告訴我他要去探望他的母親，可是他一去，再也沒有返來——

「然而，阿青，哥樂士失蹤了，可是在紐約曼赫登那些棋盤似的街道上，還有千千萬萬個像哥樂士那樣的孩子，日日夜夜，夜夜日日，在流浪、在竄逃、在染著病，在公園裡被人分屍。那麼多，那麼多，走了又來，從美國各個大城小鎮。有時候在中央公園的樹叢裡，有時候在地下車站的廁所中，有時候在四十二街的霓虹燈下，我會突然看到一雙閃爍爍的大眼睛，那是阿鳳的眼睛，痛得在跳躍的大眼睛。於是我便禁不住要伸出手去撫摸那個孩子的面頰，問他：『你餓了麼？』有一次半夜我帶了一個十三四歲的猶太孩子回家——他蜷臥在公園外面人行道的長靠椅上，睡著了。我把我的床讓給他睡，可是天還沒亮，他卻爬了起來，到處翻我的東西。我沒有作聲，看著他把我的皮夾從褲袋裡拿出來，還順手牽走了我一副太陽眼鏡。又一次，我帶了一個餓得發抖的意大利孩子回去，我煮了通心粉餵他吃，吃完後，他卻倏地抽出一把彈簧刀來，逼我要錢，那天正好我的現款用光了。他以為我說謊，暴怒起來，一刀戳到我胸上，戳偏了，沒有中要害。我倒在地上，也沒有呼救，血一直沁到我的夾克外面來。我聽得到自己的血一滴一滴落在地板上，漸漸昏迷了過去。第二天，房東太太叫救護車來把我送進了醫院，在裡面住了一個星期，輸了兩千CC的血。我的肉體雖然很虛弱，可是感覺卻異樣的敏銳起來，敏銳得可怕，好像神經末梢全部張開了，一觸即痛。出院那天，是個星期天的下午，走出醫院外面，八十三街近公園那裡，靠牆坐著一個老黑人，一個滿頭花白的瞎子乞丐，眨著一雙青光眼，在拉著一架破爛的手風琴。冬天的夕陽把他那張皺得眉眼模糊的臉照得赤紅。那個老黑人正拉奏著一首黑人民謠：『Going Home』。手風琴的聲音在寒冷的暮風裡，顫抖抖的。我背著夕陽，踏著自己的影子，走著走著，突然心中湧起一股強烈的慾望：我也要回家，回到台北，回到新公園，重新回到那蓮花池畔。可是我還得等兩年，兩年後，我父親才過世——」

龍子那汩汩上冒的聲音，突然間好像流乾了似的，戛然中斷。窗外那輪黯紅的月亮，冉冉沉落到那幾扇肥大的芭蕉葉上來了，院子裡的夏蟲，一聲短，一聲長，仍在細顫顫的叫喚著。我的眼睛酸澀得張不開了，矇著過去，等到醒來，紗窗外已經透著青濛濛的曙光。我感到呼吸困難，胸上好像壓著一根沉甸甸的鐵柱一般，是王夔龍那隻釘耙般的手臂，正正的橫臥在我的心口上。

「你喜歡甚麼顏色的襯衫？阿青？」王夔龍帶我回來的時候，問我道。

「藍的，」我說。

「明天我們到西門町替你買一件，」他把我脫下的襯衫掛到門背上，我的襯衫右肘，破了一個大洞。

王夔龍要求我搬到他父親南京東路那幢古老的住宅裡，跟他一塊兒住。

「再給我一個機會吧，讓我照顧你。」

他在黑暗中向我幽幽的乞求道，他說怎麼我也會有那樣一雙眼睛，一雙痛得在跳的眼睛，他頭一晚在公園裡便發覺了，他伸出他那隻瘦稜稜的大手，在不停梳爬著我的頭髮。離開家三個多月，在有一頓無一頓，晝夜顛倒的流浪日子裡，也曾有幾次，半夜裡突然驚醒，有時在後車站的下流旅館裡，有時候在萬華一間又髒又熱的小閣樓一鋪陌生人的床上，也有一次，竟倒臥在公園裡博物館前的台階上，醒來的那一刻，心中確實渴望著有一間能長久棲留的居所，可是有人要收容我的時候，我卻又藉故溜脫了。我在公園裡才出道一個星期，便遇見了一個好心人，一個姓嚴的中年人，他在西門町銀馬車當經理。他介紹我到銀馬車去當小弟，並且收容我到他金華街的那間公寓裡。他對我說：才出來還有救，陷下去就要萬劫不復了。我穿上了銀馬車雪白潔淨的制服，托著咖啡、紅茶、酸梅湯、芒果冰淇淋，十小時不停腳的周旋在那些到西門町看電影買東西的客人中間。到了第四天晚上，我在廁所裡悄悄的脫下制服，換上自己的衣裳，趁人不注意，從後門溜了出去。我從中華路朝著小南門一直奔跑下去，愈跑愈快，一口氣奔回到公園裡，跳到蓮花池畔的台階上。我突然起了一個逃走的念頭，逃出王夔龍父親這幢古老的官邸外面去。前些時在新南陽看過一部美國西部片「黑峽雙梟」。是講落為草莽出沒峽谷的兩兄弟——哥哥是亨利方達演的。兩人一生搶劫為惡，最後被官兵追趕，哥哥掉進了流沙裡，弟弟伸手去救，一齊給拖進了泥淖中，兩個人揪著扯著，慢慢沉淪下去，最後只剩了四隻手，伸在流沙外，拚命的在抓。我輕輕將龍子的手臂從我胸上挪開，他那根釘耙似的手臂，壓在我心口上，那麼重，直往下沉，我覺得就如同黑峽谷裡強盜哥哥伸出的那隻急切拚命的手一般，要將我拖進流沙裡去似的。我悄悄的下了床，穿上我那件破了洞的襯衫，走了出去。外面的鐵閘大門上了鎖，鐵閘很高，門上聳著三尺長黑色的鐵戟。我費了很大的勁，才翻越出去，把小腿都刺出了血。

17

下午三點鐘，台北市熱得像一隻走投無路的大癩皮狗，舌頭吊得老長，在呵呵的拚命喘息。陽光劈射下來，炙得人的頭皮直發痛。我到圓環江山樓去找老鼠。他在盛公的「派對」上跟我約好一同到新南陽去看「吊人樹」。老鼠要請我的客，因為前幾天他做了一票，頗為得意。老鼠住在他哥哥烏鴉那裡，就在晚香玉後面一棟閣樓上，是晚香玉老鴇陳朱妹的房子。晚香玉那些妓女都在睡午覺，一間間幽暗的黑洞，有些連簾幔也沒有放下，隱隱約約看得到裡面床上，躺著一堆堆黃黃白白的肉。天氣熱，那些妓女都把外衣卸了，只穿著奶罩及三角褲，透出來一陣陣濃濁的脂粉香及人肉味。我穿過走廊走進後院，在閣樓下吹了幾聲口哨，兩短一長——是我跟老鼠、小玉、吳敏我們四個人之間的暗號。閣樓上一扇窗戶倏地張開，探出一顆小頭來，老鼠笑得瞇起了眼，齜牙咧齒。他鬼鬼祟祟回頭探望了一下，向我打了一個手勢，要我上去。我爬上一條極長極窄又暗又陡的石級，上面閣樓的門卻是緊閉著的。呀的一聲門開了一條縫，裡面頓時有人厲聲喝道：

「甚麼人？」那是烏鴉的聲音。

「莫要緊，是阿青，」老鼠應道，向我咋了一下舌頭。他打著赤膊，只穿了一條黃白粗布的內褲，褲帶奇長，打了一個蝴蝶結還有一頭吊到膝蓋上，甩來甩去。

原來裡面在賭牌九，密密的圍了一桌子人，男男女女有八九個，門窗都關得嚴嚴的，下了竹簾，開了燈，兩把高腳電扇對面呼呼地來回吹著。賭錢的人都在抽煙，一屋子的烏煙瘴氣。陳朱妹正在推莊，嘩啦啦奮力的洗著一副骨牌。她是一個胖大的龜婆，身上只套著一件麻背心，一雙肥大的奶子，甩浪浪的便吊到了桌面上，兩筒膀子粗黑，肉肉節節，像一對蹄膀一般，頭上烏油油的梳了一只麻花髻，上面扣著一副黃澄澄厚厚重重的金髮押，左邊鬢上卻插著一串玉蘭花，花色都泛黃了。烏鴉坐在天門上，一隻腿蹺了起來，踏在長櫈上，上身赤精大條，露出一疊疊虯盤起伏的肌肉塊子來，赤黑的背胛上，汗珠子顆顆黃豆一般大。烏鴉賭得一臉飛紅，額上的青筋都疊暴了起來，一雙火眼，兇光外露，他一隻手伸下去，不停的在摳著腳丫子。烏鴉是個六呎開外的猛漢，身量驃悍魁梧，是晚香玉的保鑣頭目。老鼠說，他哥哥烏鴉從前在三重鎮打鐵出身的，他喝醉了酒，鉗起一塊紅紅的鐵，擂到老鼠臉上便要烙他的嘴。牌桌上，男男女女，都賭得冒火了似的，男人全脫了上衣，女人紮的紮頭髮，翻的翻領子，桌面上花花綠綠堆滿了鈔票。挨在烏鴉身邊，穿著一件粉紅色底滾豆綠邊連衣裙的是烏鴉的姘婦桃花。桃花頭上紮了一條灑花手帕，紮得腦後一撮髮尾子高高翹起，像鴨屁股一般。陳朱妹洗好牌，大家紛紛下注，烏鴉壓天門，厚厚的兩疊鈔票便甩了下去。陳朱妹板著一張扁平臉，一雙關刀眉，高高揚起，烏黑的厚嘴唇憋成了一把彎弓，一臉煞氣騰騰。她擲了骰子，把各家的牌推了出去，等到大家一翻開，她才倏地大嘴一張，一口金牙閃閃發光，手上兩張骨牌叭的一下，猛拍到桌上，破口大喊：

「至尊寶，三丁配老猴，通吃！」

幾乎異口同聲，桌上的男男女女都罵了一聲幹！正當大家恨的恨、悔的悔、摔牌的摔牌、吐口水的吐口水，陳朱妹卻咕咕咕笑得像剛下蛋的老母雞，撲到桌上，展開兩筒蹄子般的粗黑手臂，把桌面的鈔票兩掃便掃到她面前去了。烏鴉回過頭，跟桃花兩人狠狠的互相埋怨了幾句，兩人的臉色都很難看。老鼠忙跟我擠了一下眼睛，把我帶到後面廚房裡去。他告訴我，烏鴉他們賭得很兇，有時一晚輸贏幾萬。聚賭的人，各家妓女戶的老鴇、保鑣都有，還有一些熟嫖客。有時候賭紅了眼，便動起武來。有一次，一個流氓嫖客在骨牌上掐記號，給烏鴉當場抓住，一頓毒打，把那個流氓打得下巴都脫了節。

「等我服侍他們喝完綠豆湯，我們再溜出去，」老鼠對我說道。廚房案上，擱著一大鍋綠豆湯，鍋裡浮著一塊冰磚。老鼠伸出一隻手指到那鍋綠豆湯裡攪了兩下，笑道：

「夠涼了，我們先來喝他兩碗，受用受用！」

老鼠舀了兩碗滿滿的綠豆湯，遞了一碗給我。

「快喝、快喝，爛桃子看見，又要鬼叫了！」

老鼠把桃花叫爛桃子，他說桃花洗澡他去偷看，活像一只爛桃子。我們咕嘟咕嘟一口氣把綠豆湯喝光，老鼠嘴巴上黏了一圈綠茸茸的湯汁，他伸出舌頭，上下一轉，竟舔得乾乾淨淨。他向我扮了一個鬼臉，吱吱的笑了起來，我踢了他一腳屁股，喝問他道：

「你這個小賊，昨晚在盛公『派對』裡你辦了多少貨，快從實招來！」

「噓！」老鼠噓了我一下，咧著一口焦黃的牙齒笑道：「你莫鬧，我帶你去看，昨晚可撈到不少寶貨！」

老鼠把我帶到他房間裡，那是廚房邊一間只有四個榻榻米大的行李房，裡面堆滿了破舊的箱子籠子，中間擠著一鋪小竹床，房中沒有窗戶，熱得像烤箱，悶著一股霉臭。老鼠進去，捻亮了床頭一盞四十燭光的小電燈。他鑽進床底，拖出一只生了黑鏽的洋鐵箱來，箱上鎖著一把大銅鎖，老鼠雙手把那只洋鐵箱捧起來，緊緊摟在胸前，對我笑道：

「這是我的百寶箱。」

他從枕頭套裡掏出了一把鑰匙，打開箱子，裡面五顏六色，琳琅滿目，全是老鼠偷來的寶貝，他一樣樣全翻了出來，散得一床，好像小孩子擺家家酒一般；兩副太陽眼鏡，一副金邊的只剩下一面鏡片子。五管自來水筆，派克五十一一支，派克二十一三支，犀飛利一支。手錶兩只，一只鐵達時，一只寶露華。打火機七枚，各種牌子都有。六把大大小小的指甲剪，袖扣四副，領帶夾兩根，鑰匙鍊兩條，一金一銀，全生了鏽。還有缺了齒的梳子數把，還有牛角靴拔，還有各式各樣的瓶瓶罐罐煙缸煙碟，不知名目的破銅爛鐵一大堆。老鼠盤坐在床上，四周圍著他的贓物，他眉飛色舞的一件一件指著告訴我他的寶物的來歷，每一件他都記得清清楚楚，人時地一點也不差。那一對水晶玻璃鏤花的心形煙碟原來是擺在天使飯店的會客室裡的。那支銀套犀飛利原是衡陽街成源文具公司櫃檯上的樣品。兩條鑰匙鍊，一條是在日新大戲院裡摸到的，一條卻是一個童軍老師身上的，本來上面還掛了一枚銅口哨，老鼠趁他熟睡的當兒便牽走了。至於那幾個牛角靴拔，全是生生皮鞋公司的贈送品。

「這管鋼筆拿去當掉算了，」我撿起那管金套子寶藍筆桿的派克五十一說道，「當出幾個錢，咱們去吃吳抄手。」

「去你的！」老鼠猛一把劈手將那支派克筆奪過去，死命握在手裡，「我才捨不得呢！這支筆，是我最心愛的寶貝兒！」

老鼠將那管派克筆的金套在內褲上狠命的磨了幾下，將汗污拭去。

「阿青，你吃過廣東點心麼？」老鼠擎著那管金套派克一面觀賞著問我道。

「怎麼沒吃過？馬來亞、楓林小館都去過。」

「從前我還不知道殺騎馬是甚麼東西呢。」老鼠突然感慨起來。

「那因為你是個土包子。」

「我怎麼能跟你們比？」老鼠斜著眼睛瞅著我，自怨自艾起來。「你和小玉、吳敏你們都是大牌，有那些大爺們請你們上館子。我是除了盧胖子盧爺的聚寶盆，甚麼大飯館也沒有去過——就是上個月去過紅寶石，吃廣東點心。是黃先生帶我去的，黃先生那個人夠意思得很！他點了一桌子的蝦餃、燒賣、叉燒包，吃完了又買了一盒殺騎馬給我帶回來當早飯。他在高雄一家觀光飯店當經理，還叫我到高雄去玩呢。這支派克五十一就是他的。」

「你這個忘恩負義的小賊。」我笑罵道，「人家對你好，你還要偷人家的東西。」

「你莫要瞎說！」老鼠拚命搖手抗議道，「我哪裡是忘恩負義？我實在是心裡喜歡他這管筆，拿來玩玩，做紀念。反正他們有錢人，哪裡在乎呢？」

「好吧，那你昨晚撈到多少寶貝，快點抖出來，大家分贓分贓。」

「好哥哥，昨晚可中了頭彩！」老鼠拾起那只寶露華咧著嘴笑道：「這只錶不知是那位大爺留在洗手間的，得來不費吹灰之力！瞧瞧，全自動，還有日曆哪！」

老鼠搖了一搖那只寶露華，湊到我耳邊。

「還有香煙呢？」

「甚麼香煙？」老鼠眨了一眨他那雙小眼睛。

「你娘的，還裝蒜！」我推了他一把，「昨晚我明明看見你一包一包的長壽往屁股後頭塞。還不快點拿出來招待哥哥，難道還要等我來搜賊贓不成？」

老鼠笑嘻嘻從草蓆下面摸出了一包壓得扁扁的長壽來，我趕快一把搶走。他又伸手到蓆子下面摸索了半天，掣出兩包印了英文的錫紙包來。

「這兩包不曉得是甚麼貨色，是我昨晚從一個傢伙的後褲袋裡摸出來的。大概是咖啡精，我們去沖來喝。」

老鼠撕開一角，裡面卻戰彈彈的跌出一只東西來，是一只米黃色的膠套子，像只嬰兒吮奶的膠奶頭。我們兩人都怔了一下，同時哈哈大笑起來。我一拳揍到老鼠頭上，笑得彎下腰去，罵道：

「你這個下流賊，這種東西也去偷，不怕晦氣！」

老鼠把另一包也拆了，一隻大拇指上套上一只，對著搖來搖去，好像在玩布袋戲一般。

「你莫笑，」老鼠說道：「這種東西，也值幾個錢。回頭我去賣給樓下那些嫖客。對他們說：『美國貨，一定保險！』」

「老鼠！」外面桃花尖厲的聲音叫了起來，「把綠豆湯端出來。」

老鼠趕忙跳下床，七手八腳把床上的贓物急急放回他的百寶箱內，將箱子鎖上，藏回床底，才匆匆走出去。他用一只茶盤，托了六碗盛得滿滿的綠豆湯，兢兢業業的端到牌桌那邊。賭客們剛推完一莊，在檢討得失。老鴇陳朱妹眉開眼笑的在舔著大拇指數鈔票，她面前的票子已經高高堆到她下巴上去了。一個手上戴了四枚金戒指，一副紐花赤金鐲頭的中年胖大婦人，雙手鏗鏗鏘鏘拍了幾個大拍掌，嚷道：

「阿巴桑今天走的甚麼運？連吃三莊，吃的老娘屄乾毛盡！」

陳朱妹也不答腔，逕自憋著烏厚的嘴唇，一五一十的在數鈔票。另外一個男人一臉紫脹，氣急敗壞的抓起那一對骰子，搓了又差，捏了又捏，又猛吐口水啐道：

「幹！幹你娘！幹你老祖公！」

桃花倚在烏鴉身後，嘟嘟囔囔，滿口怨言：

「叫你莫壓天門，你偏不聽！連副天九都給吃掉了，還能壓？你這不是『耗子舔貓鼻——找死』？」

烏鴉悶聲不響，佝起背，一隻手猛摳腳，一隻手卻拈起一塊骨牌叭叭。在桌上拍得震響。老鼠踅過去，把綠豆湯一碗碗遞給客人，走到烏鴉跟前，他涎著臉，吞吞吐吐的說道：

「阿哥，我跟阿青看電影去了。」

烏鴉猛回頭，手一揚，鼓起一雙火眼喝道：

「去看電影麼？我要你去見閻王哩！」

老鼠不提防，腳下一個踉蹌，手裡那碗綠豆湯淋淋瀝瀝潑得烏鴉一背，桃花的裙子上也濺滿了。烏鴉跳起身來反手一巴掌掀到老鼠臉上，老鼠頭一翻，便仰跌到地上去。烏鴉趕上去又狠狠的踹了幾腳，踹得老鼠吱吱慘叫，捧著肚子在地上滾成了一團。烏鴉還要舉腳蹬，桃花趕上去死命拉住，喊著：

「打死他啦！你打死他啦！」

其餘的賭客也擁上來勸了一陣，烏鴉才悻悻然，嘴裡咒罵著，一背撒滿了湯汁，跑了進去。桃花把老鼠從地上拉了起來，老鼠彎著腰，歪著頭，瞅著桃花，他嘴巴兩邊流著兩道鮮血，好像添了兩撇紅鬍子一般，他那張瘦黃的臉扭曲成一團，又像哭，又像笑。桃花拎起老鼠的耳朵，也在他額上敲了一下栗子，罵道：

「死郎，沒長眼睛麼！」

「免啦！」陳朱妹走過來，摸了一摸老鼠的頭，塞了兩張十塊錢的鈔票給他，笑道：「阿婆請你吃紅！」

老鼠佝起身子，手裡捏住那兩張鈔票，趔趔趄趄，褲帶一甩一甩，蹭到廚房裡去。他打開水龍頭，滿頭滿臉先沖洗了一陣，叭叭幾下，朝水槽裡吐出了好幾泡帶血的口水。他抬起頭來，一雙小眼睛眨巴眨巴，臉上血水斑斑，活像歌仔戲裡，一臉塗滿了胭脂的小丑。他那洗衣板似的肋骨上，有兩三塊茶杯口大的瘀青。

「伊娘咧！」隔了半晌，老鼠又啐了一泡帶血的口水，他抬起他那根細瘦的左膀子，低著頭，瞅了半天，自言自語道：「發膿了。」

他膀子上那幾個烏黑紫脹的燎泡，有兩個特別大的，已經冒出白白的膿頭來。

「你自己去看戲吧，」老鼠把擱在案上，剛才陳朱妹給他的那兩張十元鈔票拾起來，遞給我，「我不去了。」

「我也不去了，」我說，「我找小玉去。」

樓下晚香玉那些妓女已經睡醒，一個個搽脂抹粉的妝扮起來，準備上市了。

18

成城藥廠辦事處在松江路一座辦公大樓下面，寫字間的陳設看起來都是嶄新的，裡面日光燈照得通亮，冷氣陰陰的開著。外面玻璃櫥窗，陳列著大幅大幅的廣告畫，有肉膌膌雪白滾圓滿地滾爬的嬰兒，有笑盈盈穿著艷裝的淑女。窗櫥裡擺滿了藥瓶樣品，胖美兒、保女容、安賜百樂。我推開門走進去，看見小玉正在收拾寫字桌上的茶杯煙碟，幾個女職員都在打開皮包，有的拿梳子，有的拿口紅出來，對鏡整妝，預備下班了。小玉穿了一身制服，淺藍襯衫，深藍長褲，胸前口袋還繡了「成城」的招牌，一頭長髮都剪掉了，蓄了個兩寸長的平頭，儼然一副大公司小職員的模樣。我忍不住笑了起來，小玉趕忙向我使眼色，迎上來，在我耳邊悄說道：

「莫鬧，再等五分鐘，下了班我請你去吃冰淇淋。」

小玉把寫字桌收拾乾淨了，才堆著笑臉，向一個穿了西裝塌鼻大嘴的男人請示道：

「潘經理，我可以走了麼？」

潘經理朝著小玉一雙金魚眼一滾，從鼻子眼裡哼了一聲，小玉便連忙帶著我，溜了出去。

我們走到南京東路一家百樂坐了下來，一個人要了一客芒果冰淇淋。

「你這副德性，這下子再也銷不出去了！」我指著小玉的平頭笑道。

「休得胡說！」小玉笑道，「小爺現在是成城藥品股份有限公司的正式外務推銷員，還銷甚麼?要銷就銷胖美兒!」

「你們林樣呢?」

「林樣到桃園去視查工廠去了。這幾天廠裡的設備完全裝好,下星期開工。林樣說,我在這裡做事要檢點,免得別的職員說閒話,所以我去把頭也剃了。」

「嘖、嘖,」我搖頭嘆道:「沒想到王小玉竟變得這麼乖了!到底找到個華僑乾爹,看樣子,真是想從良了!」

「好兄弟,」小玉拍了一拍我的肩膀,「你出道不久,還有得折騰呢!我王小玉可是在公園裡打過滾來了的,不是小爺吹牛皮,在公園裡,我王小玉也算是個頭牌大紅人了。好多老頭子想收養我呢,找個乾爹從良還不容易?可是第一,要我心裡願意,第二,也總要對我有幾分真心麼!我又不是塊肉骨頭,讓人隨便啃來啃去。」

「你這話就扯淡!」我笑道,「老周對你還不夠真心?又是手錶,又是衣服。」

「老周對我也還罷了,」小玉聳聳肩,「可是我就討厭他是個老騷公雞,一見了小爺就拉扯。有一次,我傷風,對他說:『老周,今夜總可免了吧?』哪曉得睡到半夜,他又把我弄醒了!」

「你少假正經了,你這個騷兮兮的東西,」我笑道,「難道你的華僑乾爹就不拉扯你了!」

「哄你不是人!」小玉舉手發誓道,「頭一晚我到六福客棧,去找林樣,我們洗了澡躺在床上,喝啤酒,吃花生米,聊了一夜的天。我一直問他日本的事情,他真有耐性,統統告訴了我，我看見林樣人好，把身世也講了給他聽，後來講累了，便枕在他手臂上睡了過去。」

冰淇淋來了，我一面吃著，一面問他在成城上班的情形，薪水如何。

「兩千大圓！」

「還不夠你買煙抽哩！」

「慢慢來嘛，」小玉笑道，「潘經理說，六個月見習完了，做得好還有佣金拿。老潘你看見了？媽的，活像頭老虎狗！頭一天上班就挨了他一頓官腔——好兄弟，我問你，化學你懂不懂？」

「化學？怎麼不懂？我在高中的化學唸得還不錯，考了個八十分。」

「這就妥了！」小玉拍了一掌，「好哥哥，你教教我化學吧，我唸到初二就跑了出來，化學老早忘得精光，只記得教化學那個老頭子告訴我們：『二硫化碳，招氣入鼻，有腐卵臭。』——」

小玉用手招氣到鼻子裡。

「怎麼？難道你要去唸書麼？」我詫異道。

「是這樣的，」小玉嘆道，「林樣說，我沒有專門技術，在成城沒有好位置，升不上去。他要供我去上夜校，去唸個工專，畢業出來，可以在藥廠裡當技師，那才有前途。我去開南工職打聽，考初三插班，化學是主科，別科還可以自己抱抱佛腳，化學只記得『腐卵臭』，考個屁？好哥哥，你替我補習補習，臨陣磨槍，我考上了，一定好好請你。」

「不要等考上了，我們先去吃一條龍吧！」

「一條龍，一條蛇都可以，你要吃龍肉我也給你弄來，」小玉央求道。

「看你力爭上游，也罷了。既然拜師，就先叫聲師傅吧。」

「師傅、師傅，你要我天天叫你老子我也幹，你不懂得我這個心！」小玉指著他的胸口叫道，「這是天掉下來的機會，我候了這麼久，才候到像林樣這樣一個救星。人家瞧得起我，你說我要不要發憤向上？等我在成城做出點成績來，說不定林樣看見我有出息，日後東京總公司那邊有機會，讓我調到東京，去跟他做事去。」

「原來你在釣大魚放長線呢！看不出你倒滿有心計。」我笑道。

「甚麼心計呢，人總想往上爬麼，對不對？我想趁暑假，好好溫書，考上開南，秋季便可以上夜校了。阿青，你看我這個樣子，還像個學生麼？」

小玉摸著自己新剃的平頭，笑嘻嘻的問我道，我打量了他一下：

「倒有幾分像，不過你那雙桃花眼太邪，人家一看就知道你是個『馬路天使』，快去弄副眼鏡戴起來，遮遮邪氣。」

小玉摀住雙眼咯咯的笑了起來。我們走出百樂時，我把老鼠給烏鴉毒打的情形告訴了小玉，小玉冷笑了一聲，說道：

「你莫可憐他，老鼠那個西東帶賤！上次他挨了鋼絲鞭，我慫恿他搬出來，跟我們擠著住，你猜他說甚麼？『我從小在烏鴉那裡住慣了。』」

小玉哭喪著臉學老鼠的模樣，隨即叭的一泡口水吐到松江路的陰溝裡。

「烏鴉那種王八蛋，敢動小爺一根毛，一瓶巴拉松老早送他上西天！」

19

過了兩天，小玉下了班，果真帶了兩本正中書局吳國賢編的初中理化來找我，替他補習，又提了兩掛荔枝來賄賂我。房裡熱，我們都赤了上身，坐在地板上，我一面剝荔枝，一面開始講解一些基本的化學概念，氧化還原。幸虧我初中唸的，也是吳國賢這本書，大概還記得。小玉離開學校久了，名詞符號忘得精光。我講一句，他問一句，連個最簡單的分子式還搞不清楚，急得抓耳撓腮，一頭的汗。

「你媽的，」我抓起吳國賢的初中理化，敲了小玉新剃的平頭一下，「你吊老頭子那麼會動腦筋，唸起化學來，一腦子的漿糊！」

「吊老頭子有甚麼難？」小玉眼睛瞪起銅鈴那麼大，直抹汗，「化學這個玩意兒哪裡有那麼容易？明明是水，為甚麼又寫成H_2O？」

「小玉，我看你不必去考開南了，你去唸台大考古系，我管保你不用考試，他們還會給你獎學金呢？」

「為甚麼？」

「你真驢！」我笑道，「你對老骨董這麼有研究，台大考古系要聘你去做研究員了——以後我們就叫你『王考古』吧！」

「老骨董有甚麼不好？」小玉笑得一雙桃花眼瞇成了一條縫，「老骨董愈老愈值錢麼！」

我跟小玉兩人足足鬧了兩個鐘頭，汗流浹背，總算把幾個化學符號弄清楚了。吃晚飯的時候，麗月回來，剛做了頭，耳朵邊吊滿了一綹綹彈簧似的髮捲子，甩甩盪盪的便跨進房裡來，看見小玉，先噗哧一笑，又伸出手去摸了小玉的頭一下。

「玉仔，你乾脆把頭剃光，到獅頭山去當玻璃和尚去！你這幾天，人影子也不見，阿青說你拜了一個從東京來的華僑乾爹，還是開甚麼藥廠的。以後我那個雜種仔吃維他命，也不用買，就向你表舅要好了！」

「下次我帶幾瓶胖美兒來給小強尼，吃得他胖嘟嘟的，」小玉笑道。

「怎麼啦，小玻璃，你現在有了個開藥廠的乾爹，該當大經理了？」麗月乜斜著眼睛，瞅著小玉笑道。

「沒有的事！」小玉笑嘻嘻的說道，「我現在不過是個推銷員，上禮拜才開始上班，我們總公司就在松江路，那天你來參觀嘛，麗月姐。」

「嘖，嘖，嘖，」麗月搖頭嘆道，「好了不起，總算又上班了！從前我介紹你到天母那個美國人家裡當boy，你上了三天班就跑了出來，還罵得人家屁錢不值一個！」

「那個美國佬是甚麼東西？有資格用小爺？」小玉翹起大拇指指了一指自己的鼻尖。

「哦，大概只有你華僑乾爹才有資格用你，對麼？」

「人家林樣不一樣，人家還要供我去讀夜校呢！今天我就是來找阿青替我補習的，我要去考開南了。」

「這倒是新聞！」麗月錯愕道，「太陽該從西邊出來了。從前阿姨一天到晚向我訴苦：

『我們玉仔又逃學嘍！』幾時見你正經上過一天學？」

「學校裡那些小王八整天叫我淺丘琉璃子，我還去上他狗屁學！」小玉憤憤然叫道。

「誰叫你瞎編故事？在東京出生的？」麗月笑道，「而且我看你長得確實也有幾分像淺丘琉璃子！」

小玉臉一紅，有點不好意思起來。

「阿巴桑，快來看，我們這裡來了一個學生仔！」麗月朝著阿巴桑招手笑道，阿巴桑正牽著小強尼喘噓噓的走了進來，阿巴桑那胖大的身軀，胸前濕得黑黑的一大塊汗跡，她覷起眼睛，朝著小玉打量了一下，唔了一聲道：「天熱，頭髮剪短了涼快！」

小強尼卻瞪著他那雙綠玻璃珠似的眼睛，瞅著小玉在發傻。

「小雜種，是表舅，不認識啦？」

小玉伸出手去一把將小強尼攬進懷裡，小強尼扎手舞腳的尖笑了起來。

「今晚吃甚麼菜，阿巴桑？」麗月問道。

「酸菜炒肚絲，芋頭泥。」

「冰箱裡那半隻雞也拿出來燉湯吧，人家玉仔要上學了，慰勞他一下。」

20

我跟吳敏約好，我在房間裡等他。我在二樓二一五，他在三樓三四四。楊教頭叫我和吳敏到中山北路京華飯店去，只告訴我們旅館房間的號碼。那個人臨離開房時，沒有開燈，留下了房間鑰匙，擱在床頭五斗櫃上，在黑暗中低聲說道：房錢已經付過了。我沒有看清他的面貌，也沒有問他的姓名。他開門掩身出去時，我只覺得他的背影很高，大約有六呎。隔壁的七七餐廳是開通宵的，凌晨一點了，猶自傳來隱隱約約的音樂聲，我躺在床上，抽完了一支煙，吳敏才來敲門。

我跟吳敏兩人，悄悄的走下樓去，也不到櫃檯去還房間鑰匙，趁著櫃檯的夥計不注意，溜出了京華飯店。一出去，我們兩人不約而同的便跑起步來，往圓山那個方向跑去，跑了一段路，燈光漸疏，我們才停下來，鬆了一口氣。路上行人已經絕跡，路的兩頭都是空盪盪的，我的一隻手摟在吳敏的肩膀上，我們兩人的腳步，同一步調，在人行道上，橐橐的一直響了下去。

「小敏，你的手好了麼？」我看見吳敏的左腕上的紗布綁帶已經除去。

「結疤了。」吳敏把左手插進了褲袋裡去。

「你這個傢伙，那天要不是我和小玉老鼠及時趕到，你這條小命早送掉了！真沒出息，姓張的那種人，也值得你去為他割手！難怪小玉罵你，他前天還說，要你把他的血還給他呢！」

吳敏俯下頭去，一邊踢著腳。

「也不是這樣說，」吳敏低聲說道，「我在張先生那裡住了那麼久，不知不覺便把他那裡當做自己的家了。那天突然間給張先生攆了出來，一時心慌，覺得走投無路，才做出那種事來。張先生那裡你是知道的，乾乾淨淨，舒舒服服，怎麼不教人留戀呢？」

我記得我每次到光武新村張先生的公寓去找吳敏，他不是在擦地板，便在洗廚房，把張先生那個家收拾得有條不紊。我還跟他開玩笑說張先生請到一位最好的小管家。

「阿青，我記得我頭一夜搬到張先生家，在他那間洗澡間裡，足足磨了一個多鐘頭，」吳敏搖著頭笑道。

「你在洗澡間裡玩那麼久幹甚麼？」

「你不知道，張先生家那間洗澡間有多棒，全是天藍色的瓷磚砌成的，連澡缸也是藍的——我從來沒有看過那麼漂亮的洗澡缸，澡缸上面還有瓦斯爐，一打開龍頭，熱水嘩啦嘩啦就出來了。我放了滿滿一缸熱水，泡在裡頭，一直捨不得爬起來，泡得一身紅通通——那是我一生中，第一次洗了那麼個舒服澡！」

「你這副德性！把張先生的洗澡間也說成天堂了！」我忍不住好笑。

「你哪裡懂得？」吳敏嘆道，「我跟你說過，我從小便跟著我老爸到處流浪，我們租來的房子，就從來沒有一個洗澡間。夏天還可以在天井裡沖涼，冬天兩三個禮拜才去一次澡堂子。身上臭得自己聞見也要作嘔。我又是最愛乾淨的人，張先生那個洗澡間，不是天堂是甚麼？」

吳敏的父親在台北監獄，坐牢已經坐了兩年多了。他在萬華一帶販毒，賣白麵，給抓了起來。他父親是廣東梅縣人，吳敏說剛到台灣時，他老爸身上還帶了幾根金條的，可是他好賭如命，喜歡賭台灣人的四色牌，把金條輸光了，便幹起販毒的勾當來。頭一次下牢，吳敏的母親剛懷了他，出世幾年都沒有見過他老爸，他是在新竹他叔叔家長大的。他父親出獄把他接走了，東飄西蕩，混了幾天，又給捉進牢去。

「給人家掃地出門，滋味不好受哩。」吳敏幽幽的說道。

「我知道，」我用力摟了他的肩頭一下，那天父親將我攆出門，我身上沒有帶錢，在西門町逛了一個下午，平時走過老大房，起士林，玻璃櫥窗那些糕餅，從來也沒有注意過，可是那天，那一疊疊一堆堆的紅豆芝麻餅，看得人直嚥口水，腹中咕嚕咕嚕響個不停，胃裡空得直發慌。

「我跟著我老爸流浪，兩三年倒換了七八個住的地方，總是因為欠房租，讓房東攆走。有一次我們住在延平北路一條巷子裡，那家房東太太是個母夜叉。我們欠租，賴了兩天，她豁瑯瑯一傢伙把我們的東西統統扔到巷子裡去。臉盆、漱口盃，到處滾。我老爸兩副最心愛的四色牌，也撒得一地。我老爸先溜了，留下我一個人滿地撿東西，鄰居都在圍著看。那一刻我恨不得鑽到地下去！搬進張先生家後，我以為總算有了個落腳的地方，所以特別小心，半點錯也不敢犯，沒想到末了還是讓張先生掃地出門。」吳敏又那樣怨怨艾艾起來。

我們走到圓山兒童樂園門口，停了下來，坐在門口外面的石階上，我們都脫去了鞋子，打了赤足，並肩靠在一起。白天這一帶那麼熱鬧，兒童樂園裡都是孩子們的尖笑聲。此刻四周都是靜悄悄的，只有吳敏那怨艾的聲音，在黑暗裡浮沉著。

「那天黃昏，我提了個破皮箱，從張先生家走出來，愈走愈迷糊，自己都不知道走到哪裡去了。經過一條小河，大概是舒蘭街那邊吧，我把那只破箱子往河裡一扔，心裡想：人都不想活了，還要箱子做甚麼？我是不忿的，我並沒有做錯事，張先生也那麼不留情——」

「張先生是個『刀疤王五』，有甚麼情？」

「『刀疤王五』？」吳敏愕然道。

「他笑起來，嘴角上好像劃過一刀似的，不像個『刀疤王五』像甚麼？」

「你真缺德，那麼會損人！」吳敏有點不以為然。

「喲，你這條小命差點送在那個姓張的手裡，還那麼衛護他！」

吳敏雙手抱膝，佝起身子，半晌，才緩緩說道：

「張先生那個人，脾氣是怪一些，有點忽冷忽熱，捉摸不定。但是我看他也不是完全沒有心肝，只是不太容易親近。他攆我出門的頭一天，對我特別好，還送了一台聲寶牌的小收音機給我玩，又讚我的豆瓣鯉魚做得夠味，那晚難得他興致那麼高，跟我兩人喝光了一瓶白干，對我說道：『阿敏，你知道，你跟我算是跟得最久的了，你想你能跟我一輩子麼？』我當然說能，張先生卻冷笑道：『你又來哄我了！你們這些兔崽子，全是一個模子刻出來的，給你們幾分顏色，你們就爬到人頭上來了！』張先生告訴過我，從前有個孩子跟他住，他很寵那個小傢伙，誰知那個小傢伙不但不領情，還倒踢一腳，把他的東西偷得精光溜走。張先生一提起就恨。我半開玩笑對張先生發誓道：『張先生，你不信我，我就死給你看！』他嘆了一口氣，一臉的酒意，摸摸我的頭說道：『阿敏，你哪裡懂得？四十歲的人，不能傷心，也傷不起！』阿青，你莫笑，我寧願在張先生家天天洗廚房洗廁所，也強似現在這樣東飄西盪遊牧民族一般。阿青，你的家呢？你有家麼？」

「我的家在龍江街，」我說，「龍江街二十八巷。」

「難道你不想家麼？」

「我的家漏了，漏得好厲害。叮叮咚咚、叮叮咚咚——」我笑了起來。「前年黛西颱風過境，把我們家的屋角掀走了一大塊！」

我記得第二天，颱風過後，我們家裡漲水，泥滾滾的雨水，冒過了床腳，總有一尺深，父親率領著我和弟娃，我們三個人都打著赤膊，穿著短內褲，父親手裡提著一只大鉛桶，我和弟娃用臉盆，父子三人，拚命舀水往屋外潑。父親嘴裡一直哼哼嘿嘿在咒罵，弟娃卻咬著嘴唇偷笑，好像舀水是件樂事似的。水退後，我們那所又陰又濕的矮房子裡，一股泥腥，總也除不掉。父親後來弄來幾把艾草來燒，他說可以去毒，因為弟娃皮膚敏感，中了濕氣，發得一身的紅疹子。

「你家裡人呢，你不想念他們？」

「我想我的弟弟。」我說。

「他在哪裡？」

「他睡在這個下面。」我往地上指了一指。

「哦——」吳敏轉過頭來，望著我，路燈下，他那清秀的臉上滿佈著稚氣，「他長得像你麼？」

我把他摟過來，在他面頰上親了一下。

「他長得倒有點像你，乖乖。」

「莫開玩笑了。」吳敏咯咯的掙扎著笑了起來。

我提著鞋子站了起來，吳敏也立起身，我們兩人，光著腳板啪噠啪噠跑到了中山北路的路中央去，我跑在前面，吳敏跟在我身後，一條中山北路，連汽車也看不見了。

「小敏，我們是匈奴還是鮮卑？」我一邊跑著步，喘著氣回頭問吳敏。

「嗯？」

「你不是說我們是遊牧民族麼？」

「是匈奴吧？」吳敏笑了起來。

「匈奴王叫甚麼來著？」

「叫單于。」

「那麼我是大單于你是二單于。」

吳敏追上來，氣咻咻的問道：

「遊牧民族，逐水草而居，我們呢，阿青?我們逐甚麼?」

「我們逐兔子？」我叫道。

我們都哈哈笑了起來，我們的笑聲在夜空裡，在那條不設防的大馬路上，滾盪下去。

21

回到錦州街，已經兩點多，我房裡的燈竟還亮著，大概小玉回來睡覺了。這兩個禮拜，小玉下了班來找我補化學，但是補完後，他仍舊回去陪他的林樣，不在我那裡睡覺。可是我一上到樓梯，便聽到房間裡有人吵架的聲音，我心中暗叫不好，是老周，到底讓他逮住了。老周來過幾次，都讓我和麗月兩人敷衍過去。有一次，我告訴老周，小玉的外婆得了絞腸痧，小玉趕回楊梅去了——那是小玉教我講的，其實他外婆根本不認他兩母子。老周在我房裡，站在床邊，比手劃腳。他那一張腫胖的麵包臉，油汗淋淋，赤得像豬肝，一下巴鐵青的鬍鬚渣子，好像根根倒張了起來一般，眼睛瞪得怒圓，在冒火。身上一件孔雀藍的綢夏威夷衫，肥厚的背峰上濕透了一大塊。

「你說吧！」老周指著小玉喝道，他那一口上海國語，講急了，舌頭在打結，「你這幾天到底在哪裡賣？撈了多少啦？」

小玉坐在床沿上，穿著老周送給他的那件猩紅襯衫，胸前一排扣子都打開了，蹺著腿子，打著一雙赤足。嘴裡歪叼著根香煙，也不答話，呼嚕呼嚕，猛抽了幾口，吐了兩個煙圈，才冷笑著：

「你周大爺又不是我的老鴇，我在哪裡賣，你管不著。撈了多少，也不必跟你算賬，難道周老闆還要來抽我的頭不成？」

「不要臉的賤貨！」老周狠狠的啐了一口，「你瞞得過老子了？誰不知道你泡上了一個日本華僑——」老周突然又轉向我瞪了一眼，「你們這些小赤佬，全是一個鼻孔出的氣！我問你——」老周的手差不多戳到了小玉頭上，「那個華僑佬，一夜貼你多少了？」

「林樣麼？」小玉又吸了一口煙，慢條斯理的答道，「我是不要他的錢的。」

「你聽聽！」老周又轉向我，這回卻嘿嘿的笑了，「你看他下流到哪一逕？人家是華僑，他就顛著屁股上去，白賠了！你以為你交上個華僑就漲了身價了？一樣還不是個賣貨？有本事，就馬上叫你那華僑佬帶你回日本去，叫他拿個籠子把你養起來。」

「林樣說，他正在替我辦手續，申請入境證。等我到了東京，要不要他養，還要考慮一下哩。」

小玉說話時，半仰著頭，一臉得色。老周卻一下子找不出話來了，悶吼了兩聲，臉上的油汗鮮亮鮮亮，一條條往下流。小玉不慌不忙的把半截香煙按熄在一只破醬油碟裡，卻倏地立起身來，臉一沉，指著老周厲聲喝道：

「你小爺白賠誰，干你屁事？你姓周的又沒有我的賣身契子。誰不知道我是公園裡的大賣貨？還要你來替我做廣告？我下流，你不下流？你不下流，你就顛起屁股上來——」

啪的一下，小玉臉上早著了一記響巴掌，小玉頭一歪，另一邊又挨了一巴掌。小玉蹦跳起來，喊道：

「你敢打人？小爺到警察局去告你！」

小玉一頭撞到老周懷裡，揪住老周的衣領便往外跑。老周掄起拳頭亂揍一輪，小玉左閃右閃死也不肯放手，兩人扭成了一團。我趕緊上去，將小玉扯開。老周喘了半天，嗓子都發抖了，說道：

「我買給你那些東西——」

小玉一縱身鑽到床底，嘩啦啦拖出一只破皮箱來，掀開蓋子便豁瑯一倒，把裡面的東西都倒到地板上，亂抓亂掏，抓起了三條西裝褲，六件各色襯衫，裹成一團往老周懷裡一塞，手上那隻精工錶也褪了下來，擲給了老周。老周捧著一堆花花綠綠的衣褲，氣咻咻正要往門外走去，小玉趕上去，連揪帶扯，把身上那件猩紅襯衫也脫了下來，扔到老周肩上，喊道：

「拿去！」

老周剛離開，麗月卻香噴噴的闖了進來，她穿了一襲鏤空的黑紗裙，透著一身的肉色。

「這是怎麼說？警察來抄過家了麼？」麗月用高跟鞋踢了一下撒得一地的衣服。小玉立在亂物堆中，赤著上身，一頭一臉的汗水。

「老周剛來過。」我朝麗月使了一下眼色。

「哦，」麗月笑道，「胖阿公呷醋了！咦——」

麗月湊近小玉，扳起他的下巴頦，小玉腮上一邊五道赤紅的指印，小玉趕忙推開麗月的手，垂下頭去。

「挨揍啦，」麗月搖頭嘆道，「這就是亂拜乾爹的下場！到阿姐那邊去吧，小玻璃。阿巴桑熬了桂花酸梅湯，去喝一碗，解解熱毒。」

「阿姐這麼晚才回來，生意忙啊！」我笑道。

「好說，差點命都沒有了！」麗月把胸口的扣子鬆開，露出胸脯來，用手搧了兩下，「今晚吧裡來了個大黑人，總有六呎五，起碼一噸重，活像架坦克車！他一直纏住你阿姐，還要找你阿姐出去開心呢。我哄他上便所，便從後門溜走了。」

22

「阿青。」
「嗯——」我剛矇著，小玉又把我推醒了。
「我睡不著。」小玉一個人躺在黑暗裡抽煙。
「睡不著你就去寶斗里賣呀！」我翻過身去沒好氣的應道。
「阿青，林樣已經走了。」
我的瞌睡已經讓小玉吵醒了大半，他把煙遞給我，我吸了一口。
「幾時走的？」
「今天早上。前天東京總公司打電話來催，那邊業務忙，他們老闆又病倒了，馬上要他回去。」
「那還不好，你的華僑乾爹可以接你去東京了。」
小玉轉過身來，一隻手撐著頭。
「昨天晚上，我跟林樣談到半夜。林樣真周到，甚麼都替我安排好了。他在我們公司裡另外給我安插了一個位置，做潘經理的助手，一個月五千塊，比現在要多一倍。」
「嚄，這下你可抖了，玉仔。」
「他說他回去後，仍舊會按月寄錢來，供我去讀夜校，他要我好好去考試。」

「那麼我先來考你一下，硫酸的分子式是甚麼？」

「H_2SO_4。」

「要得嘛，小子，開竅了。」

「其實我認真起來，也能讀書的。可是——我不要去考開南了。」

「甚麼？」我叫了起來，「你拿你哥哥開玩笑！大熱天，替你補習。」

「成城我也不要去做了。潘經理你看見了？兇神惡煞，我還去受他那副老虎狗的嘴臉嗎？五千塊，哪裡撈不到？褲帶鬆一鬆，只怕還不只那一點。」

「臭美！」我笑道，「你值那麼多？」

「我去上班，唸書，全是討林樣的歡心呀，他走了，還有甚麼心思？昨晚他跟我講得很坦白，他說以後有機會，他會回來看我，東京，他是不能帶我去的——」

小玉猛吸了一口煙，深深的舒了一口氣。

「他那位滿洲太太倒沒有關係，只會唸佛，不管事的。就是他那個兒子太厲害。他兒子知道他的事，有一次，在新宿一家酒吧門口，他兒子撞見他帶著一個孩子出來，回家後鬧得天翻地覆，弄得他簡直無法做人。他兒子便乘機要挾，家裡的事，他兒子倒做了一半主。把我帶到東京，他兒子發覺了，更不得了。」

「你的櫻花夢又碎了，玉仔。」我說道。

「我倒一點也沒有怨林樣呢。人家對我真心，才肯對我講真話。臨走時，他也很捨不得，身上的幾千塊台幣都掏了出來給我，他常用的一支派克六十一也留下給我做紀念了。阿青，我和林樣在一起沒有多少日子，可是每一天我都是快樂的，從來我也沒給人家那麼愛惜過──」

小玉把煙按熄在床頭的醬油碟裡，躺了下去，雙手枕在頭底，沉默了半晌，突然問我道：

「『好色一代男』你看過麼？阿青？」

「沒有，我很少看日本片。」

「池部良在裡頭真帥！他穿了雪白的一身和服，站在一棵櫻花樹下面，──我到東京去，就想穿得那樣一身雪白，在櫻花樹下照張相。」

「你穿起和服來，我看倒真像淺丘琉璃子！」

「你知道，阿青。『好色一代男』是我阿母帶我去看的，她自己看過五、六遍，她說，我那個賣資生堂化妝品的阿爸，穿起和服來，像足了電影裡的池部良。」

「小玉，我看你想去日本想瘋了！」

「你知道甚麼？你們有老爸的人懂個屁！我這一生，要是找不到我那個死鬼阿爸，我死也不肯閉目的！」

「好吧，就算你到日本去，找到你老爸了，他不認你，你怎麼辦？」我看見小玉那般認真，便存心逗他道。

「我也不一定要他認麼！」小玉冷笑道，「我那麼不要臉？自己老爸不認，還要死賴不成？我是要知道確實有這麼一個人就行了，就算他長得不像池部良也不要緊，我要看看那個馬鹿野郎，是個牛頭馬面，還是個七爺八爺！」

「要是你爸爸已經死了呢，小玉，那麼你的心血不是白費了？」我再激他一下。

「他死了麼？他的骨頭總還在吧！」小玉的聲音有點忿忿然起來，「我去把他的骨頭揀回來，運到我們楊梅鄉下去，好好的造一個墓，供起來，豎一塊大理石的墓碑，刻幾個大大的金字：顯考林正雄之墓。以後清明，我便可以真的替他去掃墓了——」

「玉仔，我看你游水游到日本去算了。」

「游得過去我一定游，」小玉嘆了一口氣說：「阿青，有一天，我要是真能離開這個地方到東京去，我就改名換姓，從頭來起。好兄弟，我十四歲便在公園裡出道，前後也快四年了。你以為那個地方那麼好混麼？你看看趙無常，還不到三十哩，好像哪個墳裡爬出來似的。我聽說，有人給他五十塊，他就跟了去了。我看見他那個鴉片鬼的模樣，心裡就發寒。你說老骨董，也不好伺候呢！我跟老周也有一年多了。今晚他那些話，很好聽麼？就算我不好，在外面野，他來找我，講幾句好話，我也會跟他回去了的，到底他對我還不算壞哪！你聽見了？他罵小爺是賣貨哩！笑話，他又不是百萬富翁，那兩個臭錢，就想買小爺了？」

小玉猛搥了床一下，卻又落寞的嘆道：

「不是自己的親骨肉，到底是差些的。連林樣那樣體貼的人，還不能自己做主呢！」

「算了，玉仔，」我拍了一拍小玉的肩膀安慰他道，「反正你是個考古專家，不怕找不到真骨董。」

「也難呀，」小玉笑嘆道，「看走眼也是常有的。」

「睡覺吧，玉仔，天都快亮了。」我轉過身去。

「阿青，」小玉突然好像記起了甚麼似的，一骨碌翻身起來，推我道，「你喜不喜歡吃豬耳朵？」

「豬耳朵？」我笑了起來，「我喜歡吃滷的。」

「明天我帶你去吃滷豬耳。我阿母今天下午託人帶信給麗月姐，要我明天回三重去吃中元拜拜。他那個山東佬到高雄送貨去了。」

「萬歲！」我叫道，「好久沒吃拜拜了。明天我要狠狠灌他幾盅老酒。」

「這次小爺回去，吃他娘一對大豬耳！」

23

我們睡到第二天中午，兩人睡得一身汗，爬起來，沖了個冷水澡，都換上了乾淨衣服，才出去。小玉先到西門町今日百貨公司去買了一大堆資生堂化妝品帶給他母親。他說他母親雖然上了些年紀，可是仍舊喜歡搽脂抹粉，所以他每次回去，總帶些給她，他把那些化妝品用一張印了青松白鶴的花布包袱包了起來，那張包袱就是他跑出來，他母親替他包衣服用的，他一直留著。小玉母親住在三重鎮天台戲院後面一條擺滿了攤子，人擠人的小巷裡。我們到了小玉母親家的大門口，小玉卻不敢進去，帶了我悄悄的繞到後門廚房，探頭探腦張望了半天，回頭向我咋了一下舌頭說道：

「那個山東佬果然走了，他跟我阿母說：『俺抓住那個小兔子，劈開他的狗腦袋！』」

小玉清了一清喉嚨，才高聲叫道：

「阿母，玉仔回來了。」

小玉母親從後門跑了出來，她看見小玉，先滿頭滿臉摸了一陣，又扎實的捏了一下小玉膀子，說道：

「怎麼又瘦了？天天吃些甚麼？麗月那個婊子刻薄你麼？一定天天在外面野，沒好好吃，對麼？」她又打量了小玉一下，說：「頭髮倒剪短了。」

小玉母親大概四十七、八了，可是卻打扮得非常濃艷。臉上著實糊了一層厚厚的脂粉，眉毛剃掉了，兩道假眉卻畫得飛揚跋扈，嘴上的唇膏塗得鮮亮。她身上穿了一件菜青色飛滿了紫蝴蝶的綢子連衣裙，一身箍得豐豐滿滿，前面露出一大片白白的胸脯來。從前小玉母親大概是個很有風情的紅酒女，她那雙泡泡眼，雖然拖了兩抹魚尾紋，可是一笑，卻仍舊眯眯的泛滿了桃花。小玉那雙眼睛，就是從他母親那裡借來的。

「阿母，我帶阿青來吃拜拜。」小玉牽了我過去見他母親。

「好極了，」小玉母親一把摟住小玉的膀子，往裡面走去，一面對我笑道，「我們隔壁老鄰居火旺伯家裡宰了一頭兩百多斤的大豬公，今晚我們都過去。」

「阿母，你搽的是甚麼香水？難聞死了。」小玉湊到他母親脖子上，尖起鼻子聞了一下，他母親一巴掌打到他屁股上，笑罵道：

「阿母搽甚麼香水，干你屁事？」

進到裡面廳堂，小玉笑吟吟的把手上那個包袱解開，在桌子上抖出了幾瓶化妝品來：一瓶香水，一瓶雪花膏，一管口紅，一支描眉毛的畫筆。

「這是『夜合香』，有薄荷香的，夏天搽最好，你聞聞。」小玉打開那瓶玉綠色玻璃瓶的香水，擎到他母親鼻子下面。

「也不怎麼樣，」小玉母親撇了撇嘴笑道，卻逕自打開那罐雪花膏聞了一下，「倒是這瓶雪花膏還不錯，我那瓶搽完了，正要去買。」

小玉將香水倒了幾滴在手掌上，用手指蘸了，在他母親耳根下點了兩下，其餘的又抹到她頭髮上去。

「這點像足了你那個死鬼老爸！」小玉母親瞅著他點頭嘆道，「你老爸從前就愛搞這些胭脂水粉，他走了除了你這個禍根子甚麼也沒留下來，資生堂的粉底到丟下二三十盒。我用不了都拿去送人去了。阿青，」小玉母親摩挲著小玉的腮轉向我笑道，「我偏偏生錯了，把他生成了個查埔郎，從前我的眉毛都是玉仔替我畫的，我老說：『玉仔是個查某仔就好了！』也免得淘氣，到處闖禍——」

「阿青，你不知道，」小玉笑嘻嘻搶著說道，「阿母懷著我的時候，唿去廟裡拜媽祖，她向媽祖求道：『媽祖呵，讓我生個查某仔吧。』那曉得那天媽祖她老人家偏偏傷風，耳朵不靈，把『查某』聽成『查埔』了，便給了我阿母一個男胎——」

「死囝仔，死囝仔呵——」小玉母親笑得全身亂顫，輕輕批了小玉面頰一下，一面用手絹擦著眼睛跑了進去，不一會兒，端出了一大盤西瓜來，放在那張油膩得發黑的飯桌上，她遞給我和小玉一人一大片鮮紅的西瓜，我們都渴了，唏哩嘩啦的啃了起來。小玉母親挨在小玉身邊坐了下來，手上擎著一柄大蒲扇，一面替小玉打扇。小玉母親這間廳堂，陰暗狹窄，連窗戶也沒有一個，案上又點著兩根蠟燭，一大炷香，在供著保生大帝，空氣很燠熱，我和小玉兩人額上的汗水，不停的流瀉。

「麗月那個婊子怎麼啦？天天還跟那些美國郎混麼？」小玉母親問道。

「麗月姐的生意愈來愈旺啦，紐約吧裡她最紅。有時候郎客多了，她忙都忙不過來。常常叫腰痛，要我替她按摩。」小玉咯咯笑道。

「呸，」小玉母親啐了一口，「那個賤東西！前幾年她跑來找我，哭哭啼啼，說是她那個美國大兵丟下她溜了。那時候我替她拉線。喏，玉仔，就是火旺伯那個大仔春發呀，麗月那個婊子，還嫌人家長得醜，鬥雞眼，碎麻子。人家阿發哥的皮鞋生意現在做大啦！火旺伯一家人都發財了。麗月不聽我的話，叫她打掉那個小雜種她不肯，現在拖著個不黃不白的東西，累死她一輩子！」

「阿母，你那時為甚麼沒有把我打掉，生下我這個小雜種，累死你一輩子，也害我活受罪。」小玉抬頭笑問他母親，他鼻尖上沾了兩滴紅紅的西瓜水。

小玉母親一把大蒲扇啪噠啪噠拍了幾下，莫可奈何的嘆了一口氣。

「還不是你那個死鬼老爸林正雄『那卡幾麻』？那個野郎，我上死了他的當！他說他回日本一個月就要接我去呢——你看，你現在都這麼大了。」

「阿母，」小玉突然歪著頭叫他母親道，「我差一點找到林正雄——你那個『那卡幾麻』了！」

「甚麼？」小玉母親驚叫道。

「我說差一點，」小玉拍了拍他母親的肩膀，「這個人也姓林，叫林茂雄，差了一個字！那晚他告訴我他的名字，我的心都差點跳了出來。我問他有日本姓沒有，是不是姓中島？他說沒有。阿母，你說可惜不可惜？」

「這是個甚麼人？」

「他也是個日本華僑，從東京來的，到台灣來開藥廠。」

「哦，」小玉母親搖頭嘆道，「你又去亂拜華僑乾爹了。」

「這個林茂雄不一樣，他對我很好呢。他在台北辦事處給了我一個位置，晚上還要供我去讀書。」

「真的麼？」小玉母親詫異道，「這下該你交運了。玉仔，不是阿母講你，你在台北混來混去，哪裡混得出個名堂來？現在碰到這樣好心人，就該好好跟著人家，學點東長西短，日後也不至於餓飯哪！」

「可是人家已經回東京去了，」小玉聳了一聳肩，「去了也不知幾時再來。」

「噯——」小玉母親有點失望起來，嘆了一口氣。

「阿母，」小玉湊近他母親，仰起臉問道，「你老實告訴我。」

「告訴你甚麼？」

「你一共到底跟幾個姓林的男人睡過覺？」

「夭壽！」小玉母親一巴掌打到小玉腦袋瓜上，笑罵道，「這種話也能對你阿母說得的麼？還當著外人呢，也不怕雷公劈？」

「阿青，」小玉指著他母親笑道，「阿母從前在東雲閣紅得發紫，好多男人追她，比麗月姐還要紅。」

「麗月是甚麼東西？拿她來跟你阿母比，也不怕糟蹋了你阿母的名聲？」小玉母親撇著嘴，滿臉不屑，「從前我在東雲閣當番，隨隨便便的客人，我正眼都不瞧一下呢！哪裡像麗月那種賤料子？黑的白的都拉上床去。」

「可是你告訴過我，那時追你的人，姓林的就有三四個呢！」

「咳。」小玉母親曖昧的嘆了一聲。

「阿母，你到底跟幾個姓林的男人睡過覺嗎？」

「死囝仔，」小玉母親沉下臉來說道，「你阿母跟幾個姓林的男人睡過覺，關你甚麼事？」

「你跟那麼多個姓林的男人睡過覺，你怎麼知道資生堂那個林正雄一定是我父親呢？」

「傻仔，」小玉母親摸了一摸小玉的頭，瞅著他，半晌才幽幽的說道，「你阿母不知道，還有誰知道？」

「阿母——」

小玉突然兩隻手揪住他母親的胸襟，一頭撞進他母親懷裡，放聲慟哭起來。他那顆頭，像滾柚子一般，在他母親那豐滿的胸脯上擂來擂去，兩隻手亂抓亂撕，把他母親身上那件菜青色的綢裙扯得嘶嘶的發出裂帛聲來。他的肩膀猛烈的抽搐著，一聲又一聲，好像甚麼地方劇痛，卻說不出來，只有乾號似的。小玉母親被小玉搖得左晃右晃，幾乎摟不住了。她胸前鼻涕、眼淚、西瓜水給小玉塗得一塊塊的濕印。她額上臉上汗水淋淋漓漓的瀉著，把她一張塗得濃脂艷粉的面龐，洗得紅白模糊。她一直忙亂的拍著小玉的背，過了半晌，等小玉稍微停歇下來，她才解下頭髮上紮著的一塊手帕，替小玉揩臉，又替他擤鼻子，一面哄著：

「玉仔，你聽阿母講。早起我到火旺伯那裡，對他說：『火旺伯，今天夜裡，我們玉仔要回來探望阿公呢，你們那對豬耳朵一定要留給他啊！』火旺伯他們去年生意做得好，今年拜拜捨得花錢，火旺伯笑咪咪說道：『秀姐，你那個小囝仔肯回來看阿公，十對豬耳朵也留給他！』我去看來，那對豬公的耳朵，又肥又大，他們滷得浸鹹浸鹹的，才好吃呢！」

小玉那雙桃花眼腫得紅紅的，兩道鼻涕猶自掛著，他母親對他說一句，他便點一下頭，呼的一聲，把流出來的鼻涕又吸了進去，雙肩兀自在抽動。

傍晚六點多鐘的時分，三重鎮的大街小巷，老早塞得滿滿的了。吃拜拜的人從各處蜂擁而至。做拜拜的人家，酒菜擠到了屋外來，騎樓下，巷子裡，一桌連著一桌，大塊大塊的肥豬肉，顫抖抖的，堆成一座座小肉山，油亮亮、黃晶晶的豬皮，好像熱得在淌汗。有些人家，在廟裡祭供的神豬剛抬回來，歇在門口，幾百斤重的一隻碩肥豬公，便愜愜意意的趴臥在牲架上，身上披了紅布，嘴裡銜著一枚鮮紅的橘柑，刮得頭光臉淨，瞇著一雙小眼睛，好像笑得十分得意的模樣。酒菜多是前一天就做好的，擺在桌子上，一大盤一大盤都在發著肉餿，混著香燭的濃味，氤氤氳氳的浮散起來。一點風也沒有，三重鎮上空那層煤煙，烏壓壓的便罩了下來，一張張油汗閃閃的臉上，都抹了一層淡淡的黑煙，可是人們的胃口卻大開起來，大啃大嚼，一碗碗的米酒淋淋漓漓的便灌了下去，整個三重鎮都在叫喊歡騰。

火旺伯家的拜拜果然豐盛，滿滿一桌十六盆，還有許多海味：烤花枝、涼拌九孔、全魚就有三條，紅的紅，黃的黃，張嘴豎目的躺在盆裡。火旺伯挾了一塊滷得黃爽爽油滴滴的豬耳朵擱在小玉碟子裡，張開缺了門牙的禿嘴巴，一臉皺紋笑道：

「玉仔，快吃，吃了長兩隻豬耳朵像豬公那麼大！」

小玉笑得亂晃，抓起那塊豬耳朵便往嘴裡塞，塞得一嘴滿滿的，兩腮都鼓了起來，那塊豬耳朵尖上猶自帶著幾根豎起的豬毛，小玉也吞了下去。火旺伯又扯了一隻當歸鴨的大腿放在放我碗裡，一瓶福壽酒也擱在我們面前，他摸摸我和小玉的頭，要我們呷酒。小玉母親老早喝得一臉醉紅，頭髮也用手帕紮了起來，隔著桌子便跟火旺伯的大兒子鬥雞眼春發對上了，「八仙、八仙」的猜起拳來。三拳兩勝，小玉母親輸了，三杯滿滿的福壽酒，一杯一杯灌得一滴不剩，喝完，還很有氣概的把杯子倒過來一亮，給大家看，全桌人於是都喝采起來。火旺伯樂得禿嘴巴張起老大，搖著頭叫：

「呵——呵——」

小玉和火旺伯那個爆得一臉青春痘的小兒子春福也對上了手。他們一拳一杯福壽酒。小玉要我監酒，他說阿福最為賴賬。頭一拳，春福一個「全福壽」便把小玉吃住了，春福喜得摩拳擦掌，拿起杯子便要灌。

「莫要急，等我先吃塊豬耳朵。」

小玉抓起一塊豬耳朵，嚼了半天。春福等不及了，卡住小玉的脖子要灌他，小玉一把推開他，笑道：

「喝不是喝，怕什麼？」

第二輪，小玉叫「四季財」，出了兩個指頭，春發叫「五金龜」，也出了兩個指頭，一看輸了，趕忙又加了一個，嘴裡猶自叫道：

「小玉又輸了！小玉又輸了！」

「伊娘咧，」小玉得一臉通紅，「你是個大癩子，這麼會撒賴！」

說著倒了一杯酒也要去灌春福，兩個人正扭成一團，難分難解，春福卻突然間抬起頭叫道：

「你看，小玉，山東佬來了！」

「在哪裡？」小玉霍然立起身來，手裡的杯子珖瑯一聲跌到桌上，濺得一桌子的酒，兩頭亂張望，一臉驚惶。小玉母親卻趕了過來，猛推了春福一把，叱道：

「死郎，你嚇我們玉仔做甚麼？」

她轉過身去，拍著小玉的背說道：

「莫怕，玉仔，他來了又怎的？他又不是閻王，他敢動你一根頭髮，阿母跟他拚命！」

「莫要緊，莫要緊，」火旺伯也咂嘴叫道，「玉仔，呷酒，阿公再給你一塊豬耳朵。」

小玉坐了下去，一聲不響，啃起豬耳朵來。春福在旁邊一直向他擠眉眨眼笑。小玉裝做沒有看見，逕自滿滿的倒了一盅福壽酒，大口大口的灌了下去。

吃完拜拜，小玉母親已經喝得七八成了。她扶著小玉的肩膀趔趔趄趄的走回家中。一進門，她便把腳上一雙漆金涼鞋踢掉了，身上那件菜青色的綢裙子也卸了下來，裡面只穿了一件半透明的黑襯裙，小腹箍得成了兩節。她紮頭髮的手絹鬆了，幾綹亂髮掉落到脖子上，給汗浸濕了，一條條垂掛著，她臉上的脂粉老早溶成紅白一片。她坐到一張長凳上，張開兩隻腿子，用手在面上搧了兩下。她把小玉拖了過去，按到她身旁，一雙泡泡桃花眼，惺惺忪忪，瞅著小玉，半晌，她用手將小玉額上的汗水抹了一把，撂掉，才嘆了一口氣，口齒不清的說道：

「玉仔，你知道，你阿母是要你回來的。」

「我知道。」小玉低著頭應道。

「那個山東佬，脾氣爆，他對你阿母還不錯的。有兩個錢便拿回家來，而且外面又沒有女人。玉仔，你要明白，你阿母現在不比從前，人老了，不中用了——」

小玉一直垂著頭，兩手撐在凳子上，肩膀拱得高高的。

「其實山東佬對你本來也不錯的。也難怪他，你做出那種事來——」

「阿母，我要走了。」小玉立起身來說道。

「你不在這裡過夜麼？」小玉母親也站了起來。

「不了，我在台北還約了人。」

小玉拾起了桌上那包袱便要往大門走去，小玉母親卻一把將包袱攫了過去，她跑到供案那邊，將案上供著的兩盤紅龜粿一共八枚，倒到包袱裡，打了兩個結才拿去給小玉，掛在他手臂上。我們走出大門，小玉母親打著赤足又追出了兩步，說道：

「下個月七號，他要到台中去兩天，我再給你帶信吧。阿青，你也要一起來玩喔。」

我們上了回台北的公共汽車，我問小玉：

「今晚你不到『老窩』去報到麼？」

「不去，我要到天行去找吳老闆。」

「你又去吃回頭草。」我笑道。

吳老闆在西門町開天行拍賣行，是小玉的老相好。對小玉殷勤過一陣子，小玉嫌老吳一嘴爛牙齒，有口臭，便不理他了。

「吃吃回頭草有甚麼關係？」小玉冷笑道，「反正我又不是一匹好馬。老吳從前答應要送我一只手錶的，我這次去向他要。」

「你專會敲老頭子，」我說。

小玉卻伸出他的左手，手梗子光光的。他從前戴著老周送給他的那只精工錶，常常愛舉起手亮給別人看，說：「老周送給我的。」

「我記得我唸小學六年級，火旺伯買了一隻精工錶給春福，春福帶到班上，整天把手甩到我臉上說：『我老爸買給我的。』有一天上體育課，他把手錶脫在教室裡，我去偷了來，晚上戴了一夜，第二天，我把那只錶丟到陰溝裡，讓水沖走了。從那時起，我便一直想要一只精工錶。」

公共汽車走到台北大橋上，因為回台北的人多，橋上車輛擠得滿滿的，公共汽車走得非常遲緩。我伸頭到車窗外回首望去，三重鎮那邊，燈火朦朧，淡水河也閃著點點的燈光。天上一片紅昏昏的月亮，懸在三重鎮那污黑的上空，模模糊糊。我突然記了起來，那次我帶弟娃到三重美麗華去看小東寶歌舞團表演，母親在台上踢著腿子，她那塗滿了脂粉的臉上，竟是笑得那般吃力，那般痛苦。那晚我和弟娃乘公共汽車回台北，走到台北大橋上，弟娃伸出頭到車窗外，頻頻往三重那邊望去。我握住他的手，他的手心在發冷汗。

「你在看甚麼，阿青？」小玉問我。

「看月亮。」我說。

24

「五十洋！五十洋誰要？」

我走進公園，蓮花池的一角，圍了一大堆人，老遠就聽到我們師傅楊教頭放縱的笑聲了。楊教頭穿了一身亮紫的香港衫，挺胸疊肚，一把扇子唰唰聲開了又合。原始人阿雄仔立在他身後，巨靈一般，一雙大手捧住一只鼓脹的紙袋，一把把的零食直往嘴裡塞。人堆中央，原來是老龜頭站在那裡，吆喝著一口湖南土腔，在喊價錢。他身旁，依偎著一個孩子，他正執著孩子的一隻手，舉得高高的，在淫笑。那個孩子約莫十四五歲，剃著青亮的頭皮，一張青白的娃娃臉，罩著一件白粗布汗衫，開著低低的圓領，露出他那細瘦的頸項來。他下面繫著一條寬鬆鬆洗得泛了白的藍布褲子，腳上光光的，打著赤足。孩子一顆光頭顱東張西望，一逕咧開嘴，朝著眾人在憨笑。

「你這頭老黃鼠狼！」楊教頭扇子一收，點了老龜頭一下，「哪裡去偷來這麼一隻小子雞？」

他走上前去捏了一把那孩子的手膀子，又摸了一下他那細瘦的頸脖，笑罵道：

「這麼個小雛兒，連毛還沒長齊，拿來中甚麼用？你這個老梆子，敢情窮瘋了？也不知是從甚麼垃圾堆上撿來的，虧你有臉拿來賣！」

老龜頭一把將楊教頭推開，羞怒道：

「去你娘的，老子又沒賣你兒子，你急甚麼？」

楊教頭給推猛了，往後打了兩個踉蹌，撞到了阿雄仔身上，阿雄仔暴怒起來，一陣咆哮，舉起大拳頭便向老龜頭掄過去，老龜頭一縮頭退了下去，趕忙堆下笑臉來央求道：

「楊師傅，快叫住你那個巨無霸，給他搥一下，老骨頭要碎啦！」

楊教頭一邊攔住阿雄仔讚他道：

「好兒子，看在你達達分上，且饒他一命吧！」

卻又一柄扇子指到老龜頭鼻尖上。

「老屁眼，你可看到了？下次再敢冒犯本教頭，我兒子要取你的狗命呢！」

阿雄仔昂起頭滿面得色，從褲子裡掏出一串麻花糖來，塞到嘴裡，嚼得咔嚓咔嚓。

「五十洋！」老龜頭又把孩子的手舉了起來，他轉向聚寶盆盧司務盧胖子諂笑道：「盧爺，你愛啃骨頭，這是個瘦的，你拿回去受用吧！」

盧胖子笑咪咪的挺著他那個大肚子趨近那個孩子，胸前背後一摸，咂嘴道：

「倒是一塊好排骨！」

說著又拎起孩子的耳朵，笑問道：

「小東西，我帶你回家睡覺好麼？」

孩子瞅著盧胖子，半晌，突然咧開嘴笑嘻嘻的指著阿雄仔手裡那串麻花糖，叫道：

「糖，糖。」

眾人一怔，都鬨笑了起來。

「原來是個傻的！」盧胖子也搖頭笑嘆道。

原始人阿雄仔卻從紙袋裡掏出了一串麻花糖來，遞到孩子手上，說道：

「給你。」

孩子一把搶過去，三下兩下，統統塞進了嘴裡，兩腮都塞得鼓了起來，他和原始人阿雄互相瞪著，在傻笑，兩個人都嚼得咔嚓咔嚓。

「昨晚我是在公園路口碰見這個傻東西的，」老龜頭也忍不住笑了起來，「你們猜，他站在街口幹甚麼？原來他光著屁股在撒尿呢！」

眾人又笑了起來。

「我把他帶了回去，誰知道這個傻東西甚麼也不懂，一碰他，他就咯咯傻笑！」老龜頭搔著他頭上那一餅餅的牛皮癬，無奈的嘆道。

「兒子們！拉警報啦！」楊教頭的扇子唰地一下張開了。

網球場那邊，兩個巡夜的警察，遠遠的朝我們這邊逼近過來。他們的皮靴，老早便在碎石徑上咯軋咯軋的響了起來。於是我們便很熟練的，一個個悄悄溜下了台階，四處散去。老龜頭扣住那個孩子的手腕，半拖半拉便往公園門口匆匆走去。

「我來把他帶走。」

在公園門口，我截住了老龜頭。我抽出了兩張二十元，一張十元的鈔票，塞進老龜頭的手裡。

25

我把孩子帶回錦州街，麗月還沒下班。我悄悄溜進廚房，打開冰箱，偷了一瓶小強尼喝的味全鮮奶，跟一個又紅又大的芒果——這是麗月的禁果，因為價錢貴，我和小玉平常是不許碰的。回返房中，我看見那個孩子竟爬上了我的床，盤坐在那裡，一雙光腳板，全是污泥，他那顆剃得青亮的頭顱，在燈下反著光。他一瞥見我手上那瓶鮮奶便雀躍起來，伸手就要抓。

「你叫甚麼名字？」我把那瓶鮮奶舉得高高的。

「小弟。」孩子答道。

「傻東西，」我笑道，「你的名字呢？你總有個名字吧？」

孩子怔怔的望著我，嘴巴張成一個O形。他有一雙大而黑的眼睛，定定的瞪著人，眨也不眨一下。

「小——弟——」半晌，孩子又喃喃的重複道，「他們都叫我小——弟——」

「好吧，」我笑道，「我也叫你小弟好了。你叫我阿青，懂麼？阿——青。」

「阿——青。」他拖長聲音學我道。

我把那瓶鮮奶的蓋子打開，遞給他，他捧起瓶子便灌，咕嘟咕嘟，如獲甘露一般，一口氣喝掉了半瓶。奶汁沿著他的嘴角流了下來，滴在他那白粗布汗衫上。他一連幾口把鮮奶喝光了，才咂咂嘴，愜意的吁了一口氣，雙手卻一直緊緊握住空奶瓶，不肯放。我坐在地板上，把那個芒果剝開一半，咬了兩口，芒果肉厚多汁，又甜，還有蘋果香，正吃得起勁，抬頭卻發覺小弟坐在床上，一直覷著我，嘴巴半張，眼睛跟著我手中的芒果在移動。

「好吃鬼！」我禁不住笑了起來，「剛喝完牛奶，怎麼還是這副饞相！」

小弟嚥了一下口水，大眼睛眨了兩眨。

「你想吃，就下來，芒果汁滴到床上洗不掉的。」我向他招手道。

小弟躊躇了片刻，終於把空瓶子丟下，一骨碌爬了起來，跳到地板上，爬到我身邊。

「你的家呢，小弟，你住在哪裡？」我一面替他剝開剩下的半個芒果，問他道。

「萬——華——」小弟想了一下，應道。

「甚麼街，幾號，知道麼？」

「萬——華——」

「萬華甚麼街，小弟？」

「唔——」他竟有點不耐煩似的搖了搖頭。

「是不是延平北路？」

他楞楞的瞅著我，不出聲了。

「你連自己的家在哪裡都不知道，怎麼辦？」

咕嚕咕嚕小弟突然笑了起來，他笑得很奇特，咯咯咯咯，一連串快速清脆的笑聲，倏地會中斷停了下來，一雙眼睛睜得老大，楞頭楞腦呆個半晌，看著好像不礙事了，突又繼續咯咯的笑下去，笑得前俯後仰，一顆剃得青亮的頭亂晃一陣。

「你還笑！」我輕斥他道，「這下你慘了，回不了家了！」

小弟止住了笑，卻漫不經意的嘆了一聲道：

「嗳——」

我把剝掉皮的半個芒果遞到他手裡，他捧著就是一口，淋淋漓漓，鼻尖下巴都沾上了橙黃的芒果汁，他把一個芒果啃得很乾淨，果核的鬚也吮得津津有味。我去拿他的果核，他推開我的手，頗為不悅哼道：

「唶——」

我發覺他的頸背上薄薄的敷著一層泥灰，他坐在我身邊，我聞得到他身上發出來觸鼻的汗酸，大概好幾天都沒有洗澡了。

「邋遢鬼，我帶你去沖涼。」我不由分說的把他拉了起來，執著他一隻手，帶他到洗澡房去。我用鉛桶接了一桶冷水，並幫著他把衣服脫掉。我遞了一只葫蘆水瓢給他，說道：

「你自己沖吧，我去拿毛巾來給你。」

他拿著那只葫蘆水瓢，左看右看，赤身露體的站在那裡。

「這樣沖，傻子！」

我奪過他手裡的水瓢，舀了一瓢水，從他頭頂上便澆了下去。他趕忙護住頭縮起脖子，一面笑得咯咯的亂躲，我把他捉住，又一連往他身上沖了好幾瓢水，才把我洗澡用的那塊瑪麗藥皂拿來，替他擦背。

「小弟，你家裡有甚麼人？」

他思索了片刻，說道：

「阿爸。」

「你阿爸做甚麼的？」我問他。

「楊桃——芭樂——紅柿——」

他一樣樣唱數著。

「甚麼楊桃、芭樂，我問你阿爸是做甚麼事的？」我不禁好笑。

「還有龍眼！」他突然記了起來，很得意的補充道，然後卻又若無其事的說：「阿爸賣果果。」

「你家裡還有甚麼人呢，小弟？」

「阿婆——鳳姨——」

「你阿母呢？」

大弟怔了半晌，回頭望著我，眼睛睜得老大。

「阿母上山去了——鳳姨說，阿母上山去了——」

他說著又咕嚕咕嚕的笑了起來，笑得頭一點一點，瘦稜稜的肩胛抽搐著。

「小弟，」我按住他的肩膀，說道，「你這樣亂跑出來，你家裡人找不到你怎麼得了？」

「嗡——嗡——嗡——」他咿呀道。

「甚麼雞？」

「紅——公——雞——」他又唱了一遍，「鳳姨教我的：紅——公——雞——尾——巴——長——」

我忍不住哈哈的大笑起來，舀了一大瓢水，嘩啦啦便從他頭頂上澆了下去。我替小弟沖完涼後，從架上拿下一塊毛巾遞給他，要他揩乾身子。我正彎下身去收拾鉛桶水瓢，小弟卻將毛巾摺下，赤著身子便往外跑去，我趕忙搶上前抓住他，撿起毛巾，把他的下體圍了起來，才讓他走出澡房。我自己也打了一桶水，沖了一個冷水浴。然後把小弟換下來的髒衣褲，跟我自己的一塊兒泡在一只洗衣木盆裡，並且灑上了非肥皂。阿巴桑對我還不錯，有時我換下來的衣服她也就一併洗了，不過一定要頭一夜泡過，剛換下的髒衣服，她是不受理的。等我回到房中，卻看見小弟光著身子，毛巾掉在地上，蜷臥在我的床上，睡著了，他的嘴巴半開著，嘴角在流著唾涎。

26

朦朧間，我伸出手去，摟到他的肩膀上。他的皮膚涼濕，在沁著汗水。他的背向著我，雙腿彎起，背脊拱成了一把弓。窗外已經開始發白了，透進來的清光，映在他剃得青亮的頭顱上。剎那間我還以為是弟娃躺在身旁。母親出走的頭一年，弟娃跟我同睡一床，因為害怕，總是要我摟住他。後來我們長大了，弟娃仍舊常常擠到我床上來，我們躺在一塊兒，擺龍門陣。弟娃那時剛迷上武俠小說——是我引他入門的——第一部看的是七俠五義連環圖，整夜跟我喋喋不休議論起五鼠鬧東京來。他把自己封為錦毛鼠白玉堂，又派我做鑽天鼠盧方。白玉堂年輕貌美，武功高，難怪弟娃喜愛，而且白玉堂那一種老么的驕縱，弟娃原也有幾分相似。冬天寒夜，我們房間窗戶漏風，冷氣從窗縫裡灌進來，午夜愈睡愈冷，雙足冰凍，於是弟娃便鑽到我的被窩裡，兩人擠成一團，互相取暖，一面大談翻江鼠智擒花蝴蝶。大概是由於小時的習慣，當我朦朧睡去的當兒，總不禁要伸出手去，把弟娃摟進懷裡。我拾起床下地上的那塊毛巾，替他把背上一條條流下來的汗水輕輕拭掉。我自己也睡得全身發熱，汗津津的，而且喉頭乾裂，在發火，大概拜拜喝多了酒，腦袋有點昏脹。我爬起來，走到洗澡間打開水龍頭去沖了一下頭，喝一大口冷水，回到房中，天已大亮。小弟仍舊蜷著身子，睡得很熟。我拿了一件破襯衫，蓋住他的下身，自己穿上外衣，提著漱口盂，便下樓去買豆漿去了。外面滿天滿地的紅火太陽，連早上的風都是熱呼呼的。

我走到隔壁巷子的豆漿攤上，買了一漱口盂豆漿，兩套燒餅油條。回到家中，一上樓便聽到我房中一陣嘻嘻哈哈。原來小玉、吳敏、老鼠都來了，三個人圍住床站著。小弟盤坐在床中央，赤身露體，咧著嘴在對他們憨笑。小玉三個人指指點點，嘰嘰咕咕，好像在觀賞動物園裡的猴子似的。

「阿青，你哪裡找來這樣一個小憨呆？」小玉見到我，拍起手笑得彎了腰，「剛才我們進來，問他：『你是誰？在這裡幹甚麼？』誰知道他在床上站了起來，撈起小雞雞便叫道：『噓噓。』嚇得我趕忙跑過去端起你的臉盆來把他兜住！」

「你媽的，為甚麼不拿你自己的臉盆？」我罵道，地上我那只搪瓷盆裡接了半盆黃黃的尿液。

老鼠看見我手上的豆漿便要搶著喝，我一把推開他。

「是買給那個小傢伙喝的！」我說道。

「嘿！」老鼠吱吱笑道，「阿青在養小漢子哩！」

吳敏卻過去伸手摸了一摸小弟的頭，笑道：

「你們瞧，他的頭光得真有趣！」

我把他們三人趕開，把一漱口盂豆漿遞給了小弟。他捧起漱口盂一連喝了兩大口，很滿足似的長長的吁了一口氣。我把一套燒餅油條也給了他，他接過去，興高采烈的啃嚼起來。

我正要開始吃另一套，沒提防卻讓老鼠一把扣住了手腕子，把燒餅狠狠地咬去了一大塊。

「媽的耗子嘴！」我笑罵道，我把昨天晚上老龜頭在公園裡拍賣小弟的情形講給他們聽。

「可惱呀，老賊！」小玉哇哇喊道。

「那個老不修！」老鼠滿嘴燒餅，「等我拿根棒槌去狠狠捅他一捅！」

「他那一頸子的牛皮癬！」吳敏皺起了眉頭。

原來小玉他們是來找我到東門游泳池去游泳的，三個人連毛巾都帶來了。我說游泳池裡人擠人，水髒髒，有甚麼意思？不如到螢橋水源地，去河裡泡泡，愜意得多。三個人都歡呼了起來，連說怎麼早沒想到？

「這個小傢伙怎麼辦？」我指著坐在某上的小弟說道，「我本來打今天把他送回家去的，可是他連家在哪裡也說不清楚。」

小玉卻走過去，拎起小弟一隻耳朵，說道：

「小乖乖，哥哥們帶你到河裡去洗澡，洗鳥鳥，好不好？」

小弟楞楞望著小玉，滿面惶惑。吳敏推過小玉，笑道：

「小弟，我們帶你到河裡去游水，這樣游好麼？」吳敏手划了兩划，比給小弟看。

「愛——玉——冰——」小弟一個字一個字唸道。

「好、好、好，我們去買愛玉冰給你吃！」吳敏拍著他的肩膀道。

小弟突地咕嚕咕嚕笑了起來，笑得前俯後仰，一顆青亮的頭亂晃一陣。

「伊娘咧！」老鼠罵道，「分明是個小神經郎！」

我們一致決議，把小弟一同帶去螢橋。我搜出一套舊衣服來給小弟穿上，一件破白襯衫像外套似的罩在他身上，晃蕩晃蕩，一條卡嘰褲長得拖到地板上，只好將褲管捲起，用兩個別針別上。沒有鞋子，便讓他打赤足。小玉他們是租了三輛腳踏車騎來的，我們五個人，我載小弟、小玉戴吳敏、老鼠打單，他的車後夾著我們的毛巾。小弟坐在我車後，我命他摟緊我的腰。小玉的腳踏車騎得歪歪倒倒，差點撞到安全島上去。吳敏在車後直叫：

「小心！小心！」

「摔不死的，吳小弟！」小玉喝道，「你割手都不怕，現在鬼叫鬼叫！」

老鼠騎的是一部跑車，座墊聳起老高，他的屁股飛翹。老鼠尖起嘴在吹口哨。一忽兒搶上前去摸小玉一把臉，一忽兒退到後面踢吳敏一下腿子。小玉的車搖晃得更厲害了。小玉一頭大汗，嘴裡咒聲不絕，甚麼話都罵了出來。小弟坐在我身後也樂得呵呵笑了。我們打著、罵著、喊著、笑著，三輛腳踏車浩浩蕩蕩，一路呼嘯到達螢橋水源地。下車後，大家的衣服都已濕透。

因為久未下雨，水源地一帶的新店溪河水很淺，河面窄了許多，又露出了不少沙灘來，沙灘上大大小小星列著一顆顆灰黑的鵝卵石。近水處，卻是一大片狗尾草，一叢叢都在吐著大蓬的絮子，迎風搖曳，在烈日下，白得發亮。新店溪是台北唯一一條尚未遭到嚴重污染的河了，河水還有些綠意。從前暑假，我總帶著弟娃騎腳踏車到水源地來游泳。兩個人曬得像燙熟了的蝦子，紅頭赤臉的跑回去。過了兩天，弟娃便開始褪皮，總是先從鼻尖起，一張鮮紅的臉，露出個白鼻頭來。我們趁著颱風來臨以前，在水源地游個飽。颱風一來，河水便混濁了，而且水位漲高，有漩渦，便不能游了。我們幾個人推著車子，下到岸邊沙灘上，鑽進了那片狗尾草裡，草比人高，躲在裡面，岸上的人看不見我們。我們都脫下了外衣，只穿了一條內褲，一個個從草叢裡跑了出來，往河邊走去。鵝卵石給太陽曬得滾燙，我們的光腳板踏在上面，灼得刺痛，啊唷啊唷都喊了起來，連跑帶跳，急往水邊奔去。小玉穿了一條大紅尼龍三角褲，跑在最前面，老鼠趕上去，摸了他屁股一把，笑嘻嘻問道：

「小玉，你這條內褲是偷你老母的吧？」

小玉轉身一腳踢到老鼠胯下，老鼠嚇得趕忙往後跳了兩步。

「耗子精！」小玉喊道：「看小爺把你小卵蛋子踢出來！」

小弟走得慢，落在後面，大概沙灘上的石塊太燙了，他走不穩，趔趔趄趄，一跤跌坐在地上，啊啊亂叫。我回轉身去，將他一把從地上拉起，拖著他直往水邊跑去。

到了岸邊，小玉猛不防將老鼠推了個狗趴屎跌落水中。河邊淺處都是淤泥，老鼠一頭栽下去，手忙腳亂，半天才掙了起來，雙手抓滿了爛泥，滿頭滿臉糊著污黑的泥漿，嘴裡呸呸在吐著口水。我們都拍手哈哈大笑起來。老鼠氣急敗壞，連跌帶爬便要去捉小玉。小玉趕忙三腳兩跳往河裡跑去，一陣水花，便縱身往河心游去了。小玉會游蛙式，很靈快。老鼠差勁，跟在後面，只會狗爬，頭搗蒜一般，一點一點，半天仍舊浮在那裡，游不了幾呎，沒多時，竟落在小玉身後一大截。

「老鼠加油！」我跟吳敏都在岸上大叫道。

游到河心，老鼠看見大勢已去，怎麼樣也趕不上小玉了，只得折了回來。爬上岸，早已累得面紅耳赤，嘴都合不攏了。

「這下可真的變成水老鼠了！」吳敏笑嘻嘻說道。

「幹你娘！」

老鼠老羞成怒起來，佝下身去，掬起一捧水便潑到吳敏臉上。吳敏也不甘示弱，腳一揚，踢起了一團泥漿，飛濺到老鼠身上。兩個人同時往水裡跑去，站在淺水中，雙手亂撥，打起水仗來。水花灑到空中，映著日光，變成一串串晶亮奪目的珠子。老鼠和吳敏一個手臂上印著一枚枚烏黑的烙泡，一個手腕上刻著一道殷紅的刀痕。兩個人都掄舞著那隻受過創傷的手臂，愈戰愈勇，直到後來，兩人都筋疲力盡了。打著打著，愈打愈近，終於抱成了一團，頭擱在對方的肩上，只有喘氣的分兒。

我正看得出神，不提防，依偎在我身邊的小弟，不知甚麼時候逕自跑到水中去了，水深齊胸，他高舉起兩根細瘦的臂膀，左搖右晃，太陽直射到他的青頭皮上，反映著亮光。我也趕忙追下水中，河水冽涼，一下去，一身暑熱盡消。正當我趕到小弟身後，他卻雙手噗通噗通划起水來。他的頭浸到水中，雙腿一陣蹬踢，像隻翻身入水的小鴨子，居然浮了起來，而且還不規則的在水面前進著。

「小傢伙，你也會浮水呵！」

小弟扒了一陣，頭抬出水面，我對他笑道。

「嘻嘻。」小弟咧開嘴，猛喘氣。

「過來！」我向他招手道，「我來教你游蛙式。」

我雙手在水中划了兩下蛙式給他看。

「弟兄們！」小玉在對岸喊道，「快過河來呀！」

小玉站在橋下的石墩上，雙手朝著我們揮舞。老鼠和吳敏都嘩啦一聲縱身入水，往對岸游去。小弟急得朝小玉那邊猛指，也要跟著他們往河心划去。

「慢著！」我拉住他道，「你一個人游不過去的！」

他突然變得固執起來，嘴裡嗚嗚啊啊，拖著我就要往外跑。

「小弟，你聽著！」我喝道，「你一定要過河，我背著你游過去。這樣子：你雙手摟住我的腰，腿跟著我一齊夾水。」

我把他雙手箍在我的腰上，我們在水中試了一試，居然還可以配合。

「老鼠、吳敏，我們也過來了！」

我一面向老鼠吳敏叫道，跟小弟兩人，他摟住我的腰，一齊夾著水，緩緩往河心浮去。老鼠和吳敏回轉了頭，護住我們兩側，四個人，像一小隊艦隊似的，往對岸慢慢開去。河水淺，很平靜，一點浪頭也沒有。我背著小弟，並不感到十分吃力。我記得從前帶了弟娃到水源地來游泳，開始他不會換氣，只能游二三十公尺，還不敢過河。後來我把他教會了，第一次渡河，我陪著他一同游過去，游到一半時，弟娃嗆了一口水，害怕起來，便要回頭。我忙叫住他，不許他回去，命他摟住我的腰，帶領著他，游到對岸。那是個七月的黃昏，太陽快下山去，落在螢橋的那邊，紅紅的一團。那天水急風大，我們朝著火紅的夕陽，一同奮力的夾著水，游了半天，才到彼岸。因為那是弟娃第一次渡河，他爬上岸時，興奮得歡呼起來，夕陽照得他一臉金紅金紅。

「萬歲！」

小玉叫道，他伸出手提了我們一把，把我跟小弟兩人拉上岸去。老鼠跟吳敏也爬了上來，我們五個人，一身水淋淋的，在岸邊的水泥墩上圍著坐下來休息。橋上及沿岸街道車聲人語喧嘩異常，中午下班的人，來往匆匆。橋下有風，吹到身上，非常涼快。小弟坐在墩上，一雙腿甩來甩去，嘴裡咿咿呀呀，怡然自得的哼起不成曲調的歌聲來。

「小憨呆！」小玉拍了一巴掌小弟的光腦袋，笑道：「看不出你還會唱歌呢！」

「『小老鼠』——鳳姨教我的，」小弟歪起頭頗為得意的答道，「還有『紅公雞』——」

「好、好，小弟，」吳敏慫恿他道，「你那支『小老鼠』，好聽，快唱！」

「豈有此理！」老鼠低聲咕嚕道。

小——老——鼠——

嘴——巴——尖——

偷了雞蛋——又偷麵——

小弟索性放聲唱了起來，一個字一個字，上氣不接下氣；可是卻很起勁，脖子也拉長了。小玉、吳敏和我老早笑得跌倒在地上，捧著肚子叫哎唷。小玉仰臥在地上指著老鼠叫道：

「這隻老鼠的嘴巴還要尖，還會偷雞巴呢！」

老鼠立起身跑過去踢了小玉兩腳，又揪起小弟一隻耳朵喝道：

「小東西，以後對你老鼠哥哥不得無禮！聽到麼？這支混賬歌以後不許再唱！」

「那麼我唱『紅公雞』，」小弟說道。

「免啦，免啦，」老鼠皺起眉頭十分不耐的斥道，「你那些歌回去唱給你阿青哥哥一個人聽。我們不要聽，我們要去捉螃蟹去！」

螢橋下面岸坡上有許多洞，洞裡有螃蟹。有一次老鼠捉了七八隻回來，拿到我們那裡，用油炸了，鮮紅噴香，小玉、吳敏我們四個人分吃了。我們把小弟一個人留在石墩上，便跑到橋下岸邊，去翻石頭。老鼠性急，也不等我們圍好，一下便把大石頭翻開，裡面赫然跑出一隻茶杯口大的青花蟹，橫行著飛跑逃掉。老鼠連爬帶跌，也沒有追上，等我們趕過去，那隻青花蟹老早跑入水裡，無影無蹤。老鼠恨得甩手頓足，呱呱怪叫，到處猛翻石頭。我們幾個人忙了一大陣，只捉到兩隻銅錢大的軟殼蟹。老鼠拎著那兩隻軟殼蟹，一邊咒一邊罵吐了兩泡口水，索性扔到河裡去。我們都感到肚子餓了，正打算走回岸上去買糯米飯糰吃，卻發覺石墩上，小弟不見了，我們一急，同聲喊道：

「小弟——」

「那個小憨呆，莫不掉進河裡去了？」小玉嘀咕道。

「我們到橋上去看看。」吳敏提議道。

有一條石級引到橋上，我們一窩蜂跑了上去，跨上螢橋。橋上擠滿了車輛行人，橋頭圍著一大堆人，指指點點，在鬨笑。我們跑過去，發覺原來是小弟站在人堆中央，全身赤裸，內褲不知脫到哪裡去了，露出了下體來。他兩手交叉護著他那瘦白的胸膛，胸口濺滿了紅色的汁液，蜿蜒下流滴著。他楞楞的望著眾人，嘴巴咧開，在癡笑，可是一雙眼睛眨巴眨巴充滿了驚惶的神色。人群多半是一些好奇的小孩及少年，有幾個女學生，前來探了一下頭，卻趕緊摀住嘴，跑掉了。小弟面前站著兩個趿木屐、梳包頭橫眉怒目的小流氓。其中一個手裡正拿了兩塊吃剩了一半鮮紅的西瓜往小弟身上砸去，老鼠先鑽進人堆，他一個箭步搶身過去，猛推了那個流氓一把，喝道：

「幹你娘，你敢打人麼？」

「神經郎！」那個小流氓惡聲相向道。

「他隨地小便！」另外一個理直氣壯的幫腔道。

「他隨地小便，關你屁事？」老鼠指手畫腳跳罵道：「沒小到你嘴巴裡就行啦！」

圍觀的人都鬨笑起來，兩個小流氓摩拳擦掌便要跟老鼠幹上了。

「弟兄們，動手了呢！」小玉高聲嚷道，我們都擠進了圈內，四個人，一字排開，護住小弟，都擺上了架式。兩個小流氓看見我們人多勢眾，苗頭不對，一面開溜，一面喊道：

「我們去叫警察，來捉神經郎！」

我們四個人互相使了一個眼色，我跟小玉一人拉住小弟一隻手，老鼠和吳敏在前頭開路，五個人拉拉扯扯，跑過橋去到了橋尾，我們連爬帶滾的從岸坡滑下了河灘。等我們鑽進那叢狗尾草，回到我們藏車子衣服的地方，我們都癱倒在地上，動彈不得了。我們躺在滾熱的沙上，喘了半天氣，大家才不約而同的笑著迸出了一聲：

「幹——」

27

「我這裡又不是瘋人院，神經郎你也帶回來！出了事怎麼辦？」

麗月發覺我收留小弟過夜，便嚷了起來。

「不要緊，他甚麼都不懂，不會闖禍的，」我忙替小弟解說道，小弟盤坐在我的床上，曬得紅頭赤臉，他瞅著麗月，眼睛一連眨巴了幾下。

「你說得好輕巧！」麗月指到我臉上來，「他這麼瘋瘋癲癲的跑了出去，他家裡人一定到處在找了，說不定早已報了警了呢！你快把他送回家，免得警察找上門來，說我們這裡私藏瘋人。」

「送他到哪裡呢？」我攤開手笑道，「他連自己的家在甚麼地方都說不清——只曉得在萬華。」

「咳，都是你惹的麻煩！」麗月狠狠瞪了我一眼，一屁股便坐到了小弟身邊，打量了他一下，然後堆下笑臉，哄著他說道：

「來，小弟，告訴麗月姐聽：你家在哪裡？萬嘩哪條街？是不是廣州街？有個大廟叫龍山寺，你曉不曉得？」

小弟的嘴巴半張開，呆呆的望著麗月。

「你不講？你亂跑出來，你阿母急死嘍！你阿母在找你哪，知不知道？」

麗月伸出手去摸了一摸小弟的光頭，小弟突然間咕嚕咕嚕笑了起來，笑得前後亂晃，嘴裡哼歌一般吐出一連串咿咿唔唔的娃娃語。

「這是甚麼名堂？」麗月駭異道。

我笑了起來。

「他告訴你：阿母上山去了、阿母上山去了——」

「噯——」麗月搖頭嘆息：「是個白癡仔！」

「果——果——」小弟叫道。

小強尼噔噔噔跑了進來，手裡抓住一顆楊桃在啃。

阿巴桑跟在後面，氣咻咻的肚子挺得老高。小弟一骨碌便爬下了床來，伸手便要去抓小強尼手裡那顆楊桃，小強尼趕快躲到阿巴桑身後去。

「小孩子的東西你也來搶！」阿巴桑揚手便要打，小弟頭一縮，閉上了眼睛。

「阿巴桑，你到冰箱去拿一顆來給這個小神經吧！」麗月笑道。

「要拿你叫阿青去拿！」阿巴桑嚷道，「冰箱裡的芒果也不見了，小強尼的牛奶也少了兩瓶——你問問阿青，都到哪裡去了？」

我趕忙跑出房間，麗月在後面尖罵道：

「你想死啊！你敢動我的芒果，二十塊一個，你明天不去買一個賠來，你看我還有飯給你吃不？」

我去冰箱裡拿了一顆楊桃來遞給小弟。

「你聽到了？」我笑著說道：「我挨罵了，都是因為你好吃！」

小弟接過那顆碧澄澄的楊桃卻捨不得吃了。擎在手中，顛來倒去的玩弄著。

「你聽著，」麗月對我說道，又指了一指小弟，「這可是你找來的累贅，你自己去想辦法。今夜你快把這個小神經送走——送到哪裡我不管，送到警察局也好，神經病院也好。」

「麗月姐，」我陪笑道，「你是個好心人，今天已經晚了，就讓這個小傢伙在這裡再過一夜吧，明天我去報警讓警察把他帶走就算了。」

「不行！」麗月搖手道，「你和小玉兩個玻璃貨住在我這裡，已經給我招來多少麻煩——要人的也來了、打架的也來了。現在又加上這麼個白癡仔，我自己也要瘋了！何況你上個月的房租三百塊還沒繳清，還敢收留人呢，氣起來我連你一齊攆出去！」

「我保證！」我拍拍胸脯道，「今晚我一定把錢弄來，繳清房租，這下總可以商量了吧？」

「你把錢弄來了再講——」麗月的口氣鬆動了，卻乜斜起眼睛瞅著我噗哧的笑了一下，「今晚的線可放長些，釣條大金魚回來！」

我離開時，跟阿巴桑講了許多好話，要她照顧小弟一下，回頭有剩菜，盛碗飯給他吃。

「天這麼熱，還要我去服侍那個小神經郎！」阿巴桑大不以為然。

「拜託嘛，阿巴桑，我買斤荔枝回來給你吃。」

阿巴桑吃荔枝一次可以吃五斤，有一次吃得流鼻血了，只得去買涼茶來喝。

「要買就買新鮮的！」阿巴桑哼了一下。「上次那些生蟲的也拿回來。」

我趕到公園裡，找到我們師傅楊教頭，他和原始人阿雄仔都坐在蓮花池的石欄杆上，肩並肩，一個龐然巨物，一個胖成一團。我踅過去向楊教頭伸手借錢，借五百塊。

「師傅，」我笑著叫道，「實在有急用，過兩天一定奉還。」

「我開銀行麼？」楊教頭喝斥道，「個個都來向我調頭寸！這樣吧，我來替你想條活路，你先到大世紀去等我。我替你去請位財神爺來。」

我走到衡陽路大世紀，選了一個清靜的角落坐下，要了一杯芭樂汁，大約等待半個鐘頭後，楊教頭帶了一個人來，他叫那個人坐在我身邊，自己坐在我對面。

「這是賴老闆，」楊教頭介紹道，然後朝那個姓賴的擠了一下眼睛，笑道：

「怎麼樣，賴老闆，我說的不錯吧？這個少年郎可還標致？」

那個姓賴的挪了一下身子，歪著頭朝我上下打量起來。他是個四十上下的肥碩男人，一張赤紅的豬肝臉，在玫瑰紅的燈光下，閃著亮濕的油汗。他的頭髮剪得短短的，齊中間分，燒燙過了，起著細緻的波紋。他身上穿著一件玉綠間金線的泰國絲綢香港衫，坐下來，便把個肚子給箍了出來。他那左手肥禿的無名指上，戴著一枚厚重的方金大戒。他打量我的時候，一雙腫泡的眼睛擠滿了笑意。我低下頭去，兀自吮著自己的芭樂汁。

「阿青，賴先生就是西門町永昌西裝店的大老闆，」楊教頭向那個姓賴的努了努嘴，笑道：「人家賴老闆要送你一條西裝褲呢——定做的！」

「你的腰圍幾寸，小弟？我來替你量量——」那個姓賴的趁勢伸過手來捏了我的腰一把，我趕忙閃開了，他和楊教頭都呵呵的笑了起來。

「一身的硬肌肉嘛！」姓賴的笑道，「練過功夫了麼？」

「我這個徒弟的童子功很不錯，差不多練就金剛不壞之身了。」楊教頭說著跟那個姓賴的又縱聲笑了起來，楊教頭彈了下指頭，侍應生端來兩瓶冰啤酒。

「你自己說吧，小弟，」那個姓賴的拍了一拍我肩膀，「你要馬海，還是要達克龍的。」

我一直低著頭，在吮麥管。

「我看來條奧龍的吧，」楊教頭代我答道，「上次我到你們永昌看到新到的一批奧龍西裝料，很不錯，夏天涼爽，我本來想做套西裝的。一問四千五，唬的我趕忙溜掉了。你們大店的西裝，咱們是做不起的！」楊教頭長長的嘆了一口氣，非常憾恨的模樣。

「楊師傅要套西裝還有甚麼問題？這點小意思我們永昌還送得起！」姓賴的很四海的拍了一拍胸，「明天早上我在店裡，楊師傅來量身好了。」

「我這副身材，恐怕貴店要吃點虧哩。」楊教頭低下頭去，無奈的瞄了一下他那溜溜圓水桶似的腰身。

「你想我們對號麼？」姓賴的傾身上前，在楊教頭耳際悄聲問道，一雙腫泡泡的小眼睛卻向我一溜。

「這個徒兒，十八般武藝，樣樣俱全！」

楊教頭跟那個姓賴的又擠眉眨眼了一陣。突然間，我感到我的大腿上癢麻麻有毛蟲在爬動一般，是姓賴的一隻手從桌底下伸了過來，幾個指頭慢慢往我腿上爬上來。我感到全身汗毛一張，伸下手去一把攥住了姓賴的那隻肥禿禿帶著方金大戒的手掌，提上來便往桌上一拍，拍得啤酒瓶都迸跳了一下。

「師傅，我先走了。」

我霍然立起身來，頭也不回便急急往大世紀門口走去，楊教頭在我身後追趕著，我只聽到他壓低聲音在怒喝：

「阿青——」

我離開大世紀，便直奔西門町的銀馬車，去找嚴經理。嚴經理是湖南人，湖南衡陽。我剛離家的頭一個星期便在公園裡遇見了他，他把我帶回他金華街那間公寓裡，要我搬進去跟他一起住。他在銀馬車替我安排了一個職位，當侍應生。他皺起眉頭，指著我的臉訓道：

「小娃仔，你剛出道，還有救。快點做份正經事。你在公園裡混，陷下去就要萬劫不復了！」

我在銀馬車做了三天，溜走的時候，口袋裡還有一把嚴經理金華街的公寓鑰匙，總也沒有機會拿去還他。我到銀馬車走進經理室，衝著嚴經理便深深一鞠躬向他請安道：

「嚴經理，你好。」

「嘿！小鬼頭，你還有臉來見我？」嚴經理見了我先是一怔，旋即餘慍未消的說道，「我還以為你給抓到火燒島去了！」

「請經理幫個忙，」我笑著說道。

「原來你也還有用得著我的一天！」嚴經理冷笑道。

「要向經理通融一下，先借五百塊錢，救救急。」我欠身笑道。

「借錢？哪有這麼容易？」

「繳不出房租，房東要攆人了呢，」我央求道。

嚴經理朝我點著頭嘆息道：

「真是塊賤料子，我那裡讓你白住，你不安分。偏偏自甘下流——聽說你在公園裡混得很不錯，還缺甚麼錢？」

我低下了頭去，半晌說道：

「經理先借我五百塊，我設法還就是了。如果經理這裡有事，我願來做，扣薪水好了。」

「聽你的口氣，想改邪歸正了？」嚴經理終於心軟了，「再給你一個機會吧，我們這裡有個小弟請三天病假，正要找人代班，明天兩點鐘，你來報到。」

說著他從皮夾裡抽出三張一百元的鈔票來，說道：

「成不成器，就要看你自己的造化了！先給你三百，你來上班，再補給你。」

我接過嚴經理的錢，千謝萬謝，然後跑出了銀馬車，在路邊水果攤買了一斤荔枝，又在五香齋門口一個賣蘿蔔餅絲的攤子上，買了四枚剛烤好的蘿蔔絲餅，兩甜兩鹹。這一家的蘿蔔絲餅做得特別好，殼子又軟又酥，餡兒肯放豬油，特別香。從前在育德上夜校，放學回家，在西門町轉公共汽車，要是袋裡還有錢剩，我就跑到這家攤子買四枚蘿蔔絲餅回去，跟弟娃兩人分著吃消夜。冬天夜裡，我便把報紙包好的蘿蔔絲餅塞到胸前夾克裡去，拉上拉鍊，回到家裡，餅子還是暖暖的。有時候弟娃睡著了，我便把他拉起來，兩人坐在床上，攤開報紙，吃得一床的芝麻。

小弟已經橫臥在床上，脫得精光，襯衫內褲丟得一地，睡得很熟了。我走近床邊，赫然發覺，墊在他下半身的那片草蓆上，黑陰陰濕了一大塊。我趕忙放下手中的荔枝及那包蘿蔔絲餅，過去將他推醒。

「起來、起來。」我雙手執住他的膀子，將他揪了起來，他睡眼惺忪的瞪著我，左腮上睡得紅紅的一格格蓆子印。

「你看，你闖禍了！」我指著蓆子那塊尿漬對他說，我揭開蓆子，下面墊褥也浸濕了，黃黃的一攤。我看小弟兀自傻愣愣的站在那裡，東張西望，禁不住有點惱火，走過去順手一巴掌，啪的一下便打在他屁股上。

「這麼大個人還溺床！」

我出手重了些，小弟被我打得啊的一聲，往前打了一個踉蹌，他驚惶的望著我，一隻手摸著屁股，蹭到房間一角去。我把草蓆跟墊褥都抽了起來，摟到洗澡房去，褥子沒法洗，只好暫時掛在架子上，等到有太陽再拿出去曬，草蓆我便用抹布灑上肥皂粉猛力揩拭，換了幾次水，才把那塊尿漬洗乾淨，拿到廚房後面天台的晾衣架上，掛起來晾乾。轉回房中，小弟卻蹲縮在房間角落裡，雙手摟住膝蓋，蹋成一團。他看見我走進來，嘴巴閉得緊緊的，眼睛睜得渾圓。我拾起那包蘿蔔絲餅，坐在他對面，將報紙打開，攤在地板上。

「你看，小弟，我買了蘿蔔絲餅回來給你吃，」我挑了一枚甜的遞給他，他怔怔的睇著我，也不伸手來拿。

「這是甜的，好吃得很呢。」我笑著把餅子送到他面前，他卻倏地歪過了頭去。

「不吃算了，我來吃！」我幾口便把那枚甜餅吃掉。

「好香！」我咂著嘴，瞄了他一眼，他的眼睛隨著我的嘴巴一上一下的動著。

「要不要？」我又拿了一枚鹹的送到他嘴邊，突然他手一撥，便將那枚餅子打落到地上，滾得一地的芝麻。

「你想死呀！」我用手猛敲了一下他那剃得青亮的光頭頂，爬起身，把滾到床腳的那枚蘿蔔絲餅撿回來，吹了兩下。小弟雙手抱住他那個光頭，嘴巴一憋一憋，開始嗚嗚的哭泣起來，眼淚一顆一顆滾落到他那瘦伶伶青白的胸脅上。我立在這個光著頭赤著身、淚珠滾滾的孩子面前，突然感到有點手足無措起來。我蹲下身去，拍拍他的肩膀，笑道：

「跟你開玩笑的，小傢伙，又沒有真的打你。」

他不理會，仍舊死命護住頭，肩膀一聳一聳的抽泣著。

「得了、得了，以後不碰你就是了。」我把他的頭亂撫摸了一陣。

去年弟娃十五歲生日的前一天晚上，我揍了他一頓，把他的鼻子打出了血來。弟娃對我一向順從，那晚不知怎的，他卻發起牛脾氣來。那晚輪到他去洗碗，他躲在房中，坐在床上，看我租來的連環圖《黃天霸》看得入了迷。我叫他好幾聲，他也不理睬。我伸手去奪他手上的書，他一把推開叫道：「去你的！」我一陣暴怒，一拳掄過去，搥到他面門上，將他打翻到床上。我從來沒有對他那樣粗暴過，那一下失手，把他的鼻血打了出來。弟娃不哭，也不作聲，只拿了一疊厚厚的衛生紙，仰起頭，一張張在揩拭鼻孔裡流出來的鮮血。我嚇了一跳，完全慌了手腳。到了晚上，我們躺下了，在黑暗裡我還不時聽到弟娃用衛生紙擤鼻子的聲音。那一夜我都沒有睡好，心中異常懊惱。第二天，我把那管功學社買來的蝴蝶牌口琴送給弟娃時，弟娃竟樂得開口笑了。捧著那管口琴，吹來吹去一刻也捨不得放下，他的鼻翼上還沾著一小塊沒有洗乾淨的血斑。我哄了小弟好一會兒，他終於停止了哭泣。我去拿了一塊濕面巾來替他揩了面，又遞了一枚甜蘿蔔絲餅給他。這回他接了過去，吃得興高采烈起來，一下子，兩枚餅子都吃得精光，嘴角上還沾了幾粒芝麻。

「蘿蔔絲餅好吃麼，小弟？」

我們一塊躺在硬床板上時，我問他道。

「唔。」他應道。

「你喜歡吃甜的，還是鹹的？」

「甜的——」他想了一會兒。

「那麼下次我光買甜的給你吃，好不好？」

「喔。」

「你不許再溺床，溺床沒得吃。」

「呵呵。」他笑了起來。

「今天游水好玩麼？」

「好麼。」

「過兩天，我們再去水源地。」

「喔。」

「你知道，颱風來了就不能游了，」我說，晚上收音機廣播，菲律賓那邊有強烈颱風愛美麗，正向台灣吹來，如果風向不變，一兩天內，會掠過台灣北部。

「颱風——大風，呼、呼、呼，懂不懂？」

「呼——呼——」小弟學我道，我笑了起來。

「小弟，我們睡覺吧。」我說。

「喔。」他應著。

我側過身，伸過手去，摟住了他那瘦骨稜稜的肩膀。

28

早上，天氣果然變了。晴一陣，雨一陣，氣壓轉低，皮膚上的汗冒也冒不出來，颱風愛美麗大概真的快要來了。我先起床，小弟側著身還在熟睡，他那瘦白的背脊上，睡起一條條橫橫斜斜的紅印，是硬床梗出來的。我走進洗澡間，阿巴桑正蹲在水池邊，在搓洗衣服，她一看見我，便指向澡房中垂掛著的褥子嚷道：

「你掛得這一間洗澡房，走都走不進來了！」

「我馬上收去，」我陪笑道，「昨晚那個小傢伙溺了床——他沒有給你麻煩吧，阿巴桑？」

「還講呢！」阿巴桑哼道，「莫看那個小神經，人瘦，吃起飯來，呼嚕呼嚕像個豬仔，給他一碟菜，一下子掃光，又去抓小強尼碗裡的肉餅，我攔也攔不住。昨晚麗月給你那個小癡仔弄得哭笑不得！」

「為甚麼？」

阿巴桑甩了一甩手上的肥皂泡沫，卻咕咕的先笑了起來：

「昨天晚上『中國娃娃』的朱娣、夢娜，還有吳露露，跑來找麗月聊天，幾個瘋婆子一邊啃西瓜，一邊咭咭呱呱，她們笑吳露露，笑她去做假奶。正說得熱鬧，你那個小癡仔一頭闖了進去，身子光光，挨著麗月便坐到她身邊，幾個人嚇了一跳。小癡仔伸出雙手去摸麗月的臉，又用頭去擂她的胸脯，麗月大笑，叫道：『要你娘的命啦！』將他一把推到吳露露懷裡。吳露露、朱娣、夢娜，幾個人躲的躲、喊的喊，鬧得雞飛狗跳。後來還是麗月拿了一片西瓜，連哄帶拉，才把那個小神經攆了出來。」

「想不到小傢伙還會鬧眾香國哩！」我笑道。

「我看你啊，快點把他弄走吧，」阿巴桑說著又嘆了一氣，「不知他爹娘造了甚麼孽！」

「我正在想辦法，找他的家，找到了馬上把他帶走，」我安撫阿巴桑道：「阿巴桑，昨晚我帶了一掛荔枝回來給你，顆顆這麼大！」我用手比了一下。

「唔，」阿巴桑哼了一下，說：「我不信，拿來看看。」

我洗完臉，回到房中，小弟已經爬起來了，兀自坐在床沿上，雙眼惺忪，在發楞。他一看見我，卻咧開嘴，笑了起來。我過去把我一套舊衣服從床底掣了出來，遞給他，要他穿上，一面囑咐他道：

「小弟，我出去有事，你待在家裡不要到外頭去，懂不懂？」

「喔。」小弟點點頭，應道。

「那麼你不許脫衣服，」我扯了一扯小弟身上的襯衫，打了他一下屁股，笑道：「光著屁股到處跑，羞不羞？」

「球、球。」小弟歡呼道，一只紅藍白的彩色大皮球滾進屋子來，滾到小弟腳邊，小弟一腳踢去，踢得那只皮球花溜溜的亂轉。小強尼穿著開襠褲跑了進去，爬到地上便去捉球，一面不停發出咯咯的笑聲。小弟也匍匐到地板上，跟小強尼一同搶起球來。

我拎起昨晚買回來的那掛荔枝拿到廚房裡去給阿巴桑，阿巴桑剝了一顆送到嘴裡，然後唔了一下。我交給她兩百塊錢，要她轉給麗月。

「這是我欠麗月的房租，剩下的，過兩天一定湊給她。」

我又留下二十塊錢，請阿巴桑買菜時帶兩個饅頭回來給小弟吃。走出門外，天上細雨飄斜，一團團的烏雲上下移動。抬頭望去，我看見樓上我的房間那扇窗戶突然冒出一顆青亮的頭來，小弟趴在窗沿上，正在探望，我向他招了一招手，他舉起雙手也亂揮了兩下。

「小傢伙——」我叫道。

「呀——呀——」他在樓上應道。

我趕到西門町銀馬車，下午班正好開始，嚴經理看見我去報到，頗為讚許，說道：

「看樣子，你是上路了？」

「經理栽培，還敢不識抬舉麼？」我笑道。

「幾時這麼知好歹了？」嚴經理撇了一下嘴，「快去換制服吧。」

我換上侍應生白褂子黑長褲制服，又開始冰咖啡、檸檬水、紅豆湯、甘蔗汁，團團轉托起盤來。進來避雨避暑的客人，都在談愛美麗，颱風風速又加強了，暴風半徑擴張到五百哩，大約明天下午登陸台灣北部。晚上西門町那一帶的店鋪打烊以後，都紛紛在玻璃櫥窗外面加上了防風木板。銀馬車做到十點關門，嚴經理把小賬分攤給我們，每人分得三十五塊。他將我叫到經理室去，從口袋裡掏出了兩張一百圓的鈔票給我。

「這是你昨天問我借的，湊足五百塊錢，給你拿去交房租——這次不是來騙我了？」

我接過鈔票趕快起誓道：

「這次確實是真的了，昨天已經交給房東兩百塊，還欠一百。」

嚴經理打量了我一下，沉吟道：

「你代完三天工，有甚麼打算呢？又回去幹那一行麼？」

我突然感到臉上一熱，低下頭去含糊說道：

「我試試看，去找份工作——要是經理這裡用得著人，我願意回來。」

「現在沒有缺，下個月有一個小弟要走，我再通知你，」嚴經理認真的說道：「快回去吧，颱風要來了。」

我臨離開銀馬車，到廚房裡去將擱在碗櫃裡的一只牛皮紙袋取了出來，袋子裡有兩塊栗子蛋糕，是下午一桌趕電影的客人來不及吃完，留下的。我裝在袋子裡藏在碗櫃，預備晚上帶回去，跟小弟一同消夜。坐在回家的公共汽車上，我心中開始盤算：麗月那裡，不知道還能讓小弟住多久？拖不下去了，把那個小傢伙放到哪裡去？我想代完三天班，向嚴經理開口，我願意搬回他那間金華街的公寓跟他一塊兒住——我還有一把他公寓的鑰匙沒有還給他——

我可以告訴他，小弟是我的弟弟，請他暫時收容。如果我在銀馬車正式當侍應生，規規矩矩托盤子，也許他會答應。嚴經理對我很好，一直要我「改邪歸正」。如果萬一他不答應。我還想到一個人——母親的養母，我們的外婆吳好妹。母親的養父過世後，母親跟外婆又開始來往了。母親曾帶我跟弟娃到桃園縣龍潭去探望過外婆。外婆吳好妹是一個胖大健壯的女人，一雙放大腳，行走起來，啪噠啪噠比她飼養的那些鴨子還要快捷。外婆是個熱心人，很疼愛我們，第二天一早便挽著一只大籃子，領著我跟弟娃到鴨棚去撿鴨蛋去，幾百隻鴨子早放到池塘裡去了。鴨棚內，鴨屎鴨毛堆中，露著一顆顆青色的鴨蛋來。我跟弟娃興奮得亂叫，也顧不得鴨屎臭，滿地去挖掘鴨蛋。弟娃走路都走不穩，在鴨棚裡搖搖擺擺，抓得一手的鴨屎。母親也趕了來，外婆對她笑道：

「阿麗，把他們留在這裡算了，替我撿鴨蛋。」

去年外婆到台北來看我們，帶了兩隻番鴨仔來，一隻黑的給我，一隻白的給弟娃。提到母親，她又罵了幾句，掉下幾滴眼淚來，臨走時，對我說：

「放了假，帶著弟娃，到鄉下來吧。」

那兩隻番鴨仔，一個秋天，卻長大了，一黑一白，閃亮的羽毛，鮮紅的肉冠子，見了人便會搖著屁股哈哈的虛張聲勢。我們叫牠們阿黑阿白。飼餵那兩隻番鴨，便變成了我跟弟娃兩人每天的大事。我們常到舒蘭街那條小河邊去挖蚯蚓，河邊泥土肥沃，蚯蚓條條有小指那麼粗。我們挖滿了一只洋鐵罐回來，餵得兩隻番鴨肉嘰嘰的，肥得屁股都快縋到了地上。到了過年，父親把兩隻鴨子捉來，一刀一個，兩隻的頭都剁掉了。父親嫌那兩隻番鴨屙得天井裡到處的鴨糞，奇臭難聞，招來許多蒼蠅，而且去年過年，父親又沒有錢多加年菜。兩隻鴨子，阿黑拿來燉湯，阿白香酥。父親把香酥鴨腿子，一隻挾給我，一隻給弟娃，自己卻啃著鴨頸子下酒。我倒吃得很開胃，弟娃卻白著臉，鴨腿子碰都沒有碰。父親問他，他推說肚子不舒服。我知道，他心疼他的阿白，吃不下去。飯後我悄悄對他說：

「傻子，有甚麼好難過的。暑假我們去桃園，再向阿婆要兩隻番鴨仔來養就是了，替你去選隻白的，好不好？」

我跟弟娃始終沒有去成桃園。我想如果我帶小弟去外婆家，住幾天大概是不成問題的。我可以幫著大舅趕鴨子，小弟呢，跟著外婆吳好妹去撿鴨蛋，大概總還行的吧。

「麗月姐，怎麼樣？房租交清了，這下你不趕我們走了吧？」

回到錦州街，第一件事便是拿一百元給麗月，把尾數繳清。我知道麗月的脾氣，她對我和小玉雖然大方，房租卻是不許久欠的。麗月正在房裡跟阿巴桑兩人商討甚麼事情，她接過我的鈔票，卻對我說道：

「你坐下來，阿青。」

「麗月姐，我也上班了，」我坐下來笑道，「在銀馬車，我這個班一個月還不及你一夜晚的出差費呢。」

「阿青，」麗月抽了一口煙，緩緩說道，「今天下午，你那個瘋仔出了事。」

「出了甚麼事？」我急問道。

「他把我們小強尼弄傷啦！」阿巴桑搶著說道。

「是這樣子的。」麗月解釋道，「下午他跟小強尼兩人搶球，他推了小強尼一把，小強尼一跤磕到桌上角上，把一顆門牙磕掉了——」

「可憐啊，一嘴的血！」阿巴桑指著嘴巴比畫道。

「該死！等我去揍他！」我叫道。

「我早就打了他一頓屁股了，」阿巴桑忿忿然，「那個癡仔，還笑呢！」

我站起來，要往自己房間走，麗月卻叫住我道：

「你不必去了，我已經把他送走了。」

我一下楞住，瞪著麗月沒有出聲。

「送走了？送到哪裡去了？」半晌，我責問道，我的聲音有點顫抖起來。

「警察來了——」阿巴桑插嘴道。

「警察局派了一部車子來，把他帶走了，」麗月說道，她又加了一句，「走了算了，也給你省麻煩——」

「你們憑甚麼叫警察？」我突然大聲喝道，我感到一陣急怒，「你們把我的小弟弄到哪裡去了？」

「你也瘋啦！」麗月叫了起來。

「我去找他，」我把手上那袋栗子蛋糕往桌上一擲，氣沖沖的叫道：「找不到，我要你們負責——」

我在中山北路上一直奔走下去，迎面疾風，還夾著陣陣亂雨點。颱風的風頭已經到了。

路上沒有行人，兩旁的螢光燈，紫濛濛的，在風雨中發著霧光。我一口氣跑到南京東路的三分局，跟分局門口的值班警察說明來意，他帶領我進去，去見裡面辦公室的一位警官。那位警官四十上下，焦黃乾瘦，人卻和氣。他辦公桌上放著一架手提收音機，正在細細的播著京戲。警官知道我來尋人，便拿出一份表格來，要我填寫，問我道：

「你找的是你甚麼人？」

我遲疑了半晌，答道：

「是我的弟弟。」

「甚麼名字？」

「小弟——」我只好答道。

「我是問他的本名。」

「先生，」我解釋道，「我這個弟弟有點毛病——我是說，他的腦筋不太好，像個兩三歲的小孩子——」

「唁，」警官搖手止住我嘆道，「我懂了，你是說你弟弟是個白癡？這又是件無頭案了。上個月，在圓環附近，我們還抓走了一個神經病的女人，她在圓環大街上，赤身露體，蹦蹦跳跳。我們問她姓甚麼，她自己也說不上來——到現在還關在台北精神療養院，沒有人去認領呢。」

「先生，我那個弟弟，送來三分局了麼？」我探問道。

「我們這裡沒有記錄，就是送來了，我們也不會收留。這種案件，普通會送總局特別處理，分發到幾個精神病院去。台北的病院滿了，有時還會送到新竹、桃園去呢——」

警官說著，卻突然停下來，全神貫注的聆聽起來，他桌上收音機正在報告颱風消息：強烈颱風愛美麗今晨零時已推進至北緯二四度，東經一二四度，以每小時十公里的風速向台灣北端進襲——

「老弟，」警官嚴肅的對我說道，「愛美麗快登陸了。」

他看見我還站著發怔，不肯離去，便安慰我道：

「這樣吧，你先回去。明天我們這裡有消息再通知你。你最好到總局去查查，要是已經送進病院倒好了，你放心，那裡反正有醫生護士照料，出不了事的。」

從三分局出來，我在街上茫然徘徊起來，一直步上了中山橋去。風把我的襯衫吹得鼓脹，可是背上的汗水不停的一條條直往下流。天上黑沉沉，橋下的台北市，卻淹沒在淒迷昏黃的燈海裡。駐立在橋上，我又開始感到那一片無邊無際的寂寞起來。

29

先生，你們這裡有沒有送來一個光頭赤足的男孩？先生，你們這裡有一個神經不正常的少年麼？十四、五歲，打著赤足的？先生，是昨天送來的，他沒有姓、沒有名字，他叫小弟——

第二天一早，我便出去，滿台北到處去尋找那個白癡仔了。我先到三分局、四分局，最後到總局，都沒有問出下落，最後只好趕到台北精神療養院去。療養院裡守門的護士不讓我進入病房，只許我在鐵欄杆外觀望。他告訴我，青少年的病人一共只有兩個，可是都是三個多月以前進院的。有一個走了出來，是個戴著玳瑁邊眼鏡，一臉長滿了青春痘十六七歲的胖少年，他穿了一件綠布睡袍，伸出一雙豬蹄似肥膀子，像患了夜遊症一般，往前摸索行走著。

「不是這個吧？」男護士指了一指胖少年，悄聲問道。

「不是——先生——」我說道。「他是個白白瘦瘦的孩子，剃著個青亮的和尚頭的。」

中午，台北市已經罩入了暴風半徑，風勢一陣比一陣猛烈起來。仁愛路兩旁高大的椰子樹給風颳得枝葉披離，長條長條的大樹葉，吹折了，墜落在馬路上，蕭蕭瑟瑟的滾動著。杭州南路一根電線桿倒成了四十五度角，一束束的電線，鬆垮了下來，垂到地上，交通警察正在吹著哨子指揮車輛繞道而行。馬路上的行人都給吹得搖搖晃晃。一個女人的一把塑膠花雨傘，嗖地一下給颳到了半空中，像脫了線的風箏，載浮載沉的飄搖起來。一陣暴雨，重慶南路馬上淹沒了，黃濁濁的小川，在路上急湍的蛇行著。衡陽街成都路兩旁騎樓上豎立的商店招牌，給風笞撻得驚惶失措，一齊在匡琅抖響。「大三元」吹落了，洋鐵皮的招牌框在柏油路上翻滾，發出尖銳的聲音。我坐公共汽車趕回西門町，銀馬車停業一天沒有開門。我感到饑餓起來，可是西門町一帶的小吃店大都關了門。我頂著風走到武昌街，希望能夠在那裡找到幾家攤販。有幾個賣水果的正在收拾攤子，推著推車，提早回家。一陣狂風迎面捲來，幾個攤販同時都彎下身子，拚命頂住滿載著香瓜、芭樂的推車。遙遙落在最後面的一個攤販，是一個身材嬌小的年輕女人，一頭的長髮給風吹得亂飛，她穿著一條土紅的布裙，裙子也吹了起來，露出她那雙青白的小腿。她那架推車上，堆滿了鮮紅的西洋柿。女人整個人都往前傾斜，肩膀抵住推車，然而她那細弱的身軀，竟敵不過猛勁的風勢，呼呼兩下，給逼得一連往後踉蹌，她腳下一鬆，一下坐跌到地上去。推車前後一顛簸，嘩啦啦便震落了十幾枚西洋柿，鮮紅的滾得一地。我趕忙跑過去，抓住推車手柄，將車子穩住。女人從地上掙了起來。她看見一地的西洋柿，有幾枚還浸在污水裡，痛惜嘆道：

「噯。」

她撈起裙子，彎下身，去將地上那些紅柿子一枚枚拾了起來，兜在裙子裡。她把幾枚沒有跌傷的，用裙角揩了一揩，仍舊放回推車上，剩下五六枚，跌得裂開了，果汁淋淋漓漓流了出來。女人挑了一枚特別大的，遞給我道：

「我們吃掉吧——這些賣不出去了的。」

我也不客氣，道了一聲謝，便接過柿子，大口啃了起來。柿子熟透了，沁甜如蜜。女人自己也挑了一枚，跟我兩人立在風中，一同吃著跌破的柿子。她大約二十七八歲，深坑的大眼睛，尖尖的下巴，大概剛使過勁，青白的臉上泛著紅暈。大約她看我吃得興高采烈，她那雙深坑的大眼睛縱容的注視著我，笑道：

「很甜呢，是嗎？」

說著她又遞了一枚跌傷了的柿子給我。我有許多年沒有吃過這種透熟沁甜的西洋軟柿了。我記得那年母親離家出走的前兩天，她對我突然變得異樣的溫柔起來，那天她買了幾枚西洋柿回家，竟意外的把我叫到天井中，坐在矮凳上，跟她一塊兒剝柿子吃。那幾枚西洋柿已經爛熟，手一撕，皮便扯掉。母親剝好一枚柿子，自己先咬了一口，驚喜的叫道：

「真甜呵！」

順手便把剩下的半枚遞給我，我咬了兩口，果然甜絲絲的，卻又帶著些許柿子特有的澀味。

「好吃麼？」母親微笑道，她摘下手帕來，替我拭去口角上的柿子汁。大概因為母親從來沒有對我那樣親暱過，她那次突發的愛撫，使我感到受寵若驚，而且惶惑不解，竟至於有點尷尬起來。

「黑仔，你知道麼？你阿母小時賣過柿子的呢！」母親若有所思的追憶道，母親很少提起她在桃園鄉下養父母家的生涯，偶爾提起，也是一片忿恨，「我們鄉下園裡，有十幾棵柿子樹，就在池塘邊。柿子熟了，吃不完，你阿婆便叫我拿去鎮上去賣，賣不掉的，我就統統自己吃掉——」母親說著咯咯的笑了，「——吃多了，肚子發疼！」

母親笑得前俯後仰，她那一頭長長的黑髮一匹黑緞似的波動起來。我看見母親笑得那般開心，樂得像個小女孩一般，也跟著她笑了起來，那是唯一的一次，我們母子倆在一塊兒笑得那般忘情。兩天後，母親便失蹤了。

「我要買兩斤柿子，」我對那個攤販女人說道。

「十五塊一斤——」她打量著我說，隨著挑了四枚最大最鮮紅的，用秤秤了一下，遞給我看，風把秤錘吹得飄盪起來。

「兩斤二兩，就算你兩斤吧。」她好意的說道。

「謝謝你。」

我道了謝，把三十塊錢鈔票塞了給她。

她將錢收到裙子口袋裡，推起她的車子，頂著風，吃力的行走下去，她的頭髮，在風中，飄得老高。偶一回頭，她望著我，卻又笑了，我捏著那袋柿子，乘上了公共汽車，往南機場去。我要把那袋又紅又大的西洋柿，拿去送給母親。

到達南機場克難路母親居住的那間碉堡似的陰暗潮濕的水泥樓房裡，來開門的，又是上次那個額上生滿了白癜的老太婆，她見了我，沒等我開口便說道：

「你是阿麗的大兒子阿青，是麼？」

「我給阿母送點東西來，阿巴桑，」我應道。

老太婆讓了我進去，走到裡面那間昏幽的廳堂，她止住我道：

「你稍等。」

說著她逕自蹭到裡面，搬出一只竹篾編的箱籠來，砰地一下丟落地上，掀開了蓋子，喘噓噓的指著籠子裡說道：

「阿麗留下的東西，都在這裡了。」

竹篾籠子塞滿了破爛的衣物，母親上次身上裹著的那件透著藥味的黑絨線衫也覆蓋在裡面。老太婆彎下身去，伸手到籠子裡翻掀了一陣，把母親兩件斑斑點點泛了黃的褻衣也扯了出來，籠裡發出一陣刺鼻的怪味。

「沒有甚麼值錢的東西，你要呢，就拿幾件去。」老太婆仰起面對我說道。

「是幾時的事——」我悄聲問道。

「你上次甚麼時候來的?」老太婆偏過頭去,瞇起眼睛想了一下問道,她腦後吊著的那一小團稀疏的髮髻,好像隨時都會剝落似的。

「是中元節,七月十五日。」

「對啦,就是第二天,半夜三更斷的氣。」

我雙手緊捏住那袋柿子,看著老太婆蹲在地上,把籠子裡的破爛左翻右翻,半天她立起身來,拍了一拍手,嘮噔起來:

「阿麗病了那麼久,在床上都睡了三個月,用了多少錢,你知道麼?我們並不是有錢的人家啦,很艱苦呢。這次事情,火葬費就是三千塊——是阿麗自己要燒的,我們是遂她的願。老實說,我兒子也算對得起她了——」老太婆又咂嘴又嘆氣,向我數說,她看見我沒有答腔,一直瞅著竹篾箱籠裡那一堆破爛,她便冷笑了一聲,說道:

「她那只金戒指麼?值幾個錢?早賠進去了。你今天來得正好。你阿母留下了話:無論如何,要你把她的骨灰送回你們家去,葬在她小兒子的旁邊——」

「她的骨灰放在哪裡?」我打斷了她的話。

「大龍峒大悲寺,我們已經跟廟裡的老師父講好了,你自己去取吧。」

大悲寺是一個破舊荒涼的廟宇。四周圍著七零八落的違章建築。有些貧苦老人無處安身,便擠到寺裡去棲住去了。我進到寺內,看到裡邊三五成群、衣著襤褸的老人,拱縮在一堆。

有的在條凳上呆坐，有的交頭接耳在私語。一個小沙彌引我去見寺裡住持，他是一個七十左右的老和尚，一臉皺得眉眼不清，矮小的身軀，乾枯得只剩下一襲骨架，身上那件黑袈裟，拖拖曳曳，差不多垂到了地上。我向他說明來意，老和尚的聽覺失靈，我講話，他便用手兜住耳朵，他那張癟得坑下去的禿嘴巴，一逕開翕著，喃喃不停。我在他耳朵邊喊了幾次母親的名字，他才若有所悟似的，點了點頭。

「黃——麗——霞——她是半個多月以前進來的吧？」老和尚的聲音顫抖而沙啞。

「是的，老師父。」

「他們說，她在等她的兒子，等他來領她回家——」

「我就是她的兒子，黃麗霞的兒子，」我彎下身去，在他耳邊大聲說道。

「咳。」老和尚嘆了一口氣，喃喃自語的唸了幾句，然後朝我揮了一下手，說道：

「跟我來吧，小弟。」

老和尚顫巍巍的走了出去，一陣勁風把他那襲袈裟吹得抖瑟瑟的飄起，他那枯瘦的身軀連晃了幾下。我跟在他身後，向寺廟右側的極樂殿走去，殿裡是置放靈骨的所在，裡面冥暗，靠正面牆有一個三疊層的木架，密密的排著三排一只只醬黑色圓肚子的骨灰罈，木架上端點著一盞黯淡的長明燈。骨灰罈上都貼了標籤，有的年代久了，沒人收葬，罈上積了一層灰，標籤變得焦黃，上面的姓氏字跡都模糊了。

「黃麗霞在這裡。」

老和尚走過去，彎下身，顫抖抖的伸出手來，按到第二排左邊第四只罈子上。我趕忙蹭過去。那是一只新罈子，在幽冥中，還微微的反著光。標籤是白的，上面寫著「桃園黃麗霞」幾個字。骨灰罈約一尺高，是黑陶坯，表面粗糙，擠在其他幾個骨灰罈的中間。

「你來把你的母親帶走吧。」

老和尚回頭向我說道，我將手上那袋柿子挾到腋下，佝下身去，雙手將母親那只骨灰罈捧了起來。

「老師父，我要到殿上去上一炷香。」我對老和尚說道。老和尚點了點頭，他那張坑下去的癟嘴開翕了兩下，然後蹣跚的引領著我，踱過走廊，往正殿上走去。到了大悲殿門口，他卻止住了腳，對我說道：

「小弟，把你的母親放在殿外頭，裡面有佛祖菩薩，她是不能進去的。」

我把母親的骨灰罈放置在大悲殿門檻外面地上，步入殿內，殿門上端懸著一塊烏木橫匾，「苦海慈航」四個大字金漆已經剝落，木匾齊中間開了一道裂痕。殿內神龕暗沉沉的，佈滿了灰塵，殿中央那尊巨大的佛祖塑像，大概因為香火不盛，年久失修，金面熏得焦黃，蓮座也缺裂了。供台上供著香燭果品，風從殿外捲進來，吹得香煙亂繞。我把那幾枚鮮紅的西洋柿擱到台上的供碟裡，向老和尚要了一炷香，因為風大，劃了三根火柴才點燃，一陣濃郁的香煙撲到臉上來，熏得我的眼睛痠辣辣的。我的雙手握住那炷香，插到台上一只藍瓷香盆裡，退回到殿中央，在那尊巨大的佛像面前，跪拜了下去。我自己從來沒有進過寺廟，燒香拜佛。可是記得小時候，每年觀音誕，母親便買了香燭到板橋那間香火鼎盛的觀音媽廟去進香。有一次她帶了我和弟娃一塊兒去，要我們跟她一同跪拜觀音菩薩，她那嬌小的身軀匍匐在觀音大士的腳下，一頭長髮幾乎吊到了地上。母親雙手合什，嘴裡喃喃唸唸，在祈求傾訴，她那雙深坑的大眼睛，閃爍得厲害，在發著異常痛苦的光芒。那天中元節，我去探訪她，她緊握住我的手，要我到寺裡替她上一炷香，乞求佛祖超生，赦她一生的罪孽。那時她那雙變成了兩個黑洞的眼裡，也那樣充滿了懼畏和驚惶。母親大概一生都在害怕著甚麼，所以她那雙眼睛才會那樣一逕閃爍不定，如同一雙受驚的小鹿，四處亂竄。一輩子，她都在驚懼、在竄逃、在流浪。她跟著她那些男人，一個又一個，飄泊了半生，始終沒有找到歸宿，最後墮落癱瘓在她那張塞滿棉被發著汗臭藥味的破床上，染上了一身的惡毒——她臨終時，必是萬分孤絕悽惶的。然而她那具殘破的軀骸已經焚燒成灰，封裝在殿外那只粗陶的罈裡，難道罈裡的那些灰燼仍帶著她生前的罪孽麼？我朝著佛祖一頭磕了下去，額頭抵住佛殿冰涼的磨石地上。

「小弟，快送你母親回去吧，大風要來了——」

祈求完畢，老和尚顫著聲音向我招手道，他企立在殿外的石階上，身上那襲黑袈裟給風吹得急切的抖動著。

30

在龍江街二十八巷我們家的那個巷口，我便叫計程車停了下來。巷子裡了無人跡，各家門窗緊閉，只有牆頭缺口一根根光禿禿的晾衣竹篙兀自撐出牆外來，那些破爛得絲絲縷縷的尿布三角褲大概老早收走了。左邊秦參謀家的大門仍舊缺著一扇，剩下的另一扇，在風中咿咿呀呀來回亂晃。巷中的垃圾堆還在那裡，黃黃黑黑的高聳著。陰溝裡漲了雨水，混濁濁的穢物沖到了路面，一片泥濘。風颳進巷子，發出嗚嗚的呼聲，使得我們這條破敗的死巷，顯得愈更荒涼，而且急亂。我把母親的骨灰罈，緊緊摟在胸前，我的手心在發抖，那只圓肚子的罈子有點滑溜，不容易捧牢。風大逼人，腳下不甚穩靠，一步一步，兢兢業業，我將母親的骨灰罈護送到家。

我們家屋簷角上那塊黑油布仍然覆蓋在那裡，上面壓著許多塊紅磚，磚頭都發了黑霉。前年黛西颱風過境，把我們的屋頂掀走了一角。第二天，父親領著我跟弟娃，我們父子三人合力把這片漏洞用油布遮了起來。我爬上屋頂，父親站在梯子上，弟娃在下面傳遞磚頭。可是愛美麗要比黛西強烈得多，這一角漏洞，不知能不能抵擋得住今晚的暴風雨。我從大門縫中，看到裡面家中的門窗都關閉著，沒有開燈，尚未到六點，父親下班大概還沒有趕回來。我捧著母親的骨灰罈，站在我們家的大門口，剎那間，我幾乎忘卻了我曾經離家已經四個月了，而且還是讓父親逐出家門的。我將母親的骨灰罈擱在地下，縱身越牆翻爬到屋內，打開大門，將母親的遺骸迎接到家裡。我們那間陰濕低矮的客廳，在昏暗中，我也聞得到那一股長年日久牆上地上發出來嗆鼻的霉味，那股特有的霉味是如此的熟悉，一入鼻，我頓時感到，真的又回到家了。我捻開廳中那盞昏黃的吊燈，將母親的骨灰罈放置在我們那張油黑的飯桌上。客廳裡一切依舊，連父親那張磨得發亮的竹靠椅位置也沒有移一下，端端正正的坐落在廳中的吊燈下，椅旁的一張小几上，擱著父親那副老花眼鏡。夏天的晚上，屋內熱氣未消，我們都到門口去乘涼，父親一個人留在屋內，打著赤膊，就坐在那張竹靠椅上，戴著老花眼鏡，在那盞昏黯的吊燈下，聚精會神的閱讀他那本翻得起毛上海廣益書局出版的《三國演義》。只有蚊子叮他一下，他才啪的一巴掌打到大腿上，猛抬起頭來，滿臉恚然不平。陡然間，我又憶起父親那張極端悲愴的面容來——母親出走的那天夜裡，父親喝醉後，一臉淚水縱橫，蒼紋滿佈，他的眼睛暴滿了血絲，咿咿唔唔對我們訓了一夜的醉話——我一輩子也不能忘懷他那張悲愴得近乎恐怖的面容。突然我覺得我再也無法面對父親那張悲痛的臉。我相信，父親看見我護送母親的遺骸回家，他或許會接納我們的。父親雖然痛恨母親墮落不貞，但他對母親其實並未能忘情。他房中掛在牆上那張跟母親合照的唯一相片，一度取了下來，許多年後，又悄悄的掛回了原處。如果母親生前悔過歸來，我相信父親也許會讓她回家的。而我曾經是父親慘淡的晚年中，最後的一線希望：他一直希望我有一天，變成一個優秀的軍官，替他爭一口氣，洗雪掉他被俘革職的屈辱。我被學校那樣不名譽的開除，卻打破了他一生對我的夢想。當時他的忿怒悲憤，可想而知。有時我也不禁臆測，父親心中是否對我還有一絲希冀，盼望我痛改前非，回家重新做人。到底父親一度那般器重過我，他對我的父子之情，總還不至於全然決裂的。然而我感到我絕對無法再面對父親那張悲痛得令人心折的面容。頃刻間，我了悟到，為甚麼母親生前在外到處飄泊墮落，一直不敢歸來——她多次陷入絕境一定也曾起過歸家的念頭——大概她也害怕面對父親那張悲痛灰敗的臉吧。一直到她死亡後，才敢回家。母親死了，竟還害怕，怕流落在外面，變成孤魂野鬼。她那軀滿載著罪孽的肉體燒成了灰燼還要叫我護送回家，回到她最後的歸宿，可見母親對我們這個破敗得七零八落的家，也還是十分依戀的。

我從褲袋裡摸出了一張紙來，那是一張京華飯店的信箋，信箋背面寫著「七七九七四一」，那是上次京華飯店那個客人留給我的電話號碼。我在信箋正面，給父親寫下了兩行字，押在飯桌上母親的骨灰罈旁。

父親大人：

母親已於中元節次日去世。這是母親的骨灰罈，母親臨終留言，囑兒務必將她遺體護送回家，並下葬弟娃墓旁。

青兒留

我必須在父親回來以前離開，以免與他碰面。臨走前，我到我與弟娃從前那個房間去打了一轉。弟娃的鋪蓋拿走了，只剩下空空的一架竹床。我的床上，草蓆枕頭都在那裡。枕頭上還疊著我一套制服，衣物鞋襪、文具書籍，統統未曾移動過，但是整個房間都敷上了一層厚厚的灰沙，幾個月沒有人打掃過了。我甚麼也沒有拿，把房門仍舊掩上，走出了家門。巷裡的風迎面橫掃過來，夾著疾雨，打在臉上，陣陣麻痛。我逆著風，往巷外疾走，愈走愈快，終於像上一次一樣，奔跑起來，跑到巷口，回首望去，我突然感到鼻腔一酸，淚水終於大量的湧了出來。這一次，我才真正嚐到了離家的淒涼。

31

晚上十時許，愛美麗終於登陸了，整個台北市都叫嘯了起來，新公園裡那一棵棵矗立的大王椰，給颱風颳得像一群從瘋人院潛逃出來的狂人，披頭散髮，張牙舞爪的亂晃。豪雨來了，乘著風，亂箭一般，急一陣，緩一陣，四處迸射。我在風雨交加中，鑽進了公園內蓮花池中央那間亭閣裡，在倚窗的板凳上坐了下來，我踢掉了鞋子，鞋肚子裡灌滿了泥水，走起來，嘰喳嘰喳；從頭到腳，早已淋得透濕，風吹來，我感到全身浸涼。四周是那樣的喧騰，可是我赤著足，盤坐在板凳上，內心卻是異樣的沉寂。我不要回到錦州街那間小洞穴裡去，蹓在那間小洞穴裡，在這樣一個夜裡，會把人悶得窒息。在這樣一個狂風暴雨的颱風夜，我又奔回到我們的王國裡來，至少在這黑暗護罩著的一小撮國土中，絕望後，仍可懷著一線非分的癡心妄想。

在蓮花池四角上的亭子裡，髣髣髴髴幾縷黑影，在移動著。大概也是我們幾個同路人，在這個颱風夜，跟我一樣，投奔到我們這個黑暗的王國裡來吧。猛然間，從蓮花池的一端，冒出一個高大的人影，在池邊的台階上，衝著風，蹭蹬過去。狂風將他身上那件白色的雨衣，吹得高高揚起。我認得出來，那嶙峋的身軀，那踽踽的步伐——是龍子，是王夔龍。在這樣一個暴風雨的黑夜裡，難道他在他父親遺留下南京東路那間古舊的官宅裡，竟也無法安身，要衝出那兩扇鐵閘門，奔回到我們這個老窩裡來？他來找甚麼呢？他真的來找他的阿鳳，他那個野鳳凰不成？阿鳳之死，在公園裡，早已變成了一則傳說，這個傳說，隨著歲月愈來愈神秘，愈來愈多姿多采了。三水街的幾個小么兒最喜歡說鬼話，他們說，常常在雨夜，公園蓮花池邊，就會出現一個黑衣人，那個人按著胸口，在哭泣，他們說，那個人，就是阿鳳，他的胸口給戳了一刀，這麼多年，一直在淌血。他們指著台階上的幾團黑斑，說道：那就是阿鳳當年留下來的血跡，這麼多年的雨水，也沖洗不掉。那天晚上王夔龍帶我到他南京東路那間官宅裡時，我們赤裸著身子躺在床上，肩靠著肩，他將他那雙瘦得像釘耙似的手臂伸到空中，對我傾訴：他給他那個大官父親放逐外國的那幾年，蟄居在紐約曼赫登七十二街一棟公寓的閣樓上，一到深夜，他便爬出來，在曼赫登那些大街小巷，像遊魂一般，開始流浪起來，從一條街蕩到另一條。在那迷宮似棋盤街道上，追逐紐約夜裡那一大群浪蕩街頭的孩子們，他跟隨著他們，一齊投身到中央公園那片無邊無涯的黑暗中去。他說紐約中央公園要比台北新公園大幾十倍，樹林要厚幾十倍，林子裡，那些幢幢的黑影也要多幾十倍。可是紐約也會有颱風麼？我突然想到，也會有這種狂風暴雨的黑夜麼？王夔龍告訴我，紐約會下雪，大雪夜，中央公園那些樹都裹上了一層白雪，好像穿著白衣的巨靈一般，雪夜裡，總也還剩下幾個孤魂野鬼，在公園裡盤桓不去，穿插在雪林間。一個聖誕夜裡，他告訴我，他在公園門口遇到一個抖瑟瑟饑寒交迫的孩子，我還記得他說那個孩子是波多黎哥人，叫哥樂士，他把那個孩子帶了回去，調一杯熱可可給他喝，他說那個波多黎哥孩子一雙眼睛大得出奇，胸口上印著一個茶杯口大鮮紅的傷痕。王夔龍從蓮花池角上一間亭子裡走了出來，他的身旁多了一個人，那是一個矮小瘦弱，走起路來，一蹦一跳，瘸跛得厲害的身影——我認得出來，那是三水街的小金寶。小金寶是個天生殘廢，右足的腳趾，長得連成一排，朝內翻，走路只好用腳背。平常他不敢在公園露面，只有深更半夜，或是颱風下雨，公園裡的人跡稀少了，他才蹦著跳著，一顛一拐，從樹叢裡鑽出來，左顧右盼，活像一隻驚惶不定的小鹿。龍子把他身上那件白雨衣張開，裹覆到小金寶瘦弱的身上，兩個人一大一小，合成一團白影，一同消逝在狂風暴雨的黑夜裡。

而我一個人仍舊坐在亭閣裡的板凳上，蹺起一雙赤足，在吶喊呼嘯的風雨聲中，沉寂的等待著，直到夜愈深，雨愈大，直到一個龐大臃腫的身影，水淋淋的閃進亭閣裡來，朝著我，遲緩、笨重，但卻咄咄逼人的壓凌過來。

32

颱風過後，暑熱颳走了，蚊子也颳光了。空氣裡，濕涼濕涼的，都是水分。天上的月亮好像也洗過了似的，變白了，一團模糊的白影，映在墨黑潤濕的夜空中。公園裡滿地的殘枝敗葉，那一排大王椰樹大招風，吹得枝葉狼狽，有幾棵，長葉吹折了，披掛下來，露出了殘禿的樹頂。綠珊瑚全倒塌了，亂糟糟枝幹糾纏在一處。整個公園遭歷大劫一般，滿目瘡痍。

郭老在公園大門博物館的石級上，背著雙手，踱來踱去，他穿了一件玄黑大褂，滿頭白髮如雪。他緊皺著一雙白眉，在發愁。原來昨天傍晚，颱風剛過，鐵牛在公園裡，終於闖下了大禍。有一對青年男女，躲在蓮花池中的亭閣裡，摟摟抱抱。男的是個外島放假回來的充員士兵，女的是護士小姐。兩個人做得過火了些，偏偏卻給鐵牛撞見了，那個楞小子的瘋病又發作起來，破口便罵人家狗男女，侵佔咱們的地盤，我們這個老窩，哪裡容得外人進來撒野？又指著那個護士說了許多不乾淨的話，那個充員兵一怒，便和鐵牛幹上了。鐵牛在他小腹上戳了一刀，把人家殺成重傷。刑警趕來，鐵牛愈加癲狂，幾個刑警亂棍齊下，把他打得頭破血流，滾跌在地上。

「要不是我搶過去擋住，那個楞小子早就死在亂棍下了！」

郭老慨然對我說道：

「鐵牛一看見我，便滾爬到我的腳下，一把摟住我的腿，哭喊道：『郭公公——快救我——他們要打死我了——』他臉上流滿了血，刑警把他拉走，他卻拚命死抓住我的衣角不放，嗚嗚的哭泣得像個小兒似的。」

「這次——」郭老哀嘆道，「他們一定會把他送到火燒島去了——」

我記得離家的那天晚上，頭一次闖進公園裡來，郭老把我帶回去，收容在他家裡，他讓我觀閱他收集的那本「青春鳥集」，一面把公園裡的滄桑史原原本本講給我聽。他指著鐵牛那張照片叫他梟鳥，他那時就預言道，鐵牛日後必定闖下滔天大禍。他說這都是我們血裡頭帶來的，我們的血裡頭就帶著這股野勁兒，就好像這個島上的颱風地震一般。

「你們是一群失去了窩巢的青春鳥。」他滿面悲容對我說道，「如同一群越洋過海的海燕，只有拚命往前飛，最後飛到哪裡，你們自己也不知道——」

星期六的夜晚，而且颱風又過去了，公園裡的青春鳥統統飛了回來，如同一群蝙蝠，在洞穴裡避過風雨，一隻隻趁著夜色朦朧，都飛回到自己這個老窩裡來，大家聚在一起，互相取暖，唧唧啾啾，彼此傳遞一些荒誕不經的是非消息。

啪的一聲，我一走上蓮花池的台階頭上早挨了一下，我們師傅楊教頭一看見我，一把扇子便劈頭敲了下來，大聲喝道：

「我打你這個大膽妄為的小奴才！師傅這塊金字招牌也讓你砸掉了！日後你還想師傅照顧你，給你介紹客人呢！」

「那晚真的肚子痛，先走了，」我陪笑著。

「肚子痛？」楊教頭冷笑道，「你得了絞腸痧麼？人家永昌賴老闆可是個有頭有臉的人物，西裝鋪都開了兩三家。我看你還像個人才把你捧出去，人家還要給你縫衣裳、做褲子呢！抬舉你了？哪點配不上你？搭甚麼臭架子？我看你天生就是個賤胚！只配到這種地方來賣，一斤一塊錢！」

「達達，錢錢，」原始人阿雄仔突然從楊教頭身後伸過一隻巨靈的大手來。

「為甚麼又要錢？」楊教頭轉過頭厲聲問道。

「糖糖，」阿雄仔咧開嘴癡笑道。

「你剛才那一袋呢？」

「老鼠吃了，還有小玉，還有——」阿雄仔搓著一雙大手，笑著說道，還沒說完，楊教頭手一揚，阿雄仔臉上早挨了一下清脆的耳光。

「敗家子！」楊教頭恨道，「總有一天達達給你敗光為止！你這個傻鳥，讓那群兔崽子這般擺佈！」

阿雄仔吃了一記耳光，頭一縮，訕訕地拖著笨重的身體，溜掉了。我看見楊教頭火氣旺，也趕快趁機鑽進了人堆中去。

「賊骨頭，」我一把扠住老鼠的脖子叫道，「有福共享，糖呢？」

老鼠笑嘻嘻從褲袋掏了一把桂花軟糖來，一共六粒。

「就剩了這些了。」老鼠咂著嘴說道。

「你們又去騙那個傻仔的東西吃了，回頭師傅要抽你們筋呢！」我剝了一粒桂花軟糖，送到嘴裡。

「罷呀！」小玉過來卻從我手中奪去了兩粒糖去，「師傅剛才到處找你，要拿你去閹掉呢。他說：『剁掉他那根棒子，看他還鳥不鳥？』我聽說你不肯跟老賴睡覺，有甚麼不好？睡一覺一套西裝。」

「他一手的冷汗，」我說，不知怎的，我突然想到那個姓賴那一張戴著方金戒指肥胖的手掌，在我大腿上爬行時，涼涼濕濕，好像幾條毛蟲在蠕動一般。小玉和老鼠一楞，旋即哈哈大笑起來。

「老賴手出冷汗，阿青屁股打顫。」小玉拍手笑道。

我和小玉、老鼠三個人開始圍著蓮花池打轉起來，蓮花池的台階撒滿了赭黑的落葉與樹枝，我們三個人，踏著斷枝殘葉，加入那一批批在台階上搜索追尋的夜行隊伍。走到第一個轉角，角上亭子裡，閃出了一張蒼白的臉來。吳敏連跑帶跳的爬上了台階，老遠便向我們招手喚道：

「等一等——等我一等。」

我們停了下來，等到吳敏氣喘喘的跑過來後，我的右手攬住他的肩膀，左手攬住小玉，小玉勾住老鼠，我們四個人，一字排開，浩浩蕩蕩的邁向前去。我和小玉的皮靴子，後跟都打上了鐵釘，我們的腳步聲擊在水泥地上，發著橐橐橐的響聲，我們踏著前面隊伍的影子，像走馬燈似的又開始輪迴追逐起來。我們經過通往池中亭閣的石梯下，一級級石梯上都坐滿了人，是一群三水街的小么兒，有好幾張新面孔，大概是剛出道的雛兒。坐在最高一級穿著一身黑衣裳的便是趙無常，他居高臨下，嘴裡叼著根香煙，沙啞著嗓子，在給那群小么兒講古。他在公園裡輩分比我們高得多，可是我們並不甩他，不買他的賬，他只好在那些剛出道的小么兒面前，倚老賣老，訴說些他當年在公園裡的風光。

「我們那時是公園裡的『四大金剛』——」趙無常總愛這樣開頭，那群小么兒，一個個抬起頭仰著面，無限敬畏的傾聽著，「雜種仔桃太郎、小神經涂小福、還有——還有我們那個最放浪最顛狂的野鳳凰阿鳳。那時我們四個人轟轟烈烈，差點沒把整座公園鬧得翻過來！」

「你們不知道呀，趙老大當年是個風流金剛，就是風流得過了頭，才給玉皇大帝打落到地獄裡，當了個黑無常！」小玉笑嘻嘻的站在石級下，調侃趙無常道，那群小么兒都樂得咯咯地笑了起來。

「你他媽的臭嘴爛舌混賬王八，」趙無常挾著香煙那隻手朝著小玉亂點一陣，叫罵道：

「當年你趙大爺在園裡風流，你身上毛還沒長一根，懂個屁？」他狠狠瞪了小玉一眼，卻轉過頭去，繼續跟那些小么兒們講古去了。

「小兄弟，你們到西門町紅玫瑰去理過髮沒有？」他問道，那些小么兒都搖搖頭。

「下次你們理髮一定要到紅玫瑰，去找十三號去。你們問他：『十三號，你的桃太郎呢！』你一提桃太郎，理髮一定免費。十三號會從頭到尾講給你們聽，他和桃太郎的那一段孽緣。七月十五，有人還看見十三號在淡水河邊中興橋下燒紙錢，他在燒給桃太郎。桃太郎的屍首始終沒有找到，人家都說桃太郎怨恨太深了，不肯浮起來。」趙無常猛抽一口煙，嘆道，「我記得他跳淡水河的那天晚上，還來找過我，他剛吃完十三號的喜酒出來，喝得爛醉。他告訴我，新娘子是個超級胖婆，像條航空母艦，屁股上可以打得下一桌麻將，十三號恐怕有點招架不住呢。他一邊說一邊笑，笑得淚水直流——誰知道一眨眼，他卻砰的一下跳到河裡去了！」

「後來呢？」一個小么兒急著問道。

「糊塗蛋！」趙無常喝罵道，「人死了還有甚麼後來？後來十三號年年都到淡水河邊去祭他，不祭他害怕，怕桃太郎去找尋他。桃太郎死後，他大病一場，頭髮脫得精光，有人說，是給桃太郎拔掉的。」

「你們這群小東西哪裡趕得上咱們那個大風大浪的時代？」趙無常頗為不屑的感嘆道，「那幾個人，談起戀愛來，不死也要瘋。涂小福到今天還關在瘋人院裡呢。他就是愛那個華僑仔愛瘋的呀！那個華僑仔回美國後，涂小福連他睡過的枕頭也捨不得換，一天到晚抱在懷裡。後來他瘋了，一聽到天上的飛機，就哇哇的哭。天天跑到松山機場西北航空公司的櫃檯去問：『美國來的飛機到了嗎？』那個小神經還會用英文問呢！偉大吧？」

「那個野鳳凰呢？」另外一個小么兒怯怯的探問道。

「阿鳳麼？嗳——」趙無常又深深的吸了一口煙，長嘆一聲，「他的故事可就說來話長了。」

趙無常那沙啞的聲音，在潮濕的夜空裡遊動著，龍子和阿鳳那一則新公園神話，又一次在蓮花池的台階上，慢慢傳開：阿鳳他是一個無父無姓的野孩子。

「——是啊，他們兩人是前世註定的，那個姓王的是來向阿鳳討命的，你們見過麼？你們見過有那樣瘋狂的人麼？早上五點鐘，王夔龍還在公園裡等他，就在這裡，就在這個台階上，從這一頭走到那一頭，從這一頭走到那一頭，像頭關在鐵籠裡的猛獸似的，急得到處亂撞。等到阿鳳跟別人睡覺回來，王夔龍就打得他鼻血直流，打完又把他摟在懷裡痛哭，那個阿鳳只是笑，說道：『你要我的心麼？我生來就沒有這顆東西。』你們說，這不是瘋話是甚麼？出事的那天晚上，一個大除夕夜，我們都在這裡，就在這個台階的中央，阿鳳抖瑟瑟的只穿了一件薄襯衫，王夔龍那一刀，正正插在他的胸口上。他抱住他一身的血，直叫：『火！火！火！』——」

我們踱到蓮花池的另一端，池裡水漲了許多，一片黑潭，映著一抹濛白的月亮。

「從前池裡長滿了蓮花，都是紅的，」我指著空空的蓮花池說道。

「市政府派人來拔光了，」小玉說。

「蓮花開的時候，一共有九十九朵，」我說。

「你少吹牛，你怎麼知道有九十九朵？」老鼠不以為然，哼了一下撇嘴道。

「是龍子告訴我聽的，」我說。

小玉、老鼠、吳敏都好奇起來，一直追著問我龍子和阿鳳的故事。

「龍子有一次摘了一朵蓮花，放在阿鳳手上，他說，那朵蓮花，紅得像一團火。」

我們四個人繞著蓮花池，一圈又一圈的走了下去，我雙手勾住小玉和吳敏的肩，一面接過去，細細的訴說起我所知道的公園裡那一則古老的故事來，直到深夜，直到那片昏朦的月亮消逝到烏雲堆裡，直到陡然間，黑暗裡一聲警笛破空而來，七八道手電筒閃電一般從四面八方射到了我們的臉上身上。一陣軋然的皮靴聲踏上了台階，十幾個刑警手裡執著警棍，吆喝著圍了上來。這一次，我們一個也沒能逃脫，全體戴上了手銬，一齊落網。

33

在警察局的拘留所裡，我們排著長龍，一個個都搜了身。老鼠身上的贓物也全給掏了出來：十幾包花花綠綠的火柴，火柴盒上印著國賓飯店的招牌，還有兩把銅調羹，一對胡椒瓶，大概也是飯店裡污來的，都讓警察裝進了一只牛皮紙袋，編上了號。有兩個三重鎮小流氓身上搜出了一把匕首，一把扁鑽，兇器當場沒收，兩個小子也帶走了，單獨審問。搜完身，我們填好表格，一個個打了指印，然後才魚貫而入進到訊問室內。我們大家都在埋怨鐵牛，就因為他在公園殺傷人，警察才到公園裡去突擊檢查的，原來公園開始實行宵禁，我們都犯了逾時遊蕩的罪名，有些犯了前科登記有案的傢伙，開始緊張起來，因為怕給送到外島管訓。有一個前科累累進過兩次感化院的三水街小么兒，在我身後嘆了一口氣，自言自語道：「這次真要唱『綠島小夜曲』了。」

訊問我們的，是一個胖大粗黑、聲如洪鐘的警官，坐在台上，一座鐵塔一般。他剃著個小平頭，一張大方臉黑得像包公，一頭一臉，汗水淋漓，他不時揪起台上一條白毛巾來揩汗，又不時的喝開水。訊問室裡的日光燈，照得如同白晝，照在我們汗污的臉上，一個個都好像上了一層白蠟，在閃光。胖警官一聲令下，老鼠中了頭彩，兩個警察下來，把他瘦伶伶的便提了上去。

「甚麼名字？」胖警官喝問道。

「老鼠，」老鼠應道，齜著一口焦黃的牙齒，兀自癡笑。他站在台前，歪著肩膀，身子卻扭成了S形。

「老鼠？」胖警官兩刷濃眉一聳，滿面愕然，「我問你身分證上填的是啥名字？」

「賴阿土，」老鼠含糊應道，我們在下面卻忍不住笑了起來，因為從來沒想到老鼠還會叫賴阿土，覺得滑稽。

「深更半夜，在公園裡遊蕩，你幹的是甚麼勾當？」胖警官問道。

老鼠答不上辭，周身忸怩。

「你說吧，你在公園裡有沒有風化行為？」胖警官官腔十足的盤問道。

老鼠回過頭來，望著我們訕訕的笑，臉上居然羞慚起來。

「你在公園裡賣錢麼？多少錢一次？」胖警官那碩大的身軀頗帶威脅的往前傾向老鼠，

「二十塊麼？」

「才不止那點呢！」老鼠突然嘴巴一撇，十分不屑的反駁道。我們都嗤嗤的笑了起來，

胖警官那張黑胖臉也綻開了，喝道：

「嚄！瞧不出你還有點身價哩！」胖警官笑道，「我問你：你在公園裡胡混，你父親知道麼？」

老鼠又是一陣忸怩，折騰起來。

「你父親叫甚麼名字？」胖警官臉一沉，厲聲追問。

「先生，」老鼠的聲音細細的，「我不知道，我還沒有出世我父親就死了。」

「哦？」胖警官躊躇起來，他舉起杯子喝了一口水，用毛巾揩揩脖子上的汗水，他瞪了

老鼠片刻，似乎有點無可奈何，便問了幾個例行問題，揮手叫人把老鼠帶走了。第二個輪到

吳敏，胖警官朝他上下打量了一下，單刀直入便問道：

「你比他長得好，身價又高些了？」

吳敏把頭低了下去，沒有答腔。

「你是〇號麼？」胖警官瞅著吳敏頗帶興味的問道，旁邊兩個警察抿著嘴在笑。吳敏一

下子臉紅起來一直紅到了耳根上，他的頭垂得更低了。

「我問你：你在公園裡拉過客，做過生意沒有？」胖警官大聲逼問道，吳敏仍舊低著頭。

胖警官翻了一翻吳敏的身分證。

「吳金發是你父親麼？」

「是的，」吳敏抖著聲音答道。

「你家在新竹？」

「那是我叔叔的地址。」

「你父親呢？他現在在哪裡？」

「在台北，」吳敏遲疑著答道。

「台北甚麼地方？」

吳敏扭著脖子卻不出聲了。

「你父親在台北的住址，你一定要招出來！」胖警官恫嚇著喝道，「你在公園裡鬼混，我們要通知他，把你帶回家裡去，好好管教。快說吧，你父親住在哪裡？」

「台北——」吳敏的聲音顫抖起來。

「嗯？」胖警官伸長了脖子。

「台北監獄。」吳敏的頭完全佝了下去。

「呸！」胖警官不禁啐了一口，「你老子也在坐牢？這下倒好，你們兩父子倒可以團圓了。」

說得我們大家都笑了起來，胖警官也呵呵的笑了兩聲，把吳敏打發走了，一連又問了幾個三水街的小么兒，那幾個小么兒都有前科的，胖警官認得他們，指著其中花仔罵道：

「你這個小畜生又作怪了？上次橡皮管子的滋味還沒嚐夠？」花仔卻做了一個鬼臉，咯咯癡笑了兩聲。

輪到原始人阿雄仔的時候，他卻發起牛脾氣來，怎麼也不肯上去。

「傻仔，你去，不要緊的，」楊教頭安撫他道。

「達達，我不要！」阿雄仔咆哮道。

「達達在這裡，他們不會為難你的，聽話，快去。」楊教頭推著阿雄仔上去，兩位警察走下來，去提阿雄仔，阿雄仔趕忙躲到楊教頭身後去了。

「先生，讓我來慢慢哄他，」楊教頭一面擋住警察，一面陪笑道。其中一個卻把楊教頭一把撥開，伸手便去逮阿雄仔，誰知阿雄仔一聲怒吼，舉起一雙戴著手銬的手，便往那個警察頭上劈去，警察頭一歪，手銬落到肩上，警察哎唷了一聲，往後踉蹌了幾步。另一個趕忙抽出警棍，在阿雄仔頭上㨃、㨃、㨃，一連痛擊了幾下，阿雄仔喉嚨裡咕咕悶響，他那架像黑熊般高大笨重的身軀，左右搖晃，蓬地一聲，像塊大門板，直直的便跌倒到地上去了。他的嘴巴一下子冒出一堆白泡來，一雙手像雞爪一般抽搐著，全身開始猛烈痙攣起來。楊教頭趕忙蹲下去，掏出一把鑰匙來，撬開阿雄仔牙關，然後向警察叫道：

「先生，快，拿開水來。他發羊癲瘋了！」

大家一陣騷動，胖警官把台上那杯開水，趕忙拿了過來，遞給楊教頭，楊教頭從胸袋裡掏出兩顆紅藥丸來，塞到阿雄嘴裡，用開水灌下去。胖警官命令警察把阿雄仔抬出去休息，他自己卻去撥電話叫醫生。經過阿雄仔這一鬧，胖警官大概興味索然了，其餘幾個人草草的訊問一番，統統收押。訊問完畢，胖警官的制服都濕透了，他揪起毛巾，揩乾淨頭臉上的汗，走下台來，一手扠著腰，一手指點了我們一番，聲音洪亮，開始教訓我們：

「你們這一群，年紀輕輕，不自愛，不向上，竟然幹這些墮落無恥的勾當！你們的父兄師長，養育了你們一場，知道了，難不難過？痛不痛心？你們這群社會的垃圾、人類的渣滓，我們有責任清除、掃蕩——」

胖警官愈說愈亢奮，一隻手在空中激動的搖揮著，他那張方形鐵黑的大臉，又開始沁出一顆顆黃豆大的汗珠子。他講到後來，聲音也嘶啞了，突然停了下來，望著我們，怔怔的瞅了半晌，最後嘆了一口氣，惋惜道：

「看起來，你們一個個都長得一副聰明相，可是——可是——」

胖警官搖著頭，卻找不出話來說了。

那晚，我們全部都關在拘留所裡，大家席地而坐，擠成一團，一齊在發著汗酸和體臭。有幾個熬不住了，東歪西倒，張著嘴在流口水，頭一點一點在打瞌睡。花仔尖細著嗓子，卻在哼「三聲無奈」。

「幹你娘，哼你娘的喪，」小玉不耐煩起來，罵道，「在牢裡還想賣不成？」

花仔頭一縮不作聲了。

「這下子，感化院去得成了！」老鼠嘆道。

「不知道哪一個好？桃園那個還是高雄那個？」吳敏插嘴問道。

「聽說高雄那個比較好，」我說，「桃園那個還要戴腳鐐的。」

「你們猜，咱們會不會送到火燒島去？」老鼠咋了一下舌頭，「我看鐵牛那個小子，送到火燒島老早餵了沙魚了。」

「你這個死賊，要送火燒島，第一個就該押你去！」小玉笑道。

「要去，咱們四個人一齊去，」老鼠咧開嘴吱吱笑道，「弟兄們，有福共享，有難同當。」

「這起屄養的！」楊教頭突然睜開眼睛罵道，他一直在一旁打盹養神，「你們又沒有殺人放火，犯了甚麼滔天大罪，要送到火燒島去?還不快點替我把嘴閉上!師傅想法子把你們弄出去就是了！」

我們幾個人都沒有下監，只是幾個有前科的流氓及小么兒，給送到桃園輔育院去了。我們的師傅楊教頭把傅崇山傅老爺子請了出來，將我們保釋了出去。

第三部

安樂鄉

1

傅崇山傅老爺子是有名的大善人，我們師傅楊教頭常常向我們提起傅老爺子的善行。公園裡的孩子，有好幾個遭到危難，都全靠傅老爺子營救，才得重見天日。十年前師傅手下有一員大弟子叫阿偉的，在師傅開的那家桃源春的門口，與一個滋事的流氓動了武，把那個流氓殺成重傷，給刑警捉去，本來是要送往外島管訓的，也是師傅去求傅老爺子出面，動人事，請律師，把阿偉保釋出來。阿偉是個空軍遺腹子，十六歲便混進了公園，是個極為桀驁不馴的少年。傅老爺子不但把阿偉保出獄，而且還供他讀書，在他身上不知花去多少心血，終於把那塊頑石也感化得點了頭，改邪歸正，考上海事專科，前年上船出海到歐洲去了。師傅向我們坦白；吳敏割腕自殺在台大醫院的用費一萬八千塊，都是傅老爺子出的。因為傅老爺子不願讓人知道，所以師傅總也沒有提起。師傅指著吳敏嘆道：

「你知道甚麼？你那條小命也是傅老爺子給你撿回來的哩！」

原來傅崇山傅老爺子從前在大陸當過官，所以在軍警界還有幾分老面子。抗戰期間，傅老爺子當到副師長，駐守五戰區，在徐州跟日本人還打過硬仗呢。來到台灣，傅老爺子退了役，與朋友合夥經商，開了一家叫大方的紡織廠，他自己是董事長。師傅說，那幾年，紡織廠生意做得好，傅老爺子著實過過一段相當愜意的生活，很享了一陣子福，閒來跟從前幾個老戰友去打打獵，有時還會遠征到花蓮，爬到山上去打野豬。要不然就跟幾個戲迷朋友，到永樂戲院，去看顧劇團的京戲。傅老爺子最欣賞胡少安演的「趙氏孤兒」，胡少安貼這齣戲，傅老爺子必定到場。可是民國四十七年，那年冬天，傅老爺子家中發生了鉅變，傅老爺子的獨生子傅衛突然慘死，死時才二十六歲，陸軍官校剛畢業兩年，正調到竹子坑當排長，訓練新兵。有一天。傅衛被部下發現死在他自己的寢室裡，倒臥在床上，手裡還緊抓住一柄手槍，可是面部卻炸開了花。子彈從他口腔穿進了後腦，官方判斷是手槍走火，意外死亡。白髮人送黑髮人，傅老爺子受到這個打擊，一下子就病倒了，心臟病猝發，送到榮民總醫院，足足躺了三個多月，出院時，傅老爺子整個人都脫了形，人瘦掉一半，背全彎駝，壓得頭也抬不起來，變成一個衰颯的老人，而且性格也整個改變，他把大方紡織董事長的位子辭去，閉門隱居，謝絕親友，差不多整整一年，連大門也不出一步。傅老爺子的太太死得早，家中只剩下一個服侍他的老女傭吳大娘，這些情形都是吳大娘後來告訴師傅聽的。吳大娘說，那一年中，傅老爺子總共還沒說過十句話，天天坐在客廳裡發怔，好像患了癡呆症一般。等他恢復過來，傅老爺子卻把從前的親友關係都斷絕了，他唯一的活動，便是到中和鄉那家天主教孤兒院靈光堂，去照顧那些孤兒。每個禮拜去三次，風雨無阻，吳大娘說，傅老爺子一定是想兒子想瘋了，才會到孤兒院去為那群無父無母的野娃娃做老牛馬，連他們的屎尿他都肯親自動手掃除乾淨。

其實傅老爺子並不是我們圈子裡的人。師傅說，他幫助公園的孩子，完全是出於一片愛心，就如同他照顧靈光堂裡那些孤兒一樣。傅老爺子一向默默行善，本人甚少出面，所以我們圈子裡只聽聞有這樣一位活菩薩，真正見過傅崇山傅老爺子本人面目的還沒有幾個。我們師傅跟傅老爺子的淵源是因為家裡的關係。我們師傅跟傅老爺子是同鄉，都是山東人，師傅的老太爺從前在大陸就跟傅老爺子有來往，後來師傅因為偷太爺的錢，給原始人阿雄仔療傷，阿雄仔發羊癲瘋讓汽車把腿撞斷，太爺一氣便把師傅攆了出去。師傅最落魄的那段時期，全靠傅老爺子救濟，在傅老爺子家裡住了好一陣子，後來才到六條通一家酒館去當經理。所以師傅提到傅老爺子，總有三分敬意，稱他是大恩人。

「兒子們！」

師傅揮舞著手裡那柄摺扇，向我們叮囑道：

「師傅講話，你們且豎起耳朵聽著。今天帶你們去見的傅崇山傅老爺子，不比常人，他就是你們的救命恩人！」

我們從拘留所保釋出來，師傅便要帶我們去參見傅老爺子，當面向他叩謝。師傅發給我們一個人一百元，到紅玫瑰去理了髮，大家換上乾淨衣服，臨行前，師傅又再三訓誡了我們一番。

「大熱天，虧了老爺子親自奔走，才把你們這些東西救出來。回頭見到他，不要連個謝字也說不上來，一個個站沒站相，坐沒坐相，賊窩裡爬出來似的，師傅的老臉也讓你們丟盡！老鼠呢？」

「有！」老鼠忸怩著走上前去，師傅皺起眉頭打量了老鼠一下，「瞧你這副賊眉賊眼，我先警告你，今天到了傅老爺子那裡要守規矩，還膽敢毛手毛腳，我先抽你的筋！」

老鼠只是齜著一嘴黃牙，訕訕傻笑，師傅又把小玉喚了過去。

「你伶牙俐齒，能說慣道，今天又該你去耍貧嘴、逞本事嘍？」

「傅老爺子是甚麼人？他那兒哪裡輪得到我們小孩子耍貧嘴、逞本事了？」小玉趕忙分辯道。

「你知道就好！」師傅冷笑道。

「師傅信不過，我去把嘴巴縫起來就是了。」小玉笑道。

「你把那張屄嘴縫起來，倒也是我的福，耳根子清靜些！」師傅對我和吳敏也囑咐了一番。

「你們兩個麼，口齒又太笨了些！回頭老爺子問起甚麼，照實答就是了。」

「是，師傅。」我跟吳敏齊聲應道。

最後師傅把阿雄仔拉到跟前，替他將襯衫塞進褲子裡，又用毛巾揩掉了他臉上的汗水，然後才領著我們，一行六人，浩浩蕩蕩，去參拜傅崇山傅老爺子去。

2

傅崇山傅老爺子的家在南京東路的一條巷子裡，離松江路不遠。那一帶都蓋了新的高樓大廈，把傅老爺子那幢平房住宅團團夾在中間。那是一棟日式木屋，房子相當古舊了，大概是日據時代遺留下來的，屋頂的灰黑瓦片都生了青苔，大門的朱漆也龜裂剝落了。可是住宅庭院深廣，沿著圍牆，密密的栽了一轉高大的龍柏，鬱鬱蒼蒼，把房屋掩護住，氣派森嚴。

大門頂上，卻湧出了一大叢九重葛來，殷紅的刺藤花，纍纍一片，在夕陽中，爆放得異常燦爛奪目。

我們到達傅老爺子家，來開門迎接的是傅老爺子的老女傭吳大娘。吳大娘是個滿頭白髮矮小的女人，大概是一雙放大腳，走起路來，腳下左一拐右一拐，一張臉皺成了一團，眉眼不分。

「吳婆婆，老爺子在家吧？」我們師傅滿臉堆下笑容來問道。

「等了你們一下午啦，快進去唄！」吳大娘的口音跟師傅的一模一樣，也是山東腔。

師傅領頭，我們跟在後面魚貫而入，通過一條石徑，往屋內走去，石徑兩旁都種滿了竹子，一進去，便感到一片清涼。吳大娘門上門後，一拐一拐搶到師傅面前。

「老爺子這幾天還好吧？」師傅搭腔道。

「好啥？」吳大娘回頭咕噥道，「前晚老毛病又犯了，心痛了一夜，昨天才去榮總看了丁大夫。一點兒也不肯休息，今天一早又撐著到中和鄉去了。這把年紀，這種身體，那裡還有精神去服侍那些蹦蹦跳跳的小玩意兒呢？勸也沒用，有啥辦法？」

「老爺子是菩薩心腸，那群小可憐，他是要緊的，」師傅順嘴答道。

「楊爺，這個道理俺還不懂得麼？」吳大娘在屋子門口索性停了下來，「他老人家要做善事，積陰德，那還不好？你不在這裡不曉得，晚上他心疼起來，頭上汗珠子黃豆那麼大，把俺嚇得一夜不敢合眼。那種罪，不好受！」

「下次老爺子發病，我派個徒弟來輪班，換你老人家去休息，好不好？」師傅安撫吳大娘道。

「那敢情好，」吳大娘點頭稱善，「也讓俺這個老不死的喘口氣——只怕你楊爺嘴裡說說罷咧，過後還不是丟到腦後去了！」

「吳婆婆，下次我就派他來，」師傅指著我說道，「這個徒弟最老成，做事可靠。」

吳大娘走近來，覷起眼睛朝我打量了一下，皺成一團的臉上卻綻開了一個笑容來，唔了一下，點頭說道：

「很健壯的一個小子。」

我們走上玄關，吳大娘從鞋櫃裡掣出六雙草拖鞋來，讓我們一一換上。

「都來了麼？」我們剛走到客廳門口，裡面便傳出來一個蒼老沙啞的聲音問道。

「都帶來了，」師傅在門外大聲應道，「來參見老爺子。」

吳大娘拉開推門，傅崇山傅老爺子便從裡面顫巍巍的迎了出來。傅老爺子果然駝得厲害，他的身軀雖然碩大，可是整個背都彎了下去，背峰高高聳起，身後好像背負著一座小山似的，把頭壓得抬不起來，行走時，喘噓噓的往前伸長脖子，很吃力的模樣。傅老爺子起碼六十開外了，一頭倒豎的短髮，灑滿了銀霜，鬢眉也都鐵灰了，一張方闊的國字臉上，壽斑纍纍，寬聳的額頭，三道溝紋，好像用刀刻出來似的，又深又黑。一雙眼睛，大概淚腺有毛病，淚水汪汪的。他身上穿著一套灰白府綢舊唐裝，腳上趿一雙黑布鞋。

「還不上去跟老爺子磕頭！」

師傅手裡那柄扇子一指，朝我們吆喝道，我們幾個人你望著我，我望著你，擠擠攘攘，不知所措。

「蠢才！」師傅咬牙低聲罵道，「磕個頭也不會麼？」

小玉乖巧些，搶上去，朝著傅老爺子便要深深下拜。

「免了，免了。」傅老爺子趕忙扶起小玉，並示意要我們都坐下。他自己先坐到一張墊著厚靠背的沙發椅上，師傅在他左側一張椅子上坐了下來，我們才一一坐下。我跟小玉、吳敏、老鼠四個人擠在傅老爺子對面的一張長沙發上，阿雄仔卻坐到師傅腳下一張踏腳圓凳上去。

「吳嫂，你去倒幾杯汽水來，」傅老爺子吩咐吳大娘道。

「俺熬了紅豆湯，又蒸了千層糕，喝汽水幹啥？」吳大娘駁回道。

「那麼更好了，」傅老爺子笑道：「這幾個孩子也該餓了。」

傅老爺子轉向師傅，開始詢問我們各人的姓名、年歲以及生活起居，每個人都問得相當詳細，師傅一一做答時，傅老爺子那雙淚水汪汪的眼睛卻一直瞅著我們，佝著背不住的點頭，最後傅老爺子似乎要說甚麼卻沒有說出來似的，嘴皮微微抖動了兩下，長長的嘆出了一口氣，

「唉——」

傅老爺子這間客廳擺設十分簡樸，除了沙發茶几外，只有靠牆的中央擱著一張紅木的長條供案，案上有一尊天青瓷瓶，瓶裡插一束白色的薑花。花瓶旁邊有一只同色的大碗，碗裡盛著幾色鮮果。牆上懸著兩張鑲了黑邊鏡框的巨幅相片。右邊那張是傅老爺子盛年時候在大陸著軍裝的半身照，身上佩掛齊全，胸前繫著斜皮帶，大概是當副師長的時候，那時他的身

子卻是筆挺的，很英武，一臉威嚴。左邊那張是個青年軍官，穿著少尉制服。一定是傅老爺子死去的那個兒子傅衛了。傅衛跟傅老爺子有幾分貌似，也是一張方臉寬額頭，可是傅衛的眉眼卻比傅老爺子俊秀些，沒有傅老爺子那股武人的煞氣。牆上另一角掛著一柄指揮刀，大概年代已久，刀鞘已蒙上一層銅鏽。客廳裡，隱隱的一逕透著一股薑花的甜香。客廳另外一面是幾扇糊紙的推門，推門拉開了，外是後院，院中有假山水池，池裡浮滿了綠萍，假山有流水入池，一直發著琮琮琤琤的聲音。

「楊金海，」半晌傅老爺子向師傅開腔道，「莫怪我說你，這回你也太胡鬧了！孩子們不懂事，你怎麼倒領頭作亂，大夥兒鬧到警察局去，是甚麼意思？」

我們師傅楊金海教頭趕忙離座站了起來，指手劃腳的分辯道：

「這是天大的冤枉！老爺子，這次實在不能怪我。這幾個東西雖然楞頭楞腦，跟著我膽子都還小。殺人放火絕對不敢。就連欺詐恫嚇我也不許的，就算這個小賊——」師傅指了老鼠一下，指著老鼠直眨眼睛，「有時手腳不乾淨，也是芝麻綠豆的小玩意兒，還讓我打得賊死。這次都是讓叫鐵牛的那個囚根子給整的，那個亡命痞子在公園裡無法無天，早該送到火燒島去囚起來，省得咱們清清白白的人受連累！」

「你們哪裡懂得？」傅老爺子嘆了一口氣，「這回是我託了天大的人情才把你們弄出來。要不然，老早下的下監，送的送外島去了。楊金海，你要明白，我已退隱多年，從前軍警界幾個老朋友，退的退，死的死，新起來的這批少壯派，與我沒有淵源，並不賣賬。這次勉強得很，我老著臉，把一個多年沒有來往的老同僚抬了出來，才讓我具保。日後你們再鬧事，恐怕我這個保人也要受連累哩！」

「老爺子說的鄭重，我記在心裡，把他們管得嚴點就是了。」師傅必恭必敬的應諾道，坐回到自己的座位上。

傅老爺子卻一逕蹙著眉，憂心忡忡的說道：

「楊金海，你領著這群孩子，在公園裡胡混，總不是辦法，終究要闖禍的。應該替他們找份正經差事，才是長久之計。」

「老爺子說得好輕巧！」師傅一柄扇子啪的打在手心上，「這幾隻公園裡趕出來的邋遢貓，正經人家誰肯收容？還有一層：這群小亡命，千萬莫錯估了他們，一個個還性格得很呢！差點的老闆未必降得住。我試過幾次的，旅館、飯店、戲院，介紹去當小弟。不出三天，一個個又溜了回來，說道：『外面世界容不下，還是回到自己老窩裡舒服些。』老爺子，俺有啥辦法？現在更好了，公園宵禁，連老窩也封掉了！今天帶了這批可憐蟲來，還要老爺子替俺們作主，指點迷津呢！」

傅老爺子勉強把頭抬起來，用手搔了一搔一頭銀霜似的短髮，笑道：

「我才要數落你，你反來替我出難題！當年你把阿偉帶來，我不該心軟了一下，把我拖累了那麼些年，我為他受的罪，三天六夜也說不完。好不容易功德圓滿，把他送上了船。你現在又帶了這一群孩子來纏我，我縱然有心成全他們，恐怕精力也不逮了——」

說著吳大娘走了進來，手上的茶盤端著紅豆湯及千層糕。

「楊爺又來生啥事故了？」吳大娘插嘴道，「你一進來俺不是跟你提過，老爺子前天才鬧心痛嗎？」師傅立起身來，一面去接過吳大娘手裡的茶盤，陪笑道：

「吳婆婆，你不提我還不敢提，你是知道的，老爺子有病，是不許人家問的。」

「這也沒有甚麼，是多年的老毛病了，」傅老爺子舒了一口氣，指著胸口道，「這裡常常絞疼。」

「丁大夫怎麼說呢？」

傅老爺子淡淡的笑了一下。

「大夫還能說甚麼?到了這把年紀，心臟衰弱了，冠狀脈有點阻塞。」

「那麼老爺子倒是不能大意呢。」師傅認真說道。

吳大娘把一碗碗的紅豆湯分給了我們，每人一只小碟裡盛了一塊晶瑩的千層糕。

「俺也是這麼說呀，」吳大娘逕自嘮叨，「這裡到中和鄉要轉兩道車，下雨天，公共汽車爬上爬下，萬一摔一跤，怎麼得了？」

吳大娘分派完畢，拾起茶盤，腳下左一拐右一拐的走了，臨走時又對我們說道：

「喝完了廚房裡還有，熬了一大鍋。」

「不瞞老爺子說，」師傅乾咳了兩聲，正襟危坐起來，「老爺子身體不舒服，我們是不該來打擾的。這次我把幾個孩子帶來，一來是給老爺子磕頭謝恩，二來也是向老爺子備個案。老爺子可還記得從前開的那家桃源春酒館子？」

「是了，」傅老爺子點首道，「你開得好好的怎麼又關了？」

「咳，」師傅頓足道，「還不是沒有後台撐腰，流氓警察輪流生事。不瞞老爺子說，桃源春那時著實風光了一番的，至今公園裡的人還念念不忘，一直慫恿我重起爐灶，恢復桃源春當年的盛況呢。其實我自己也從來沒死心，只是沒有機會沒有本錢罷咧。現在時機到了，公園宵禁，那群鳥兒正在發慌，沒個落腳處。我來另築個窩巢，不怕他們不飛過來。不瞞老爺子說，我連地方也尋妥了，就在這南京東路同一條街上，一百二十五巷裡——」

我們師傅楊金海教頭唰地一下將摺扇打開，一面起勁搧著，一面興高采烈的向傅老爺子報告籌備經過。最先是萬年青電影公司董事長盛公出的主意，盛公說：楊胖子，你出面，我在幕後支持你，把個酒館子開起來，日後咱們也有個地方走動走動。盛公答應借二十萬，師傅又做了一個會，一萬一股，我們圈子裡有頭有臉的人物，都參加了。聚寶盆的盧司務、永昌西裝店的賴老闆還認了兩股，頂讓費一切都不成問題。

「如果順利，中秋就可以開張啦，」師傅滔滔不絕的說下去，「我找了一家裝潢店去估了一下，怎麼將就裝修也需十萬塊呢。現在無論做啥，動著就是錢哪。憑良心說，俺開這個酒館子，一半也是為了這幾個小亡命，走投無路。在酒館子裡當夥計，總還強似街頭流浪麼——」

傅老爺子一直凝神傾聽著，這時陡地舉起手止住師傅問道：

「新酒館叫甚麼來著？」

「正要向老爺子討個利市，請老爺子賜給名兒呢。」師傅陪笑道。

傅老爺子駝著背，眼睛半閉，沉思了片刻，微笑著說道：

「從前在南京，我住在大悲巷，巷口有一家小酒店，有時我也去吃個消夜，我記得酒店的名字叫『安樂鄉』。」

「安樂鄉！好彩頭！」傅老爺子一疊聲的叫了起來。

3

南京東路一百二十五巷裡，大都是酒館飯店。巷口是鳳城，一家生意鼎盛的粵菜館，飯館在二樓，樓下是販賣部，櫥窗裡倒掛著一排排焦黃晶亮的油雞燒鴨。緊隔壁是一家叫梅苑的日本料理，門口懸了一溜一只只西瓜大暈紅的紙燈籠，再過去是韓國烤肉店阿里郎，阿里郎正對面是家西餐廳金天使，玻璃門窗吊著許多肉嘰嘰光著屁股張著翅膀的小天使。一到晚間，整條巷子霓紅燈五光十色的便亮了起來，烤肉香於是便開始在巷中橫流四竄。巷中還擠滿了攤販，賣荔枝龍眼的，賣烤魷魚的，還有一個攤子在賣炸麻雀，油鍋旁邊排著一串串炸得焦黑的小鳥兒，晚上巷子裡擠滿了人，汽車也開不進來了。在這浮面的繁華喧囂下，我們的新窩巢安樂鄉卻掩藏得非常隱密，不是我們的同路人，很容易便被隱瞞過去。因為安樂鄉的外面，沒有招牌，大門緊挨著金天使的左側，狹窄的一條門縫，僅僅能容得一人通過，接著便是一條陡直的樓梯一級級伸引下去，樓梯口只懸著一盞淡黃的小燈，光線昏黯，走下去，得扶著欄杆，摸索下降，直到下面，一轉右，兩扇玻璃門便唰地一聲，自動張開，裡面赫然別有洞天，進入了安樂鄉中。

安樂鄉的地下室酒館有六十坪大。東西兩壁鑲滿了水銀鏡子，燈光人影互相反射又反射，照出重重疊疊的幻象來。燈光一律是琥珀色的，映得整間酒館浴在濛濛夕霧中一般。東面靠著壁鏡是一條長吧檯，檯沿包著殷紅的漆皮，檯面打著派利斯。吧檯有十二張獨腳旋轉圓凳，坐在圓凳上，可以面對著壁鏡中的影子對飲。吧檯後面的案架上，擺滿了各式酒瓶，從紅牌威士忌到台灣啤酒，從三星白蘭地到五加皮。西面靠壁是一行六套雙人靠座，座椅也是殷紅漆皮的，座背高聳。大型圓桌只有一張，在酒館的一角，坐得下十個人，是讓人訂座請客的。在進門處，右手有一個圓台，台上擺著一架電子琴，琴上擱著一支麥克風，讓客人興來唱歌。地下室沒有窗戶，經常得開冷氣，調節裡面的空氣。

安樂鄉開張的前幾天，我們師傅楊金海楊教頭把我們集中起來，紮實訓練了一番，把開酒店的規矩全部傳授給我們，而且每個人都分派了職務。小玉跟我分配到酒吧企檯，當酒保。小玉嘴巴巧，善應對。坐吧檯的客人，由他招呼籠絡，我在一旁，負責配酒。師傅說，消夜小菜，賺頭有限，要緊還是在酒上頭，一本萬利，所以我們兩人的責任最是重大。

「站到吧檯後頭，就由不得你們耍性格了！」師傅訓誡我們，「少爺架子趁早給我收起來，客人三教九流，喝了幾杯，嘴裡大葷大素也是有的。你們只管裝聾作啞，笑臉相迎就是了。客人進來，咱們只認他的荷包，其他一概勿論！」

師傅把各種酒排在吧檯上，指點我們：

「本地酒，價錢定死了，無啥作為。洋酒可就有講究了！四十塊錢一杯，卻有幾種賣法。」

他拿出一瓶紅牌威士忌，酒杯裡擱了冰塊，倒入一點兒酒，羼上蘇打水，示範給我們看。

「酒少了，客人不樂意，酒多了，咱們賠不起。你們走著瞧吧。客人好講話，就多羼些蘇打冰塊，碰著難纏的，就老老實實，給夠量。客人一高興，買杯酒送給你們，也是有的。咱們這行有個規矩；酒保當班，滴酒不沾。免得醉了生事。客人送酒，你們暗地裡斟上汽水就是了。至於這杯酒錢，也有個行情；四六拆賬。你們拿六成，酒館拿四成。你們不吃虧，老闆也賺錢，皆大歡喜！」

分派下來，吳敏托盤送酒，端菜跑堂。老鼠打雜、清桌子、收碗碟、拖地板、洗廁所，一任包辦。阿雄仔也有了職位，守門站崗，送往迎來。阿雄仔門口一站，巨靈門神一般，對一些前來滋事的小流氓，有嚇阻之效。師傅又商得聚寶盆盧司務盧胖子同意，把他手下一個三廚叫小馬的暫借過來，掌廚做消夜。消夜酒菜，我們只列四味：滷肫肝、鴨翅膀、白切肚、五香牛肉，聊備一格，職務派定，我們都很興奮，恨不得安樂鄉早日開張，我們好穿上杏黃色胸口繡紅字的新制服上班。只有老鼠悶悶不樂，一雙小眼睛斜睞著我們師傅抱怨道：

「師傅，怎麼拖地板、掃廁所這些糗事都輪到我一個人頭上來呢？酒保我也會當呀——」

他還沒說完，早就挨師傅啐了一口。

「你們聽聽！憑他這副賊嘴臉也想上檯盤呢，客人看見沒的隔夜酒飯也要嘔出來。你乖乖的每天替我把廁所打掃乾淨，我要聞到尿臊，就拿乃沙水來灌你！小玉、阿青、吳敏——你們都仔細聽著：酒杯、碗碟，打碎一隻，薪水照扣。上班時間，偷懶、開小差、渾水摸魚，一概不准。頭一次警告，連犯三次，休怪我師傅無情，一律掃地出門！都聽見了？」

「聽見了！」我們幾人齊聲應道。

4

八月十五中秋節，安樂鄉終於開幕了。早上已經有花店送花籃來，萬年青電影公司董事長盛公送來那只最大，有六尺高，幾百朵艷紅的玫瑰花紮成了一扇大大的孔雀開屏，紅緞飄帶上卻題著一副對聯：

蓮花池頭風雨驟
安樂鄉中日月長

永昌西服店的賴老闆、天行拍賣行的吳老頭，都送了賀禮，聚寶盆盧司務盧胖子送來的是本行貨色，一桌十二色酒菜，是盧司務親自下廚炮製的，由小馬送過來，裝在兩只大抬盒裡。

六點鐘，我們都已準備停當，開上了冷氣，琥珀色的燈光，從兩面壁鏡反射出來，映得整間地下室，金霧茫茫的一片。我們各就各位，都穿了清一色的杏黃制服，每個人的胸口繡上了「安樂鄉」三個紅字，領子上還繫著一支紅領花。小玉的頭髮長出了寸把長，一順溜覆在額上，一雙吊梢桃花眼，笑咪咪的，更加俏皮了，站在吧檯後面，儼然小酒保的模樣。阿雄仔最神氣，他筆直立在大門口，滿面嚴肅，像座守門神。老鼠和吳敏一直跑出跑進，師傅不停的指揮著他們兩人，搬西搬東，忙個不停。師傅也換上了一套嶄新深黑色奧龍西裝——是永昌的賴老闆送的，西裝做得很貼身，圓球似的肚子屁股包裹得前翹後挺，裡面穿了一件熨得稜角分明的白襯衫，領上也繫了一只大紅蝴蝶結，把個肉嘟嘟的雙下巴，擠得吊了下來。儘管冷氣森森，師傅胖臉上的汗珠子仍舊不停的滾，手中那柄扇子搧得唰唰響。

八時正，安樂鄉的兩扇自動門豁地張開，公園裡的那一群鳥兒，一隻隻抖擻擻地都飛撲了進來。不一會兒，我們這個新窩裡，黑壓壓都浮滿了人頭，我們圈內知名的人物，差不多全體到齊。突兀兀立在人堆中，最搶眼的，當然是華國寶，華國寶近來愈更騷包，因為盛公果然看中了「這塊料」，在萬年青的新片子裡「情與慾」讓他當上第二男主角，因為「靈與肉」在台灣、香港及星馬上演都大賣座，盛公又趕緊搶拍這個續集。華國寶穿了一襲藍汪汪亮絲綢長袖襯衫，袖口卻翻捲起來，左腕上鬆鬆的綰著一串寬邊銀手鍊，胸口的幾粒鈕扣故意鬆開著，肌肉波伏的胸膛上，懸著一枚鴿卵大的瑪瑙垂飾；他穿了一條雪白的喇叭褲，褲腰卻紮得緊緊的，繫著一根猩紅的寬皮帶。華國寶的頭昂得更高了，旁若無人，好似一隻躊躇滿志、羽毛燦爛的孔雀一般。陽峰仍舊戴著他那頂遮掩殘禿的巴黎帽，坐在酒吧檯最裡邊的一個座位上，遠遠的望著華國寶，早衰的臉上更加的無奈了。花仔率領著三水街的一群小么兒拉拉扯扯便擠到了電子琴的旁邊，爭著點曲，要琴師彈奏。「『日日春』，」一個叫道。「『情難守』，」另一個叫道。「『阮不知啦』！『阮不知啦』！」又另一個喊道。琴師楊三郎在日據時代還是一個小有名氣的樂師，寫過幾首曲子，讓酒女們唱得紅遍台北。楊三郎的眼睛已經半盲了，晚上也戴著一副黑眼鏡，僵木的臉上，一逕漾著一抹茫然的笑容。

他調整了配音，頭一昂，悠揚的電子琴聲，在嗡嗡嚶嚶的人聲笑語中，猛然奮起。於是坐在第一桌的那四個正在服役的充員兵，更提高了聲音。其中有一個正津津樂道，在講他班上的一個老班長，把他灌醉了勾引他的趣事。四個充員兵都剃著短短的小平頭，臉上曬得赤紅，身上還穿著制服，大概從外地趕回台北，一下了車就直奔前來，還來不及回家更換。隔壁一桌是大學生，兩個是社會系的，他們說：有一天，他們兩人要合寫一本社會調查：「新公園青春鳥的遷徙習性」。兩個大學生今晚到安樂鄉來替他們的朋友餞行，他們都舉起了啤酒杯，預祝今年畢業的馬來西亞僑生一帆風順，僑生馬上要返回檳榔嶼了。台灣的一切，使他依依不捨，在台灣他度過了四年熱情而又叫人心碎的日子。僑生苦戀山地歌手曹族美男子藍若水的故事，是我們圈子裡常常提起的佳話。都來了：西門町的老闆跟小夥計。心臟科的名醫生跟軍法官。藝術大師坐在一角，悶悶不樂，鐵牛最後那張畫，始終沒有來得及完成。鐵牛送到了火燒島，大師的靈感也跟著燒成了灰燼一把。到那兒再去尋找像鐵牛那樣原始、那樣野性、那樣令人血脈僨張的純男性模特兒？大師惋惜道。

另外的一角，坐著另外一個中年男人，也在悶悶不樂。他嘴角上的那一道溝紋更加深了，好像臉上印了一道黑色的裂痕一般。光武新村的張先生居然也來了。他悶悶不樂，有兩種傳說。一種是他把小精怪蕭勤快趕了出去，因為嫌他手腳不乾淨，偷了張先生一架加隆照相機出去賣。還有一種說法是小精怪把張先生甩掉了，因為小精怪搭上了一個德國商人，給介紹到香港德航去做事了。總而言之，張先生又掛了單，一個人在忿忿的喝著悶酒。聚寶盆的盧司務興致最高昂，挺著一個水桶大的肚子，在人堆裡奮力尋找他的耗子精。整個安樂鄉擠得連轉身都困難了。兩邊的壁鏡互相輝映，把人影照得加倍又加倍，在琥珀色的燈光下，晃動交叉，好像一群在夕陽影中興奮蹦跳的企鵝一般。

萬年青董事長盛公終於光臨了，可是卻給摒擠在門外，無法進來。我們師傅楊金海楊教頭見到了，趕緊撥開一條路，迎了過去，半擁半推，將盛公護送到酒吧檯前，一疊聲喝令小玉道：

「白蘭地、三個5，快點送上去！」

又轉頭向盛公道：

「盛公，盼了你一晚，生怕你老人家不肯賞光呢！」

「楊胖子，今天是甚麼日子？就是天上下雹子也要來的！」盛公笑道，「我今晚有個應酬，在五福樓給絆住了。我還是裝肚子痛，逃席的呢。」

盛公穿了一件絳紅底起大白團花的夏威夷衫，乳白褲子，鏤空白皮鞋，頭上僅存的三綹毛髮，仍舊抹了油，梳得井井有條，貼在頂上。

「盛公今晚很美麗呀！」小玉笑吟吟的稱讚道，他奉上一杯白蘭地，又替盛公點上一支三個5。

「你們聽聽！吃老頭子的豆腐呢！」盛公笑得眉眼皺成一團。

「盛公的豆腐是『營養豆腐』，吃了延年益壽呀！」小玉笑道。

盛公樂呵呵，眼淚水都笑了出來，跟我們師傅楊教頭說道：

「有這個小淘氣在這裡，你們安樂鄉還怕不生意興隆麼？」

說著卻掏出了兩張百元大鈔，擲給小玉道：

「好孩子，好好做，做發了，好處多得是！」

小玉接過賞錢，笑道：

「盛公天天晚上來賞光，咱們的好處就多了。」

「楊胖子，」盛公瞇覷著眼睛，點頭說道：「總算償了你的心願，當年『桃源春』的盛況，今晚果然又恢復了！」

師傅雙手一拱，就朝盛公拜了下去。

「都是託你老的宏福！」

師傅替盛公拿了煙酒，在前面開路，不停的嚷著借光，把盛公護送到了圓桌那邊去，圓桌早坐滿了一群少年家，華國寶也在那裡等候著了。盛公一過去，少年家都倏地立起了身子，搶著讓位。據說「情與慾」裡還有兩個男配角沒有找定，那些少年家都暗暗在做明星夢，想在盛公面前表現一番，或許撈到一個角色。

小玉把盛公的兩百塊賞錢塞進了胸袋裡，趙無常卻輕飄飄腳不沾地似的倚到了吧檯邊，一雙眼睛朝小玉上下一掠，冷笑道：

「嘿，掛牌了！不知道衛生局檢查合格了沒有？有沒有發正式牌照？」

趙無常照舊一身的黑，一張瘦長的馬臉，粉刷過一般，堊白的，一張口便露出了兩排焦黃的煙屎牙來。

「咱們還得去檢查檢查，」小玉笑嘻嘻回嘴道，「有些『老妓無毒』，早就免疫了呢！」

說著卻將一盅啤酒往趙無常面前一推，推得盃裡的酒液來回浪蕩，直冒白泡。

「拿去灌吧，這杯白送，今晚由咱們安樂鄉來倒貼！」

小玉也不等趙無常答話，逕自走到吧檯的另一端，從我手中把一杯紅牌威士忌接了過去，擱在心臟科名醫史醫生的面前。

「史醫生，我有病，」小玉說道。

「你有甚麼病，小傢伙？」史醫生猛吸了兩下煙斗，頗感興味的問道，「明天到我診所來，我來替你全身檢查。」

史醫生常常給我們義診，他是個劫富濟貧的仁醫，據說有一次盛公去找史醫生，量了一量血壓，就挨了五百元。

「我有心病，」小玉指了一指胸口道。

「心病？那正是我的專長。我來給你照照愛克司光，做個心電圖。」

「照不出來的，」小玉嘆道，「我這個心病有點怪，只怕你這位大醫生也沒有妙方：我一看見像你這樣漂亮的男人，心就亂跳。怎麼辦？你能治麼？」

「這是風流病！」史醫生呵呵地笑了起來，「你這種心病，咱們這兒無藥可治。聽說外國倒有一種電療法：給你看一張男人的照片就電你一下，電到你一看見男人就想嘔吐為止。」

「罷了，罷了！」小玉雙手護住胸口嚷了起來，「那樣電法，病沒治好，心倒先電死了！」

張先生已經喝到第三杯悶酒，都是吳敏送過去的。這次吳敏見到張先生，額頭上不再出冷汗了，因為小精怪蕭勤快沒有跟來。吳敏將一杯白蘭地捧給了張先生，並且殷勤地遞上一塊灑了香水的冰毛巾。張先生抓起毛巾，在臉上忿恚地抹了兩把，可是並沒能抹掉他嘴角邊那道近乎兇殘的溝痕。

「那個小賤人，你可看到了？」小玉湊近我耳邊低聲說道，「他在吃回頭草呢！」

盧胖子伸手一撈，一把又揪住了老鼠一隻耳朵。

「耗子精，今晚我來捧你的場，招呼你也不來跟我打一聲。」盧胖子真的有三分氣了。

「盧爺，」老鼠歪著頭，臉上扭成了怪相，討饒道，「你也可憐可憐我吧！這一夜哪裡有半刻空閒？腿都快跑斷嘍。」

盧胖子把老鼠的耳朵拎到他的嘴邊，嘰咕了幾句，老鼠笑得吱吱怪叫，掙脫了盧胖子的手，一溜煙，竄進了人堆裡。

盛公那邊最熱鬧，圓桌子坐滿了做明星夢的少年家，身後還有站著的，都在聚精會神的聆聽盛公講古，追述三、四十年代的星海浮沉錄。

「你們聽過標準美人徐來沒有？」盛公問道，少年家面面相覷。

「他們還沒出娘胎，懂得甚麼徐來徐去呀？」我們師傅坐在盛公身邊插嘴道，「盛公，你老和徐來合演的『路柳牆花』我倒看過的，你在那張片子裡頭俊俏得緊哪！」

盛公那張皺成了一團的臉上突地綻開了一個近乎羞赧的笑容來，撫摸了一下頭頂僅剩的三綹頭髮，不勝唏噓。

「楊胖子，虧你還記得『路柳牆花』。那倒是『明星』一張招牌片，『明星』是靠它起死回生的呢。」

師傅告訴過我們，盛公是三十年代的紅小生，有名的美男子。那時候上海南京許多女學生都爭著買盛公簽了名的照片，掛在閨房中。盛公提起當年盛況不免惆悵，因此他最肯提拔後進，偏愛美少年，譬如像華國寶，盛公說，華騷包那副騷兮兮的模樣，倒有幾分像他當年。

盛公把三四十年代那一顆顆熠熠紅星的興亡史，娓娓道來，說到驚心動魄處，盛公卻戛然而止，覷著他那雙老眊的眼睛，朝向圍他而坐的那些少年家逡巡一周，喟然嘆道：「青春就是本錢，孩子們，你們要好好的珍惜哪！」

安樂鄉的冷氣漸漸不管用了，因為人體的熱量，隨著大家的亢奮、激動，以及酒精的燃燒，愈升愈高。在這繁華喧鬧的掩蔽下，在我們這個琥珀色的新窩巢中，我們分成一堆堆、一對對，交頭接耳，互相急切的傾吐，交換一些不足與外人道的秘辛。在這個中秋夜，大家從四面八方奔來聚在這個地下室裡，不分老少、不分貴賤，驟然間，混成了一體，縱使還有個人深藏不露的苦痛、憂傷、哀愁、憾恨，也讓集體的笑語、戲謔、顛狂，以及楊三郎那一聲緊似一聲的電子琴一下子掩蓋下去。楊三郎揚起頭，他那張戴著黑眼鏡滄桑斑斑的臉上，又漾起了一抹茫然的笑容來。他換上配音，奏出了他在日據時代親自譜寫的一曲「台北橋勃露斯」。

5

一二五巷裡的霓虹燈已經熄滅，飯館酒店開始打烊了。只有梅苑門口那幾只西瓜大的燈籠，一個個暈紅的，還懸在那裡。到底是中秋了，到了半夜，巷子裡起了一陣帶著涼意的微風，吹得那些暈紅的燈籠來回的擺盪，最後一批吃消夜的客人，剛從梅苑走出來，坐上計程車，駛出了巷口，於是一二五巷便漸漸沉寂下來。驟然間，從巷口鳳城酒店的樓頭，一輪滿月湧了出來，光亮奪目，大得驚人。有許多年了，我沒有注意過中秋夜的月亮。沒想到竟是如此龐大、如此燦爛。好像一盞大探照燈，高懸巷口一般。自從那年母親出走後，我們家裡便沒有過過中秋。從前母親在家時，每逢中秋，她都要拜月娘的。到了晚上，月亮升到中天，母親就領了弟娃跟我到後院天井裡去燒香，母親獨自伏身上香拜月，我跟弟娃就去抓供桌上掬水軒的五仁月餅來吃。父親從來不到天井裡來，等到母親拜完月亮，就切一碟月餅給父親送進去。只有那一年例外，那是母親在家最後的一個中秋，父親卻破例到後院去參加我們一起賞月。那年中秋，父親的合作社發雙餉，我們的月餅也每人多加了一枚，一枚五仁，外加一枚豆蓉的。那晚的月亮分外分明，照得我們天井裡的水泥地都發了白，照得母親那匹黑緞似的長髮披在背上燿燿發光，照得弟娃兩筒玉白的膀子鍍上了一層清輝。父親那晚興致特高，替我跟弟娃兩人，一人做了一只柚子燈。沒想到父親那雙青筋疊暴、瘤瘤節節的巨掌，做起柚子燈來，竟那般靈巧，幾下便把柚子心剝了出來，而柚子殼卻絲毫無損。他用一柄水果尖刀，極其用心的把柚子殼鏤刻出兩個人面來，鼻眼分明。弟娃那隻嘴巴歪左邊，我那隻歪右邊，兩只柚子燈，圓頭圓臉，歪著嘴笑嘻嘻的。我們把紅蠟燭點上，插進柚子燈裡，掛在屋簷下，亮黃的燭火，便從柚子燈的眼裡嘴裡射了出來。月到中天時，母親點上了香，對天喃喃祝禱一番，拜罷便坐到她那張竹椅上去，把弟娃抱進了懷裡，輕拍著他的背，哄他睡覺。弟娃已經吃了一個半月餅，他的頭伏在母親的胸房上，打了兩個飽嗝，張著嘴，滿足的矇然睡去。父親在天井裡背著手，踱過來，踱過去，一個晚上，也沒有開過口。他走到那兩盞柚子燈下，抬起花白的頭，端詳了半天，突然間自言自語說道：

「我們四川的柚子比這個大多了。」

我走到巷口，仰天望去，月光像一盆冷水，迎面潑下來，澆了我一身，我一連打了幾個寒噤，身上的汗毛不禁都張了開來。

6

我在西門町南洋百貨公司門口，遇見了吳敏。我到南洋買內衣褲，我的汗背心都穿洞了，內褲的鬆緊帶也失去了彈性，晾在曬台上，破破爛爛，垮兮兮的，阿巴桑認為有礙觀瞻，並且威脅要收去當抹布。南洋百貨公司秋季大減價三天，門口掛了大紅條子：襯衫睡衣內褲一律七折。吳敏見了我，吞吞吐吐周身不自然起來。我發覺在他身邊，跟著一個中年男人，那個男人約莫五十上下，剃著個青亮的光頭，全身瘦得皮包骨，一臉蒼白，額上的青筋卻根根暴起，一雙眼睛深坑了下去，散渙無神，眼塘子兩片烏青，好像久病初癒一般，神情萎頓。他身上穿了件泛黃的白襯衫，襯衫領磨破了，起了毛，一條寬鬆的黑褲子繫在身上，晃蕩晃蕩的。足上一雙黑膠鞋，一隻的鞋尖都開了口。

人。

「阿青——」吳敏強笑著招呼我道。

「你到哪裡去？」我在南洋百貨公司門口停了下來。

「我也到南洋來買點東西——」吳敏遲疑了一下，才介紹他身旁那個病容滿面的中年男人。

「阿青，這是我父親。」

我趕忙點頭招呼道：

「伯父。」

吳敏父親羞怯的笑了一下，卻望著吳敏，好像在等他代答些甚麼話，解除困窘似的。吳敏沒有作聲，推開南洋百貨公司的大門，逕自走了進去，他父親跟在他身後也走到裡面。進去後吳敏先到襯衫部，那邊櫃檯上，攤滿了清貨大減價的襯衫，撿便宜的顧客都圍在那裡，一陣翻騰。吳敏也擠了進去，抓了兩件出來，一件藍的，一件灰的，轉身問他父親道：

「阿爸，你穿十四吋半，還是十五吋的。」

「都可以嘛。」吳敏父親應道。

「這兩種顏色行麼？」

吳敏把襯衫遞給他父親，他父親接了過去，捧在手裡，左看右看，斟酌了半天，說道：

「就是這件灰的吧。」

他把那件藍的退給吳敏，吳敏又塞回到他手裡。

「兩件一齊買好了，難得大減價。」

買了襯衫，吳敏又領著他父親一個一個部門走了過去。內衣褲、手巾、襪子、拖鞋，從頭到腳都買齊了，又到日用品那邊，買了牙膏牙刷，剃鬍刀，還買了一瓶三花牌生髮油。吳敏付了鈔票，大包小包的提在手裡，後來的幾件東西，他根本也不跟他父親商量，自己抓了算數。我也買了四套三箭牌的內衣褲，撿便宜搶了一件藍白條子襯衫。我們走出南洋百貨公司的大門，吳敏卻在我耳根下悄聲說道：

「阿青，你陪我一塊兒到火車站，等我送我父親上車後，我們一起吃飯。」

吳敏的父親是乘四點半的普通車到新竹去。吳敏替我也買了一張月台票，我們把吳敏父親送到二號月台去等車。站在月台上，吳敏兩隻手提滿了包裹，對他父親說道：

「你還需要甚麼，寫信來給我好了。」

吳敏父親用手拭去了額上的汗，一雙散渙的眼睛直發怔，沉吟半天說道：

「夠了，不要甚麼了。」

過了半晌，他卻捲起他右手的襯衫袖子，露出細瘦的手腕來，舉起給吳敏看。

「這個癬，生了兩年。總也不好，癢得難過得很。你知道有甚麼藥可以醫沒有？」

吳敏父親的手腕上，重重疊疊，長滿了一圈圈的金錢癬，有的結了疤變成赤紅色，有的剛抓破，露出鮮紅的嫩肉來。吳敏皺了皺眉頭，說道：

「你早又不說，南洋百貨公司對面就是華美藥房，他們有一種『療百膚』，是治癬的特效藥——這樣吧，我買了寄到二叔家給你好了。」

吳敏父親瞅了吳敏一眼，點了點頭，把襯衫袖子仍舊放下，也就不作聲了。我們三個人默默的立在月台上，好一會兒，吳敏才突然若有所思的叮囑他父親道：

「阿爸，你到了二叔那裡，二叔不講究，二嬸的為人你是知道的，她那裡的便宜，千萬佔不得。」

「曉得了。」吳敏父親應道。

「那瓶生髮油，你一到就先拿去給二嬸，就說是我買給她的，那是她常用的牌子。」

吳敏父親又點了點頭。火車進站，吳敏等他父親上車找到座位，才一包一包將衣物從車窗遞進去給他。吳敏父親坐定後，又從窗口伸出半截身子來，指了一指他的右手腕。

「阿敏，癬藥，莫忘了，癢得很難過——」

「知道了，」吳敏皺起眉頭，答道，「我寄給你就是了。」

火車開動，出了站，吳敏仍楞楞的站在那裡，眼睛一直遙望著遠去的火車，非常平靜的說道：

「我父親，今天早上剛出獄，他在台北監獄坐了三年的牢。」

7

「七歲那一年，我才第一次見到我父親。」

吳敏跟我走到車站附近館前路的老大昌裡，一個人叫了一客快餐，火腿雞蛋三明治。老大昌二樓靜悄悄的，下午四點半，不早不晚，沒有甚麼人。二樓的光線很暗，樓下的輕音樂隱隱約約傳上來。我們吃完三明治，喝著咖啡，吳敏點上一支玉山，深深的吸了一口煙，說道：

「我第一次見到他，很害怕，那個時候他壯多了，還沒開始吸毒，留著個油亮的西裝頭，還滿神氣。他一到我二叔家，就跟我二嬸吵了起來，因為他要把我領走。我母親懷著我的時候，他第一次坐牢，我是在我二叔家出生的。我看見他兇巴巴，便一溜煙躲進米倉裡去。二叔在新竹開碾米廠，米倉裡堆滿了裝榖子米糠的大籮筐，我鑽進籮筐堆裡，抵死不肯出來。我父親來捉我，我就滿地爬，一腳踢翻了一籮米糠，撒得一頭一身。二嬸看見倒笑了，說道：『這倒像隻偷米糠的老鼠仔！』」

說著吳敏自己先笑了起來。

「客家女人最厲害！」吳敏猶有餘悸似的，聳起肩膀說道。

「你二叔怕不怕老婆？」我笑道，「聽說客家男人都是怕老婆的呢。」

「二叔麼？二嬸吼一聲，他嚇得臉都發黃，你說他怕不怕？」吳敏笑道，「二嬸家是新竹的客家望族，那家碾米廠就是她的陪嫁。二叔光棍一條，站在二嬸面前人都矮了一截。我跟他同病相憐，每天總要挨二嬸一頓臭罵，從飯桌上罵到飯桌下。我在二嬸家那幾年，時時刻刻提心吊膽。我最記得，我二嬸把我母親趕出去的那天晚上，把我叫到她房裡去睡。睡到半夜尿脹了，又不敢起來，怕吵醒她，只好溺在褲子裡——」

「可憐，」我搖頭笑嘆道，「像個小媳婦兒似的。」

「有甚麼辦法呢？」吳敏抽了一口煙，「誰叫自己的老爸老母不爭氣？老爸坐牢，老母偷人——跟碾米廠的工人睡大了肚皮，讓二嬸一路推出大門外去。」

「你後來見過你母親麼？」

「我沒有見著她。」吳敏搖搖頭，「不知道她在哪裡，只聽說她嫁給那個工人了，大概過得還不錯。」

「阿青，」吳敏沉思了片刻，把煙按掉，突然叫道，「你聽說過有人戒賭砍指頭麼？」

「有呀，」我笑道，「有些人還砍去兩三根呢！」

「我那個賭鬼老爸就是砍去了九根指頭，還剩一根他也要去摸牌的！」吳敏搖頭笑嘆道，「他跟台灣人賭三公可以三天三夜不下桌子。他的一生就那樣賭掉了。不是我說句狠心話，我老爸關在台北監獄裡也就算了，在那裡我還可以時常去看看他，照顧他一下。現在放出來，不出三個月，他的賭性一發，天曉得又會鬧出甚麼事故來？阿青，人生為甚麼這麼麻煩？活著很艱苦呢！」

吳敏望著我滿臉無奈的笑道。

「艱苦莫人知呀！」我應道，「難道你又想去割手不成？小玉說過：『下次吳敏割雞巴，小爺也不輸血給他了！』」

「不會了，哪還會去做那種傻事？」吳敏不好意思起來，頭一直俯著。

「阿青，昨晚張先生又叫我去陪他，搬回去跟他一塊兒住。」

「你怎麼說？」

「我答應他了。」

「難怪小玉罵你是個小賤人!怎麼那個『刀疤王五』招一下，你的魂兒就飛過去了?你貪圖他甚麼?他光武新村那間漂亮的公寓麼？」

我記得吳敏告訴過我，他頭一天搬進張先生的公寓，在他那間藍色瓷磚的浴室裡，泡了一個鐘頭不肯出來。

「我並沒有說我現在要搬回去跟他一塊兒住呀，」吳敏分辯道，「我只是到他那裡去陪陪他，昨天晚上，離開安樂鄉，我就到他家去看他去，我知道他一定又喝醉了，他的酒量並不好。」

我突然想起那天我到張先生那裡，張先生叫小精怪蕭勤快把吳敏留在他那裡的一包舊衣物擲給我，要我拿走。大概就是那一刻，我突然發現張先生嘴角那道紋路，像一條深陷的刀痕，他使我想起演『刀疤王五』的反派明星龍飛，龍飛在那個電影裡，老喜歡嘿嘿獰笑，嘴角露出一道深深的刀疤來。

「那樣絕情的人，也值得你這樣對他！」我突然覺得，我輸給吳敏那五百CC的血，確實有點划不來。

「我可憐他，」吳敏望著我說道。

「你可憐他？」我噗哧一下，剛喝進嘴裡的一口咖啡，噴了出來，「我的小乖乖，你先可憐可憐你自己吧，你那條小命兒也差點葬送在他手裡。」

「你不知道，阿青，張先生是個很寂寞的男人呢。從前我住在他那兒的時候，平常他總是冷冷的，不大愛說話。可是一喝了酒，就發作了，先拿我來出氣，無緣無故罵一頓。然後就一個人把房門關上，倒頭睡覺去。有一次他醉狠了，在房裡吐得天翻地覆，我趕忙進去服侍他，替他更換衣服。他醉得糊裡糊塗，大概也沒分清我是誰，一把摟住我，頭鑽到我懷裡痛哭起來，哭得心肝都裂了似的。阿青，你見過麼？你見過一個大男人也會哭得那麼可怕麼？」

我說我見過，我想起在瑤台旅社跟我開房間的那個體育老師，那個北方大漢，小腹上練起一塊塊的肌肉，像鐵一樣硬，他一直要我用手去摸。可是那晚他躺在我身旁卻哭得那般哀慟，哭得叫我手足無措，那晚他也醉得很厲害，一嘴的酒氣。

「從前我還以為大男人不會哭的呢，尤其像張先生那樣冷冷的一個人。誰知道他的淚水也是滾燙的，而且還流了那麼多，不停的滴到我的手背上。張先生人緣很不好，刻薄、多疑、又小氣。平常也沒有甚麼朋友，跟他同居的那些男孩子，沒有一個對他是真心的，都處不長，而且分手的時候總要佔他的便宜，拿些東西走，蕭勤快那個傢伙最狠了。張先生告訴我，他還不止拿走張先生一架加隆照相機呢，連張先生最寶貴的一套三洋音響也搬走了，而且還很兇，他說張先生要是去告警察，他就把他跟張先生的關係抖出來。張先生受到這次打擊，又想起我來了，大概他覺得只有我還靠得住些，所以要我回去陪他。」

「那你為甚麼不乾脆搬回去跟他一塊兒住，又去做那個『刀疤王五』的小奴隸算了？」

「我想開了，暫時還是這樣好，張先生的脾氣怪，他一時寂寞，要我回去，萬一他又後悔起來，我就太難堪了。而且現在我又不是沒有去處，師傅要我晚上在安樂鄉住，好守店。我對他說：『張先生，等你真的需要我的時候，我一定搬回去陪你。』」

吳敏停了片刻，望著我，繼續說道：

「阿青，我知道張先生不是一個很可愛的人。但是我跟他處過一段不算短的日子，雖然他對我曾經絕情過，可是只要他用得著我的時候，我還是會去照顧他的。不管怎麼說，他總還讓我在他那裡住了那樣久呀。老實說，從小到大，還算跟張先生在一起的那段日子，我過得最舒服呢。」

吳敏的嘴角浮起了一抹微笑，他抬頭望了一眼壁上的電鐘，拾起桌上的賬單起身說道：

「六點鐘，我們該到安樂鄉去上班了。」

8

安樂鄉開張以後，生意鼎盛，一個禮拜下來，差不多天天都擠得滿滿的。公園老窩裡那群鳥兒，固然一隻隻恨不得長出兩對翅膀來，往安樂鄉這個新巢裡直飛直撲，而且還添了不少從前不敢在公園裡露面的新腳色。公園裡月黑風高，危機四伏，沒有幾分潑皮無賴的膽識，真還不敢貿貿然就闖進咱們那個黑暗王國裡去呢。譬如說那一群沒見過陣仗嫩手嫩腳的大專學生、那批良家子弟，有的連公園大門也沒跨過，有的溜進去，也只是掩掩藏藏，躲在那叢樟樹林子裡看看罷了。可是咱們這個新窩巢卻成了這批良家子弟的天堂，他們大搖大擺的走進來，很安全、很篤定。琥珀色的燈光、悠揚的電子琴、直冒白泡沫的啤酒——這個調調兒正合了這群來尋找羅曼史的少年家的胃口。他們好像是到咱們安樂鄉來開大專聯誼晚會的；

兩個是淡江的、兩個是東吳的、好幾個輔仁的、一大群文化的，一個身材健碩穿著緊綳綳藍哥牛仔褲白色愛迪達運動鞋的是體專的高材生，金龍籃球隊的隊長。一個蓄著一頭蝟張的頭髮，唇上兩撇騷鬍髭的是藝專音樂系的天才歌手。他寫了一首歌，叫做「你那雙灼灼的眼睛」。有時晚上，我們打烊了，那群大學生還不肯走，天才歌手坐上了電子琴，自彈自唱起來：

你那隻灼灼的眼睛
炙傷了我的心
你那雙灼灼的眼睛
焚痛了我的靈魂
我舉起雙手
卻捧起一掬愛的灰燼
天已荒
地已老
山已崩
海已傾
可是喲
我的情

為甚麼總也
理不清
燬不盡

天才歌手的聲音激越、哀楚，他歪著頭，長髮披到一邊，閉上眼睛，緊皺起眉頭，兩顴燒得緋紅，好像痛苦得不堪負荷一般，那一群大學生圍著他，仰面張口，聽得著了迷。而我和小玉，一人一把掃帚，卻從地上掃起了一陣冉冉飄起的灰塵。小玉一直暗罵，罵那群大學生還不回家，我們好打烊休息。那些大學生都配成了對，落單的幾個，大概剛失戀。藝專那個天才歌手，他的愛人上個月才離開他去了新加坡，他是台灣大學外文系的僑生，據說人長得很漂亮，而且真還有一雙灼灼的眼睛。

另外還有一種新客人，他們在社會上有地位、有臉面，而且也有妻室兒女。公園裡的兇殺、勒索，幽暗中發生的恐怖事件，唬得他們裹足不前。可是在咱們安樂鄉裡，在溫柔的琥珀色燈光下，這批董事長、總經理、博士教授，卻感到如魚得水，賓至如歸，把他們白天為事業、為家務的煩惱一古腦兒拋掉，在我們這個新窩巢裡，暫且沉醉片刻。這批皮夾子飽滿的中年人，是我們的最佳客人，師傅叮囑我們，一定要加倍奉承，至於那些大學生，三個人分一瓶啤酒，兩袋空空，榨也榨不出幾滴油水來，擺在那兒，當花瓶看看罷了。師傅這幾天笑得合不攏嘴，替我跟小玉一人買了一只浪琴鍍金打火機。那些闊客人抽出一支三個5，我們便趕忙嚓地一下，打著火，金閃閃的浪琴送到客人的面前，又殷勤，又夠氣派。於是我們便趁著他們不在意，暗暗的便替他們把最貴的拿破崙斟得滿滿一杯，一邊聽他們傾吐許多我們似懂不懂的牢騷話。原來這些功成名就有家有室皮夾裡塞滿了百元大鈔的中年人，兩杯下肚，竟也會吐露出他們驚人的煩惱。一個禿頭大肚在板橋開了兩家壓克力工廠的老闆柯金發柯董事長，喝掉了半瓶白蘭地，抽掉大半包紅吉士，扣住我的手腕不放，嘮叨了一夜：他的三個兒子，一個是賭鬼，一個專門追小歌星，最小的一個剛給學校開除，三個兒子甚麼都不會，就會窮花老頭子辛辛苦苦賺來的錢，禿頭董事長激動得直磨牙，恨道：「三個敗家子，歹命啊！」我不停的替他斟白蘭地，點香煙，直到禿頭董事長說完了他的家庭悲劇，打賞了我一百元的小費，在師傅面前大大的讚揚了我幾句，說我服務周到。小玉這幾天特別起勁。因為師傅交給他一個重要客人，要他小心伺候，客人是永興航運公司翠華號的船長。龍船長約莫五十上下，身高六呎，寬肩膀大胸膛，屋子裡一站，豎起一塊大門板似的。大概長年海風吹颳，一身漆黑發亮，好像穿了鐵甲一般，威武異常。他頭一晚來，小玉悄悄笑道：龍王爺來了！龍船長那顆頭確也大得出奇，一臉崎嶇，高額大鼻，一雙銅鈴眼，一張嘴兩排白牙森森，確實龍頭龍臉。可是龍船長的人卻非常豪爽熱情，揪住小玉的腮幫子直打哈哈，叫道：小蜜糖！他的口音帶著濃濁的江浙腔，很像小玉從前的老戶頭老周說國語。翠華號是條貨輪，運石油為主，專走波斯灣到日本的航線。龍船長剛從日本回台灣休假，所以夜夜有空到咱們安樂鄉來買醉。師傅吩咐過，龍船長喝威士忌要給夠量，酒菜一律奉送，不許收錢。師傅看準龍船長是塊無價之寶，與咱們安樂鄉興衰攸關。因為日後安樂鄉的洋酒，都可以托龍船長私帶進口了。一瓶紅牌威士忌可省兩百塊，一瓶拿破崙賺下三百八，這筆開銷，不知要賣多少杯酒才抵得過。咱們安樂鄉的生意，就賺在這些洋酒上。所以師傅對小玉道：

「玉仔，這個人要緊，你替我好生看著，這條大魚莫讓他溜掉了。」

「師傅放心，」小玉笑道，「我把龍王爺的龍蛋抓緊不放就是了。」

在安樂鄉的諸多舊雨新知中，只有一個人不喜歡我們這個新窩巢，他懷念我們的老家，懷念公園裡那片拔去了蓮花的永生池，懷念那一叢叢糾纏不清的綠珊瑚，懷念那深深的黑暗裡，一雙雙飛高飛低螢火蟲般碧灼灼充滿了慾望的眼睛。藝術大師說我們的老窩遍佈原始氣息，野性的生命力，那是一個驚心動魄令人神魂顛倒的幽冥地帶。他結論道：還是咱們那個黑暗王國夠刺激！大師認為我們這個新窩太人工化、太庸俗、太安適。大師不喜歡柔靡聲中琥珀燈下的杯光鬢影。他批評那些大學生：矯作膚淺，沾沾自喜。在他們受過文明洗禮的身上，大師找不到一絲靈感。他最懷念那群從華西街、從三重埔、從狂風暴雨的恆春漁港奔逃到公園裡的野孩子。他們，才是他藝術創作的泉源。大師告訴我，他曾經周遊歐美，在巴黎和紐約都住過許多年，可是他終於又回到了台灣來，回到了公園的老窩裡，因為只有蓮花池裡的那群野孩子，才能激起他對生的慾望、生的狂熱。他替他們畫像，記載下一幅幅「青春狂想曲」。在安樂鄉進門右側電子琴臺的後面，有一片白牆壁，替安樂鄉裝潢的那家勝美裝潢公司，本來在那面牆上掛了一張外銷油畫，畫的是一瓶大紅大綠的大麗花。大師看到，眉頭一皺，說道：「惡俗！」於是我們師傅便乞請大師贈送一張他自己的作品，給我們掛掛，增加安樂鄉的藝術情調。大師說他的畫從來不贈送，不過為了提高安樂鄉的情調，他卻破例借給我們一張作品，懸掛一個月。可是我們沒料到，大師竟肯把他那張傑作「野性的呼喚」，借給了安樂鄉。那是一張巨幅油畫，六呎高三呎寬的一幅人像，畫面的背景是一片模糊的破舊房屋，攤棚、街巷、一角廟宇飛簷插空，有點像華西街龍山寺一帶的景象，時間是黃昏，廟宇飛簷上一片血紅的夕陽，把那些骯髒的房屋街巷塗成暗赤色。畫中街口立著一個黑衣黑褲的少年，少年的身子拉得長長一條，一頭亂髮像一蓬獅鬃，把整個額頭罩住，一雙蚓眉纏成了一條，那雙眼睛，那雙奇特的眼睛，在畫裡也好像在掙扎著迸跳似的，像兩團閃爍不定的黑火，一個倒三角臉，犀薄的嘴唇緊緊閉著，少年打著赤足，身上的黑衣敞開，胸膛上印著異獸的刺青，畫中的少年，神態那樣生猛，好像隨時都要跳下來似的。我第一眼看到這張畫，不禁脫口驚叫道：

「是他！」

「是他。」大師應道，大師那張山川縱橫的臉上，突然變得悲肅起來。

「我第一次見到他，是在公園裡蓮花池的台階上，他昂首闊步，旁若無人的匆匆而過。我突然想起燒山的野火，轟轟烈烈，一焚千里，撲也撲不滅！我知道我一定得趕快把他畫下來，我預感到，野火不能持久，焚燒過後，便是灰燼一片。他倒很爽快，一口答應，也不要報酬，只有一個條件：要把華西街龍山寺畫進去。他說，那就是他出生的地方。那張畫是我最得意的作品之一。」

大師的得意之作終於掛上了安樂鄉那面白壁上。畫中那雙閃爍不定的眼睛，像兩團跳動的黑火，一逕怨忿不平似的俯視著安樂鄉裡的芸芸眾生。於是在琥珀迷茫的燈光下，在楊三郎倏然地揚起的電子琴聲中，在各個角落的喁喁細語裡，公園裡野鳳凰那則古老滄桑的神話，又重新開始，在安樂鄉我們這個新窩巢中，改頭換面的傳延下去。

9

「龍王爺是個老可愛！」小玉喜孜孜的告訴我道。

這幾晚小玉都跟我回錦州街麗月那裡去睡，我們沖完澡，坐著抽煙閒聊的當兒，小玉就興高采烈的大談龍船長一生的傳奇故事。麗月把安樂鄉稱做「水晶宮」，她說我們這些「玻璃貨」都升了格，漲了價，變成「水晶玻璃」了。她一直嚷著要加我們的房租，她指著小玉笑道：

「玉仔，你好運氣，在水晶宮裡又遇見了海龍王，我看你快要成仙了！」

小玉說龍王爺是寧波人，從小便跑到上海黃浦灘頭去混生活。後來一個猶太佬看上他，教了他一口洋涇浜英文，把他推薦到一艘外國船上去當僕歐，十八歲便下了海。那條船叫「康悌浮弟」，是一條來往上海香港義大利豪華郵輪，派頭大得唬人，龍王爺說他在船上飯廳伺候那些老爺奶奶們時，是穿著燕尾禮服的，而且還戴上白手套，腳下是光可鑑人的黑漆皮鞋，走起路來喀噔喀噔響——我想不出龍船長穿了燕尾禮服的模樣，不過他塊頭大，大概也挺神氣吧——而且菜單上一道湯就有十幾種名式，都是法國字，有些上海財主到船上去開洋葷，連點兩三道湯，也是常有的事。龍王爺在「康悌浮弟」上熬了幾年，船上的規矩全學會了，便跳槽到了那條有名的鬼船「太平輪」上去當三副，才上去一年，上海便亂了。民國三十七年冬天太平輪最後一次從上海航行香港，船上擠滿了上海有錢人，有些綁了一身的鑽石美金。哪知道「太平輪」一出港，便觸了礁，沉到了海底去，船上的乘客無一生還，那些上海有錢人帶著他們的黃金珠寶，都真的去見了海龍王——只有龍王爺一個人逃過了死門關。

「為甚麼？」我和麗月不禁齊聲問道，小玉滿臉得色賣了一陣關子，說道：

「開船的前一刻，龍王爺在甲板上正在指揮水手運貨，突然腳下一滑，好像有人從背後推了一把似的，一跤摔下去頭便碰到鐵欄杆上，撞得他眼前一黑。當場暈了過去，等他安了神睜開眼一看，甲板上那些水手，一個個的頭都不見了。」

「玉仔！」麗月指著小玉正色道：「鬼月才過，深更半夜，你少來編這些鬼話。」麗月甚麼都不怕，就是怕鬼，她每次夢見她死去的老爸，總要去買香燭冥錢，大燒一輪。

「真的嘛！」小玉笑嘻嘻說道，「是龍王爺說的嘛，他說那些水手穿著白制服的身體，一個個還在走動呢！他感到一陣噁心，膽水都吐了出來，所以才臨時下了船，逃過了那次大難。」

「我看你說得眉飛色舞，乾脆你也跟了你那龍王爺上船出海，去見那些無頭鬼去！」麗月說著，倏地立起身來，悻悻然走出了我們的房間，我跟小玉都拍手大笑起來。自從麗月把小弟攆走以後，我對她一直心懷不滿，有時也會藉故給她一點難堪。我看見小玉作弄她，不禁感到一陣幸災樂禍的快意。

「小玉，師傅該頒獎給你了！」我和小玉熄了燈，一齊躺下後，對小玉說道，「你這幾天猛灌龍王爺的迷魂湯，把老龍迷得昏陶陶的，我看你甚麼招數都使了出來，就還差沒去舔他的卵泡！」

「他要我舔我也幹呀！」小玉說道。

「你那麼下作！」我笑道。「龍王爺給了你甚麼好處了？」

「你懂甚麼？」小玉冷笑了一聲，「你知道這個人有多重要？」

「師傅要他替咱們帶私酒麼。」

「私酒不私酒，與小爺卵相干！」小玉猛然翻過身來，「阿青，我跟你說，這個老龍頭，可能就是我命中救星了！」

「你又在打甚麼歪主意啦？」我知道小玉工心計，專門釣大魚放長線。

「時機還沒到，本來不打算告訴你這個驢頭聽的。」小玉乾脆坐起身在黑暗中，窸窸窣窣摸出了香煙，打火機，點起煙來，「我昨天早上到中華路烹飪學校去報名，參加速成班三個星期就領到證書了。今天上午才去上第一課：刀工，切、剁、片、削、劖，全試過了。我考考你，牛肚子怎麼切？直切還是橫切？」

「直切吧。」

「蠢材！」小玉咯咯的笑了起來，「直切就咬不動了。今天我們還學做了一道菜：水晶雞。我們老師嚐了一輪，直誇我做得最入味。我沒告訴她：咱們是水晶宮裡出來的，當然會做水晶雞嘍！」

「你學燒菜幹甚麼？」我也坐了起來。

「學個一技之長有甚麼不好，」小玉把手中的香煙遞給我，「等到年老色衰，沒有人要了，就去替人家燒飯去。老實告訴你，阿青，龍王爺的翠華號要招一名二廚——」

「罷、罷、罷，」小玉還沒說完，我便止住他道：「你這麼個金枝玉葉的人兒，船上那種苦是你吃得了的？我看上船就讓那些爛水手姦掉了！」

「媽的，說你不生性，」小玉有點發急了，「你等小爺說完再放屁也不遲。小爺是甚麼人？服侍那些爛水手麼？前晚，龍王爺無意透露翠華號原來那個二廚失蹤了，是在東京跳船的。我一聽，差點昏了過去，趕快拿話套他，他說跳船的事常發生。東京新宿有一家中華料理大三元，老闆就是翠華號的跳船三副。阿青，別人會跳，我不會跳麼？我到了東京，比誰都跳得快！」

「嘖、嘖，」我嘆息道，「小玉，你還沒有死心呵？原來還想做你的櫻花夢哪！」

「我為甚麼要死心？我為甚麼要死心？」小玉嚷了起來，「我的人死了燒成灰，這個心也不會死！就是變了鬼，我也要飛過太平洋去的！不錯，上回成城藥廠的林樣，沒能帶我去成日本，叫我傷了好一陣心。你以為我就那樣算了麼？我不講罷咧，我心裡天天在轉念頭，一旦有機會，哪怕上刀山下油鍋，也嚇不住我王小玉，上船吃點苦算甚麼？我下午去了三重，見到我阿母，都跟她說了，她說：『你現在有份工作，不好好做，又起那個怪念頭；萬一跳船不成，給日本政府抓去關起來，怎麼辦？』說著一把鼻涕一把眼淚，哭完了她卻褪下她腕上那只寶貝金鐲頭來，那是我那個死鬼阿爸資生堂的林正雄在東雲閣追我阿母的時候，給他的定情禮，鐲頭內側刻著我阿母王秀子及我阿爸的日本名字『中島正雄』。我阿母把那只金鐲頭塞給我，她說：『你去成東京，萬一找到那卡幾麻，你把這只鐲頭拿出來，他就會認你的。如果找不到，賣掉當路費回來，免得流落在外國。』」

小玉興高采烈講了一大堆計畫，好像明天就要跳船了似的。

「阿青，」我們說完話，睡下了小玉又推醒我。每次他來跟我睡，都鬧得我睡眠不足。

「甚麼事？你跳船還不夠，難道還要去跳海不成？」

「下個月我要到台大醫院去割盲腸去。」

「最好連大腸小腸一齊割掉，」我沒好氣的說，可是卻又耐不住好奇起來，「為什麼要割盲腸？」

小玉嘆了一口氣，說道：

「龍王爺說的，翠華號新招的船員，統統要先割盲腸。因為怕上了船，萬一害盲腸炎，沒有人會開刀。」

10

傅崇山傅老爺子家的老女傭吳大娘上菜場的時候滑了一跤，右腿骨節脫了臼，送到醫院裡接骨上了石膏，要休養一個月，她那當軍人的兒子便把她接回家裡去了。傅老爺子打了單，一切家務便得自己動手。我們師傅去探望老爺子，看見傅老爺子正在客廳裡擦地板，他蹲在地上，駝背高高拱起，雙手揪住抹布抖簌簌的來回擦，累得一頭的汗。師傅趕緊把傅老爺子攙了起來，向他建議，找一個人，暫時頂替吳大娘，師傅提了我，說我老成。傅老爺子起初不肯，後來師傅又編說我給房東攆了出來，正找不到地方住，求傅老爺子暫且收容，傅老爺子才答應了。麗月倒沒有攆我，但卻把房租加了一倍，伙食也加了三成。麗月紐約吧裡一個姐妹淘倒會，倒掉麗月兩萬塊，麗月心疼得哭了又罵，罵了又哭，而且阿巴桑吵著加薪，並且威脅要離去幫「中國娃娃」的露露做廚娘，一連串破財的事，弄得麗月情緒極惡劣。加房租的時候，很不客氣的對我說過：「你要嫌貴，就搬走好了。」當我把遷入傅老爺子家的消息告訴麗月時，她倒反而有點過意不去，叫阿巴桑做了幾味我素日愛吃的小菜，把小玉也叫了來，替我餞別，她舀了一瓢酸菜炒魷魚，擱在我碟子裡，說道：

「你要憑良心，阿青，你在這裡，麗月姐沒有虧待你，你現在有了好去處，莫要過河拆橋，出去盡說麗月姐的壞話！」

「怎麼會呢？」我連忙笑著分辯道，「你不信問小玉，背後我總是說麗月姐是個大好人！」

「阿青說，麗月姐是我們的觀音媽！」小玉笑嘻嘻響應道。

「我不信！」麗月噗哧一笑，「兩個小玻璃，串通好了的。阿青這麼急急忙忙搬出去，一定是心裡怨我了。要不然，最近怎麼老跟我過不去？」

「麗月姐把人家的命根子弄走了，怎麼怪他怨你？」小玉搶著說道。

「甚麼命根子？」麗月詫異道。

「你把他那個小神經郎趕走了，他傷心得要命！」

「啊呀，」麗月喊了起來，「那個小神經，連屙屎屙尿都不會，撒了一屋子。而且又傷了我們小強尼，那種東西能留的麼？阿青有甚麼本事，養得活那樣一個白癡仔？」

「你不要聽小玉胡說，」我有點不好意思起來，「我搬出去，完全是為了傅老爺子。他現在一個人，沒有人照顧，身體又不太好。傅老爺子救過我們出牢，現在去陪陪他，也是很應該的麼。」

麗月瞅著我，點頭嘆道：

「看不出你這麼個玻璃貨，還有點良心。」

我把擱在床底小玉那只破皮箱拖了出來，將小玉的東西統統抖出來堆在床上，自己那些衣服什物，胡亂往裡一塞，箱子的鎖壞了，闔不上，我向阿巴桑要了一捲麻繩，將破皮箱綑綁起來。阿巴桑又替我找來了一個網袋，將我的面盆、漱口盂、兩雙舊鞋子，都網好，袋口打一個結，掛在我左手臂上。麗月懷裡抱著小強尼，送我到門口，她用手舉起小強尼一隻白胖的膀子搖了兩搖，教他道：

「Bey-Bye——叫舅舅 Bey-Bye-。」

「Bey-Bye-。」小強尼突然咯咯地尖笑起來叫道，他那一雙綠玻璃球似的眼睛眨巴眨巴，也在笑。

「Bey-Bye-。」我也禁不住笑了。

11

傍晚我把兩件破行李先運到傅老爺子家，暫時擱在玄關，再趕去安樂鄉上班，師傅放了我兩個鐘頭假，十點鐘就讓我先走。傅老爺子一直在家裡等候著，我回去後，他叫我把行李搬進房裡。那間房緊靠著傅老爺子自己的臥室，六個榻榻米大，床鋪桌椅都是齊全的，床上墊了草蓆，連被單枕頭套也好像剛換過，房間打理得異常整潔，我從來沒有住過這樣舒適像樣的一間臥房。自從離家以後，在錦州街那間小洞穴裡蝸居了幾個月，總覺得是一個臨時湊合的地方，從來也沒有住定下來，何況常常還不回去，在一些陌生人的家裡過夜，到處流蕩。

「這就是你的睡房了，」傅老爺子跟進來說道，「這間房別的沒有甚麼，就是窗口朝西，下午有點西曬——我把一面竹簾子找了出來，明天你自己掛上吧。」

傅老爺子指了一指一卷倚在窗下的竹簾子，簾上的綠漆都已剝落，大概很舊了。他又駝著背吃力的彎下身去，從床上掣出一只盛蚊香的瓷盤子，盤子裡的鐵皮架上放著一餅三星蚊香。

「園子裡有水池，蚊子多，晚上睡覺，你把蚊香點起來，」傅老爺子吩咐我道，他在房間裡巡視了一遭，東摸摸，西看看，似乎挑不出甚麼毛病了，才對我說道：

「你先住進來，如果發覺還缺甚麼，再向我要好了。」

「老爺子不必操心，」我趕忙應道，「這個房間太好了。」

傅老爺子走到那張書桌前面停了下來，書桌上擺著一套英文書，一台收音機，一個鬧鐘，還有一架銅製的高射砲模型。

「這本來是我的兒子傅衛的睡房，這些東西都是他留下來——」傅老爺子停了一停，他那拱起如小山丘的背一直向著我，他那顆白髮蒼蒼的頭，壓得低低的，伏在桌面上，「你要用都可以用。」

說著他又顫巍巍的，蹭到壁櫥那邊，拉開紙門，半個壁櫥裡，都掛滿了衣服，傅老爺子撈起一兩件，查視了一下，自言自語道：

「該拿出去曬一曬，都發霉了。」

他回頭朝我打量了一下。

「你的身材倒跟傅衛差不多，這些衣服你可以穿。」

「用不著了，」我趕忙推辭道，「我自己有衣服。」

「冬天的也有麼？」傅老爺子問道。

我一下子語塞，支吾了兩句，我的破衣箱裡，只有幾件單衣。傅老爺子從衣掛上卸下一件人字呢咖啡色的西裝外套，要我穿上試試，我把外套穿上，傅老爺子瞅了我半晌，唔了一聲。

「還合身，就是袖子長了些。他的衣服，我都送給別人了，就還剩下這幾件，過個冬，也夠了。」

我看見壁櫥還掛著一襲草綠色的粗呢大衣，一件黑色皮夾克，還有幾件舊毛衣，大概很久沒有人穿，透出一股強烈的樟腦味。我把西裝外套掛回原處，傅老爺子把壁櫥門仍舊拉上，然後引著我回到客廳裡去。

「阿青。」

我們坐定後，傅老爺子端起擱在茶几上的一杯茶，啜了一口，若有所思的喚我道。

「你搬了進來，就把這裡當你自己家一樣，不必太拘束。」

「謝謝老爺子。」我應道。

「楊金海跟我再三提起，說你很老成，可以搬進來給我做伴。吳大娘年紀大，那一跤摔得不輕，一下子恐怕好不了。近來我的身體也不大好，重事勞累不得，你來了，正好可以幫幫我的忙。」

「老爺子有甚麼事，只管吩咐我好了。」

「我這裡也沒有甚麼煩事，」傅老爺子微笑道，「就是燒兩餐飯，打掃庭院一些家務，不知道你做不做得慣？」

「從前在家裡，也要幫著父親做家務的，」我解說道，「只是飯燒得不太好——」

「不要緊，」傅老爺子笑道，「我吃得粗淡，每餐兩樣青菜豆腐就夠了。」

「青菜豆腐，倒還會炒，」我也笑了起來。

「聽說你也是軍人子弟呢？」傅老爺子沉思半晌抬頭問道。

「我父親從前在大陸當過團長的——不過，到台灣來給革了職，因為他被俘擄過——」提到父親，我又不自在起來，說話也開始有點口吃了。

「他是哪個兵團的，你知道嗎？」

「我搞不大清楚，」我搖頭道，父親曾經提過的，不過他提到他那個兵團抗日的光榮歷史，總是激動得口齒不清，「我只記得他說過他們的兵團司令是章淦。」

「哦，是章淦兵團，」傅老爺子點頭道，「那個兵團是川軍，抗戰的時候，很有表現，長沙那一戰打得很好。」

「『長沙大捷』父親還受過勳呢，」我突然記起父親那只小紅木箱裡鎖著的那枚生了銅鏽的寶鼎勳章來。

傅老爺子卻嘆了一口氣，說道：

「他那個兵團，後來運氣不太好。」

「父親說，連章司令也被俘擄了。」

「是的，整個兵團覆滅了，」傅老爺子感慨的嘆道。

「你家裡還有些甚麼人呢？」傅老爺子轉了話題。

我告訴他母親跟弟娃已過世，只剩下父親一個人。

傅老爺子一雙鐵灰的壽眉緊皺在一起，說道：

「楊金海告訴我，好像你們父子有點不和——」

我的頭垂了下去，避開了傅老爺子那雙一直淌著淚水眊矇的眼睛。

「你父親一下子在氣頭上，過些時，等他氣消了，你還是該回去看看他。」

我一直低垂著頭，沒有做聲。

「先去洗個澡早點休息吧，」傅老爺子立起來，走到我的身旁，拍了一拍我的肩膀。

我沖完澡，回到房中，把帶來的兩件破行李稍微整理了一下，將蚊香點了起來，熄燈上床，書桌那只螢光鬧鐘已經到十二點半。或許是換了新地方，一下子很難入睡。窗外大概就是那個浮滿了葫蘆花的水池子，不停傳來嘎嘎的蛙鳴。隔壁傅老爺子大概也睡得不安，我聽見他起身兩三次，去上廁所，他趿著拖鞋的腳步聲，由近而遠，由遠而近。我記得在家裡夜半三更也常常聽到隔壁房父親踱來踱去的腳步聲。因為板壁薄，父親房中的動靜，我躺床上，聽得真切。母親離家出走的頭兩年，父親的脾氣及行動都變得異常乖張。常常在深夜裡，他會突然從床上一跳起來，好像中了魔一般，在房中走來走去。他的腳步那般急切、沉重，好像鐵籠裡的困獸，在不停的打轉似的。我在隔壁，躺在黑暗裡，凝神屏息的聽著父親磕、磕、磕的腳步聲，突然會感到一陣莫名的緊張，就是冬天，額上的冷汗也會猛然沁出來。

12

一覺醒來，已經快十一點鐘，我趕忙起身胡亂穿上衣服，匆匆走出房間，傅老爺子坐在客廳裡戴著一副老花眼鏡在看報紙，他身上穿得很整齊，外面罩了一件深藍對襟夾背心，好像準備外出的模樣。

「我看你睡得很甜，沒有叫醒你，」傅老爺子放下報紙，對我微笑說道。

「不知怎的，一下睡過了頭，」我有點不好意思起來，昨晚矇過去的時候，恐怕都快天亮了。

「我清早出去散步，在巷口那家西點鋪買了兩罐克寧奶粉回來，你去沖一杯來喝吧，奶粉就擱在冰箱上頭，暖水壺裡有熱開水。」傅老爺子仔細的交代道。

「老爺子也要喝一杯麼？」

「我不喝那種東西的，」傅老爺子擺手道，「時候不早，就要吃中飯了。」

「中飯我來做，」我趕忙接口道。

「咱們隨便點吧，吃麵條好了。冰箱裡還有幾碟剩菜，是你們師傅送過來的，回頭拿出來熱一熱就行了。」

「我這就去燒水煮飯。」

「不急，」傅老爺子止住我道，「你先去喝杯牛奶再說。」

「好的，」我應道。

我去開了一罐克寧奶粉，用熱水，濃濃的沖了一杯。從前在家裡，隔壁巷子黃嬸嬸有時候會送一罐奶粉給我們。那是公家配給的脫脂奶粉，據說是美援的。父親不喝，都是我跟弟娃兩人吃掉。脫脂奶粉的味道很差勁，淡淡的，沒有甚麼奶香。克寧奶粉大不相同，是正宗美國貨，不放糖，也有一股甘芳。我喝完奶粉，發覺傅老爺子在廚房裡，翻箱倒櫃。

「吳大娘那個老太太，東西收得真緊，我總找不到，」傅老爺子佝著背踮起腳，喘噓噓的去開碗櫃，一面嘀咕道。

「讓我來，老爺子，」我趕緊跑過去，把碗櫃打開。

「我記得她把麵條放在最高一層。」

我伸手去碗櫃最上層，摸了一下，果然搜出了一大包乾麵來。

「老太婆怕蟑螂偷吃，藏在那個上頭，蟑螂有翅膀，要飛還不是飛上去？」傅老爺子笑道。

我燒了水，把麵放在鍋裡。又把冰箱裡的幾碟剩菜拿出來，在扁鍋裡翻炒了一下。麵煮好撈起來，盛到碗裡，又灑了幾滴麻油醬油。

「看你這個樣子，從前大概是下過廚房的。」傅老爺子立在一旁，微笑道。

「在家裡，父親上班，是我燒飯的時候多。我上夜校，晚上才去上學。」我也笑道，「父親也愛吃麵條，我們常吃擔擔麵，辣子花生醬一拌就行了。」

我跟傅老爺子兩人在廚房裡一張小飯桌坐下，一同共進午餐。傅老爺子告訴我，下午他要到中和鄉靈光育幼院去，幫忙照顧育幼院裡的那些孤兒。他說靈光育幼院的院長找了好幾位老先生老太太到院裡去義務幫忙。這些老人大都是大陸人，有的兒女留在大陸，有的兒女早已長大離開了。他們的家境都還不錯，只是晚年寂寞，到育幼院，精神有所寄託。

「我也是三年前才開始到靈光育幼院去的，」傅老爺子吃完麵，我奉上一杯熱茶，他啜了兩口，緩緩的說道，「他們的院長到處募捐，把我們幾個人請到育幼院去參觀。那些孩子都養得活活潑潑、蹦蹦跳跳，很討人喜。可是我卻在一個角落，發覺了一個畸形嬰兒。他沒有手臂，身上穿的衣服兩截空袖子垂下來，甩盪甩盪。那時他只有三歲，走路都走不穩，跌跌撞撞。我看見他一跤摔在地板上，因為沒有手臂，在地板上滾來滾去，爬不起來，急得一臉通紅。我趕忙過去，把他抱起，他一頭撞進我懷裡，哇的一聲大哭起來。好像把一肚子與生俱來的委屈都哭了出來似的。院長告訴我，那個畸形兒是個棄嬰。襁褓裡就給他父母丟棄在育幼院門口。不過那個嬰兒特別奇怪，生下來就沒有手臂的。我可憐他，當場就捐了一萬塊，特別指定給那個畸形兒。」

傅老爺子那滿佈蒼斑的臉上，漾起一抹悲憫的笑容來。

「說來也奇怪，回家後，我卻老忘不了那個畸形兒。在育幼院裡，院長把那個畸形兒的袖子撈開給我看，兩個肩膀光禿禿的，好像手臂讓人家斬斷了一般。我一想起他那光禿禿的肩膀，心裡就難過。過了兩天，忍不住又到靈光育幼院去看他去了。沒料到愈去愈勤，竟去了三年——」

傅老爺子搖頭微笑立起身，走到客廳門口，從門背後掣出了一根藤枴杖來，駝著背踱向玄關，我送他出大門時，他好像又想起了甚麼似的補充道：

「他本來沒有名字的，我叫他傅天賜。」

13

我在傅老爺子家，做了一個下午的雜事。打了一桶水，把客廳的地板擦亮，廚房的爐灶洗乾淨，垃圾倒掉，才換上制服，到安樂鄉上班。師傅見了我，迎面就訓了一頓：

「我把你薦到傅老爺子那裡，說了你一籮筐的好話。你也要爭口氣，這一回無論如何莫讓師傅再丟臉。你在老爺子那兒有吃有住，天堂似的。自己也要識相，少年家勤快些，多做點事，身上不會去塊肉的。」

「人家剛才擦好地板，洗完廚房才過來，師傅不信，去問老爺子看，中飯還是我下廚燒的呢！」我笑著答道。

師傅把嘴一撇，說道：

「新開張的茅司三天香！你剛過去，想表現，做些表面功夫也是有的。我是要你拿出真心來，好好服侍那個老人家，晚上莫睡得那麼死，老爺子叫喚，也聽著些。」

「知道了，」我應道，「師傅讓我先試一個月，我犯了甚麼錯，再來說我也不遲。」

「你莫得意！」師傅喝道，「要是老爺子有半句怨言，我自然把你換掉。」

「換掉他，我去代替！」小玉笑著接嘴道，他在酒吧檯後面用一塊毛巾在揩拭酒杯。

「你麼？」師傅嗤笑了一下，「你那些花花巧巧的言語舉動，只有去哄哄盛公那個老花蝴蝶兒。傅老爺子是正經人，用不著你那一套。」

「師傅此言差矣！」小玉笑道，「我正經起來，比誰都還正經，師傅沒看見罷咧！我要去服侍老爺子，只怕比他的親兒子還要孝順呢！」

「此刻你另有重任。我問你，龍船長那裡的消息，你替我打聽好了沒有。」

「沒問題，師傅。龍王爺說他們公司經常有幾條船泊基隆。上個月還有一條在基隆外港把兩箱紅牌威士忌踢到海裡頭。貨是不會缺的，下一次有船進港，龍王爺說他替我們留意就是了。」

「一有消息你就先告訴我，我來和老龍談價錢。」

師傅又督促吳敏把煙碟缸洗刷乾淨，點了一下，卻少了一只葡萄葉形的瓷煙碟。吳敏承認，是他失手打破了。

「三十五塊一只，你賠出來就是了！」師傅瞧也不瞧吳敏一眼，逕自走到後面，豁瑯一下，把廁所門打開。

「老鼠呢？」師傅在裡頭喝道。

「老鼠今天還沒來上班，」小玉在外面大聲答道。

師傅氣沖沖的跑出來，一行罵道：

「回頭那個死賊來了，我就把他丟到廁所尿池子裡去，活活溺死！廁所塞住了，也不來報告。裡面臭氣沖天！咱們安樂鄉這塊招牌也要讓他給砸掉了呢！」

安樂鄉的自動門轟隆一下打開，老鼠一頭便撞了進來。師傅趕上去，正要舉起扇子，手卻在半空中停住了，我們每個人都放下了手中的活兒。老鼠懷中緊緊摟住他那只百寶箱，走一步，晃兩下，好像喝醉了酒一般，踉踉蹌蹌，身上卻簌簌地抖成了一團。

「老天爺！」師傅叫了起來。

老鼠身上那件白襯衫給撕得絲絲縷縷，破了好幾處，胸前印著斑斑血跡。老鼠整個臉都變了形，兩片嘴唇腫得烏紫，翻了起來，左眼鼓腫，像只熟爛了的硃砂李，瞇成了一條縫，鼻梁也腫得寬了一倍，一張臉青紅紫，都是傷痕。我們一夥兒都圍了上去。老鼠兩片厚腫的嘴唇開翕了幾下，牙關上下直打顫，迸出嘶嘶的聲音來。

「烏鴉——烏鴉——烏鴉——」

老鼠那隻細瘦的手臂緊緊的環抱著他胸前那只百寶箱，歪著頭，梗著脖子，那張鼻青眼腫的臉很不遜的揚起，嗚哇嗚哇，他好像急怒攻心迷了本性的，語無倫次的叫道。

「你這個樣子見不得人，」師傅皺起眉頭，「快躲到廚房裡去吧，客人們馬上就要來了，你這個小賊是欠揍，不過你那個流氓老哥也太狠了，下這樣的毒手。」

「師傅，我帶他到傅老爺子那兒，休息一下好了。」我建議道。

「也好，」師傅想了一下點頭應道，「你對老爺子說得婉轉些，不要太驚動了他老人家。」

我叫了一輛計程車，把老鼠送到傅老爺子家。傅老爺子大概剛從中和鄉回來不久，他看到老鼠那副模樣，馬上拉了他到燈下，仔細端詳了一番，說道：

「我有田七粉，我去拿來給你敷一敷，先止止痛。」

傅老爺子佝著身顫巍巍的趦到房中去，拿出一包田七粉來。

「阿青。」傅老爺子吩咐我道，「你到廚房裡，把灶頭上那瓶燒酒拿來，拿只酒杯、一只醬油碟來。」

我到廚房裡，把燒酒跟杯碟拿到客廳。遞給傅老爺子，傅老爺子把田七粉倒在醬油碟裡，和上燒酒，拌成糊狀，用手指頭醮了抹在老鼠臉上的傷腫上，抹得老鼠一臉好像上了一層粉似的，白一塊黃一塊。搽完傅老爺子又沖了半杯燒酒加上田七粉，要老鼠喝下去。

「你坐下來，把這杯藥酒慢慢喝掉，發散一下瘀血，過兩天，就會消腫了。」

老鼠開始還不肯放下手裡那只百寶箱，死死摟在懷裡，我過去在他耳邊叫道：

「你把你那只寶貝箱子交給我好了，這兒沒有人搶你的。」

老鼠瞄了我一眼，很勉強的把他那只百寶箱交出來，接過傅老爺子的藥酒，坐到椅子上，一口一口慢慢喝起來，喝一口便唉的嘆一口氣。傅老爺子定定的望著他，說道：

「怎麼打成這副德性？」

我把烏鴉兇神惡煞的形狀說了一個大概。

「你去上你的班吧，」傅老爺子交代我道，「留下他在這裡，陪我吃飯。」

14

回到安樂鄉，裡面已經來了不少客人。我向師傅報到後，便到酒吧檯後面去幫小玉。小玉一個人在那裡又要配酒，又要招呼客人，忙得不可開交。我一過去他就趕忙把酒瓶塞給我，說道：

「威士忌加蘇打，」然後又悄聲問道：「老鼠怎麼了？那個小賊給烏鴉揍得失魂落魄，我早就料到會有這一天，算他運氣，還沒打廢掉。」

「老爺子給他敷了藥，我看不要緊的，倒是虧了他，怎麼把他那只百寶箱也給搶了出來。」

「那是他的命根子，他肯不帶出來？」小玉又悄悄在我耳邊笑道：「俞先生今晚問起你好幾回了，我告訴過他，你一會兒就回來，他直不放心，念著你，說：『李青呢？他今晚還會來麼？』你快過去招呼他去吧。」

我抬頭望去，看見俞先生俞浩坐在吧檯的末端，正朝著我微笑，我趕緊走了過去，跟他打招呼。一連好幾晚了，俞先生到安樂鄉來，總坐在吧檯來找我聊天。他在一個專科學校當講師，教英文。俞先生大概三十七、八歲，身材很挺，高高的個子，寬肩膀，非常神氣。他從前在學校裡愛運動，是游泳健將。俞先生也是四川人，四川重慶，我告訴他我是半個四川人，他就叫我「青娃兒」。我學了幾句我父親說的四川土話，父親生氣的時候，就會罵一聲：媽那個巴子。俞先生大笑，說我說的是台灣四川話。

「青娃兒，」俞先生向我招呼叫道，「你看，我給你帶了甚麼東西來？」

他把一只牛皮紙的封套遞給我，我打開一看，是諸葛警我寫的《大熊嶺恩仇記》，一套四本。

「哇！俞先生，棒透了！」我興奮的叫了起來。上次俞先生來，我們談起武俠小說。他說他也是武俠迷。他問我喜歡看哪一家的，我說了幾個人，也提到諸葛警我。他那部《大熊嶺恩仇記》，我只看了頭二集，是在我們龍江街那家專租武俠小說的書鋪租來的，我跟弟娃兩人輪流看，他先看頭集，我看二集，然後兩人交換。可是我們還來不及去租三、四集，弟娃就病倒了。《大熊嶺恩仇記》我總也沒有看完。這部武俠小說是諸葛警我的成名作，故事是講明朝末年，清兵入關，一個叫萬里飛鵬丁雲翔的大俠士，率領一家老幼及門下子弟逃出京城，可是半路卻把一個最小的兒子走丟了。丁大俠後來逃到了雲貴邊境大熊嶺上隱居起來，一面暗結天下江湖義士，招兵買馬，以圖反清復明。丁家那個小兒子卻被清兵的大將鄂爾蘇擄了去改名鄂順，二十年後變成了清兵一員驍將，帶領清兵赴大熊嶺征討丁家莊。第二集剛寫到萬里飛鵬兩父子第一次交鋒。

「後來怎麼樣？萬里飛鵬勝了還是敗了？」我翻著手裡的《大熊嶺恩仇記》第三冊，急切的問俞先生道。

「你回去慢慢自己看嘛，講給你聽就沒有意思了。」俞先生笑道，「我下午去逛書攤，看見這套書，我記得你提過，所以就買了來給你。」

「謝了，俞先生。」我敬了一個禮，「諸葛警我的小說我最愛看。我還看過他的《天山奇俠傳》和《星宿海浮沉錄》。」

「青娃兒，你的武功滿要得的嘛，」俞先生笑道，「那兩部小說我也看過，不如《大熊嶺》，丁雲翔父子鬥法，曲折慘烈，真是驚心動魄——」

「俞先生，剛剛你還教我自己回去看，現在又來吊人家胃口了！」我恨不得馬上把《大熊嶺恩仇記》的三、四集一口氣啃完。

「好、好，我不再提了，」俞先生笑道，「青娃兒，你去拿瓶啤酒來，你陪我喝一杯，怎麼樣？」

「我們上班不准喝酒的，」我悄聲說道，「這是我們老闆楊教頭的規定。」

「不要緊，」俞先生揮了一揮手，「回頭你們老闆找你麻煩，我來替你擋掉。」

我去拿了一瓶冰啤酒，多拿了一只玻璃杯來，把啤酒斟上，我舉杯敬俞先生道：

「來，俞先生，我們敬萬里飛鵬一杯！」

俞先生呵呵大笑起來，跟我兩人咕嘟咕嘟把一杯啤酒都飲盡了。我又去拿了一碟油炸花生來過酒，陪著俞先生喝啤酒，擺龍門陣。安樂鄉裡人聲嘈雜，小玉那邊龍船長龍王爺帶來了幾個海員，喝么呼六的，在那裡猜拳。盛公這幾天有點感冒，進來的時候，穿了一件駝絨背心，師傅特別為他熬了一碗薑糖水，陪了他坐在一角聊天。楊三郎仍舊戴著他那副墨黑的眼鏡，仰著面，奮力在奏著一曲曲沒有人注意聽的古老的台灣曲調。

「青娃兒，」俞先生臨走時湊近我的耳朵叫道，「過兩天，我請你去吃川味麵。」

「萬歲！」我也湊近俞先生的耳朵叫道。

15

回到傅老爺子家，已是半夜。傅老爺子早已安息，我進到房中，老鼠卻還沒有睡，他穿了一身汗衫內褲，盤起腳，坐在我的床上，他那只百寶箱裡的那些寶貝統統倒了出來，擺得一床。老鼠坐在他那些寶貨中央，東翻翻，西弄弄，清點贓物。

「幹伊娘！」老鼠自言自語咒罵道，「一定是她偷的。」

「你在罵誰？」我問道。

「爛桃子！還有誰？」老鼠猛然抬起頭來，他的左眼一圈烏青腫得只剩下一條縫，右眼倒瞪得老大，而且目露兇光。他那一臉敷了田七藥粉，斑斑爛爛，兩片嘴唇腫得翻了起來。

「到底怎麼搞的？你這個小賊頭，怎麼反倒失竊了？」

「阿青，我那管派克五一十金管子的，你還記得麼？」

「是不是高雄那個飯店經理的？」

「不見了，不見了啊！」老鼠叫道，他的聲音充滿了痛楚。

「我當時不是叫你拿去當掉，我們去吃吳抄手，你不幹，現在還不是白丟了？」我在床沿上坐了下來。

「我天天都要檢查一次的，今天早上我發覺我箱子的鎖給人撬開了。還有一只『寶露華』、幾只戒指，一條鍊子，也不見了。我急得發昏，別的還無所謂，我那管派克五十一，我那管派克五十一——」老鼠一面叫著，快要哭出來了。

「你怎麼知道是爛桃子偷的呢？」

「不是她，還有誰？」老鼠憤怒的喊道，「烏鴉雖然兇，但是偷東西他是不幹的。我那間房裡，只有爛桃子常常去。我去問她，她惡人先告狀，噼噼啪啪打了我兩個耳光，跑到我房裡，舉起我那只箱子，就要往窗外丟。我揍她、踢她，把箱子從她手裡搶了下來——」

老鼠突然舉起他那隻燒起過煙泡的細瘦膀子，喊道：

「哪個敢碰我的百寶箱，我就跟他拚命——」

「噓——」我趕快止住他，「小聲點，老爺子睡覺了。」

老鼠激動得氣喘喘的，說道：

「烏鴉以為我還怕他呢，不怕！老子甚麼人都不怕了！」

老鼠頭一歪，脖子一梗。

「他也跑來幫爛桃子，要奪走我的箱子呢！我咬他，咬掉了他一塊皮。他們兩個人打我、打我——」

老鼠一隻手猛打自己的頭。

「他們打死我也奪不走我手裡抱著的箱子！」

老鼠嘿嘿的笑了起來，還得得意的模樣。

「後來烏鴉拿我沒法子，只得把我趕了出來。」

「好了，這下子你也無家可歸了！」

「怕什麼？」老鼠突然變得非常無畏起來，「難道還餓得死我不成？」

「師傅說，要你明天搬到安樂鄉去住，晚上在那裡，跟吳敏一塊兒守店。」

老鼠沉吟了半晌，說道：

「阿青，明天你去替我辦件事好麼？」

「甚麼事？」

「你去五金店替我買一把鎖來，要把結實的。」

「你要來鎖你那只百寶箱麼？人家要偷不會把你整只箱子牽走？」

「所以說嘍，」老鼠抬起頭望著我，腫得醜怪的臉上一副乞憐的樣子，「老哥，我要拜託你，我這只寶貝箱子，就放在你這裡，請你替我保管，好麼？安樂鄉那裡人多手雜，帶過去，我是怎麼也不放心的！」

「那麼我的保管費呢？」我笑道。

「那還有甚麼問題？」老鼠咧開他那兩片腫得翻了起來的嘴唇狡猾的說道，「老哥，你要甚麼，只管告訴我，天上的月亮我也替你去弄來。」

「算了吧，」我笑了起來，「你再去偷雞摸狗讓警察捉去，就真要送到火燒島去了。」

老鼠跳下床來，把他撒在床上的那些寶貨小心翼翼的一一放回到他那只箱子裡，然後把箱子塞進床底下去。他舒了一口氣，摸摸臉上的青腫，說道：

「傅老爺子的藥酒很管用呢，已經不痛了。」

16

陰曆九月十八是傅老爺子的七十大壽，師傅把我們召集起來，商量如何替傅老爺子做壽。一個月下來，安樂鄉的生意做得轟轟烈烈，頗有盈餘，師傅預備十八這天，關門休息，專門替傅老爺子慶生。但是師傅說，事前絕不能讓傅老爺子知道，因為他曉得傅老爺子從不做壽，他知道了，一定不許。師傅說，自己人，不必擺場面，十八那天，我們在安樂鄉做幾道菜，拿過去就行了。師傅倒是說動了聚寶盆的盧司務盧胖子，請他過來，親自下廚，做了幾道聚寶盆的招牌菜：一道雪花雞、一道荷葉粉蒸鴨，一道大烏參嵌肉，盧司務還特別做了一道應景菜八仙上壽，一共湊齊了十樣，最後連壽桃也一併蒸了兩籠。小玉繫上了圍布，搶著要做盧司務的二廚。他最近從烹飪學校學了幾樣菜，一直想找機會露兩手。他央求盧司務把一道松鼠黃魚讓給他做。我們都圍在旁邊觀看，小玉去上了幾天課，居然沾了一身大司務的派頭，一忽兒要老鼠替他涮鍋，一忽兒要吳敏替他切薑絲，又要我遞油拿鹽，把我們三個人支使得團團轉，老鼠正要抗議，卻讓小玉喝止道：

「這是廚房裡的規矩，我現在掌廚，你們幾個打雜，不用你們用誰？」

小玉拿糖作醋折騰了一番，終於把條黃魚炸了出來，他揮著一柄鍋鏟喊道：

「你們瞧，我這條黃魚像不像松鼠？還會站起來的呢！」

我們把菜弄妥當，放進了抬盒裡。師傅又特地出去買了幾把銀絲麵來當壽麵，並攜了半打花雕酒，六個人叫了兩部計程車，往傅老爺子家去拜壽。傅老爺子上半天還到中和鄉靈光育幼院去過，大概剛回來，一個人坐在客廳，閉著眼睛在養神，一顆蒼蒼白髮的頭垂得低低的。客廳裡靠牆的那張供案上，換了新鮮的白菊花，而且還添了一只黑陶香爐，香爐裡燒了檀香，繚繞的香煙，正嬝嬝的升到牆上那兩張傅老爺子及傅衛兩父子著了軍裝的相片上去。我們一夥人湧進了客廳把傅老爺子驚醒了，見到我們，一臉愕然，師傅趕忙上前向傅老爺子賠了罪，並把我們的來意也委婉的說明了。

「老爺子，都是這群孩子們的意思，」師傅回過身來，把我們幾個人連推帶拉，弄上去，「他們知道今天是老爺子的好日子，都嚷著要來跟老爺子拜壽，就是我想攔也攔不住的。」

傅老爺子開始有點不悅，責怪師傅，後來看到我們幾個人手裡捧的捧抬盒，提的提酒，原始人阿雄仔端著兩盤高高堆起白白胖胖的壽桃，他那蒼斑重疊的臉上竟也綻開了一抹笑容，嘆道：

「楊金海，你也太多事了。你是知道我從來不興這一套的，倒是難為了這幾個孩子。」

「我們沾老爺子的光，」小玉笑嘻嘻的說道，「要不是老爺子的好日子，今天師傅哪放我們的假？」

「好吧，」傅老爺子笑道，「這些日子你們也辛苦了，今晚大家一塊兒吃頓飯，喝杯酒，輕鬆輕鬆。」

師傅一聲令下，我們幾個人七手八腳便開始擺設起來，我到廚房裡，把豎著靠放在牆上的一張大圓桌面扛了出來，將桌子架好，擺上七副碗筷。小玉在廚房裡燒水煮麵，吳敏把酒也暖上了，大家忙了一陣子，差不多八點鐘才坐上桌子。傅老爺子先在首位坐下來，師傅坐了對面，吳敏和小玉坐在傅老爺子左右手，阿雄仔跟我坐在師傅兩側，老鼠夾在我跟吳敏中間，他臉上的青腫消下去了，可是瘀血還沒有盡散，烏黑的東一塊西一塊，好像貼了一臉膏藥似的。小玉起身把壺，先將酒替傅老爺子斟上，又過來一一將我們面前的酒杯斟滿。師傅領頭，我們都立了起來，向傅老爺子上壽敬酒。

「老爺子——」師傅的雙手擎著酒杯，正要發話，卻讓傅老爺子止住了。

「楊金海，你別囉唆了，坐下來吃飯吧。」

「老爺子，」師傅仍舊堅持道：「咱們並不敢囉唆，只有一句話！咱們安樂鄉今天撐了起來，都是託老爺子的福。今晚借老爺子這杯壽酒，一來祝老爺子萬壽無疆，二來也是慶祝咱們安樂鄉鴻發大吉。」

師傅一仰而盡先把酒乾了，我們也跟上，大家乾了杯。傅老爺子徐徐的把一杯紹興酒飲盡，我從來沒有看見傅老爺子喝過酒，於是笑道：

「老爺子好酒量！」

傅老爺子也笑道：

「從前我也喝幾杯的，在大陸上，我最愛喝汾酒。後來有了病，才戒掉了。今天看見你們這幾個人，興致這麼高，也來湊湊你們的興。」

小玉趕忙替傅老爺子敬菜，桌上擺著的十樣菜，紅的紅、綠的綠，小玉那碟黃魚縮頭拱背拖著條尾巴倒真的像隻松鼠在爬行似的。小玉挾了一塊魚，獻到老爺子面前，說道：

「老爺子，這是我親手做的，請老爺子賞光嚐嚐。」

「瞧不出你還有一手呢！」傅老爺子笑道，嚐了一口黃魚又點頭稱讚了兩句，對師傅說道：

「我常常問阿青的，你們安樂鄉做得如何。他說十晚倒有九晚是滿的。看樣子，你們的生意是可以維持得下去的了，我也很為你們高興。」

「不瞞老爺子說，」師傅答道，「咱們這家酒館子一上來就得了你老人家的口采，名字取得好。二來說良心話，這一個月來，也靠這幾個孩子們賣力，連這個傻仔也起勁得很，幫上不少忙呢。」

師傅說道，卻在阿雄仔的厚背上拍了一巴掌。

「達達，乾杯！」阿雄仔突然雙手捧起酒杯敬師傅道，師傅無限驚異，旋即呵呵大笑起來。

「好乖兒子！這下可是公雞下蛋，出了奇文了！傻仔也會孝敬他爹了。好，達達生受你這一杯！」

師傅說著把一杯滿滿的酒咕嘟咕嘟喝得一滴不剩，長長舒了一口氣，望著阿雄仔點頭嘆道：

「傻東西，也虧了你，達達總算沒有白疼了你一場！」

師傅起身從那碟荷葉粉蒸鴨撕下了一隻鴨腿，擱到阿雄仔碟裡，阿雄仔用手把那隻鴨腿高高擎起，咧開大嘴，唸道：

「鴨鴨——達達——」

我們都大笑起來，傅老爺子也忍不住笑得大咳，背拱得更高了。小玉趕忙過去，替傅老爺子搥背，又替傅老爺子盛上一碗熱騰騰的清燉雞湯。

「楊金海，你這個乾兒子總算沒有白認，」傅老爺子喝了兩瓢湯，清了一清喉嚨說道。

「唉，老爺子，」師傅無限感慨的嘆道，「乾爺也並不好當啊！給他拖累的只怕壽命也要短十年。」

傅老爺子要我們幾個人開懷暢飲，不要受拘。小玉跟吳敏，我跟老鼠，隔著桌子便猜起拳來。傅老爺子放下了箸，一手握著酒杯，默默的看著我們吆喝作樂。幾輪下來，小玉和吳敏爭得面紅耳赤。

「小敏，」小玉喊道：「你輸不起就不要玩，輸了就該乖乖罰酒。」

「三拳兩勝，」吳敏笑著辯道，「才輸一拳怎麼就要罰酒呢？」

「誰跟你婆婆媽媽三拳兩勝，一拳一杯酒，你快替我喝掉吧！」

吳敏不肯喝，小玉便跑過來，揪住吳敏的領子就要灌，吳敏掙扎著躲來躲去，把小玉手中一杯酒潑得淋淋瀝瀝。

「小玉，」傅老爺子笑勸道：「吳敏大概沒有酒量，你就放過他這一遭吧。」

「老爺子，」小玉不服氣的喊道，「他在裝死，他陪他那個『刀疤王五』喝起酒來，一杯杯才痛快哩。」

「誰是『刀疤王五』？」傅老爺子問道。

「就是上次小敏為他割手的那個人麼。」

「哦。」傅老爺子望著吳敏應道。

「老爺子不要聽他胡說，」吳敏急道。

「我胡說？這是甚麼？」小玉一把捉住吳敏的左腕，用力往外一翻，露出他腕上那道寸把長像條蜈蚣似的殷紅的刀痕來。「你有割手的狠勁，怎麼連杯酒都不敢喝？」

吳敏趕忙掙脫小玉，把他那隻受過傷的左手藏到桌子下面去。

「吳敏，你讓我看看，」傅老爺子突然向吳敏伸出了他的手。

「不要了，老爺子，很難看麼。」吳敏一臉通紅望著傅老爺子乞求道。

「不要緊的，我來瞧一瞧，」傅老爺子放柔了聲音。

吳敏十分無奈，只得把手從桌子底下抽了出來，傅老爺子握住吳敏那隻割傷過的手腕，端詳了半晌，腕上那道刀痕，在燈下猶自發著鮮紅的亮光。傅老爺子突然將自己左腕上戴著的一只手錶褪下來，套到吳敏的手上。

「老爺子——」吳敏大概有點驚呆了，戴上了錶的左手懸在空中，好像不知道怎麼辦才好。

「你戴上這只錶，手上的疤便看不見了。」傅老爺子拍拍吳敏的肩膀說道，手錶那條不鏽鋼彈簧錶帶正好將手腕上那道寸把長的傷痕遮掉。

「謝謝老爺子，」吳敏收回了手，低聲謝道，右手不停地撫弄起左腕上那只錶來。

「這是一只亞美茄，舊了些，倒是一只好錶，我託人從香港帶來的——」傅老爺子頓了一頓，「本來是買給我兒子傅衛的，他那時剛升排長，連只好錶都沒有。後來我自己拿來戴，只修過一次，因為進了水氣。準是準得很。」

傅老爺子瞅著吳敏，半晌卻搖頭嘆道：

「真是個糊塗孩子，年紀輕輕，那種事也是能做的麼？」

「吳敏，」師傅隔著桌子叫道：「快去向老爺子下跪，要不是老爺子，你那條小命早就沒有了！」

「楊金海，」傅老爺子趕忙揮手喝止師傅道，「你不要來打岔。」然後又轉向我們道，「你們吃飯罷，菜都涼了。」

我們剛才忙著揸拳鬧酒，還沒有工夫吃菜，這下才把壽麵盛好，大家又敬了傅老爺子一巡酒，才開始大嚼起來。傅老爺子只舀了一小碗雪花雞，嚐了兩口，便放下了箸。

「老爺子，」我在旁邊悄悄喚道，傅老爺子一顆白髮閃閃的頭，愈垂愈低，淚眼矇矓，竟像是快要盹著了的模樣。

「嗯？」傅老爺子猛然抬起頭來，一臉的倦容。

「老爺子累了吧？」我低聲問道。

「噯，」傅老爺子勉強笑道，「到底上了年紀，才一杯酒，就抵不住了。」說著便立起身來。

「我先去休息了，你們只管鬧，不礙事的。」

我也站起來，想去攙扶傅老爺子，卻讓他一把推開，他轉過身去，背上駝著一座小山似的，顫巍巍一步一步蹭回房中去。

傅老爺子一走，小玉便伸出他那隻光光的左手，唉嘆了一聲，說道：

「到底小敏比我命好，還有老爺子贈錶。我想了一輩子，到現在連只錶也沒有撈到！」

「天行的吳老闆不是答應要送給你一只精工錶麼？」我笑著問道。

「那個餿老頭麼？你猜他那晚對我說甚麼？『你要錶麼？給隻鳥給你要不要？』」

17

星期一的晚上大雨滂沱，才六七點鐘，巷子裡的積水便升到三寸高，連車子都難駛進來了。安樂鄉開張以來，就算這晚的客人最少，到了十點鐘，也不過來了七、八個天天報到的常客。因為楊三郎沒有來，無人彈琴，酒店裡顯得更加冷清。酒吧檯只有龍船長一個人，小玉陪著他喝酒聊天。我閒著沒事，便把俞浩借給我諸葛警我寫的那套《大熊嶺恩仇記》最後一冊拿出來看，正看到萬里飛鵬丁雲翔被他那個陷落清兵的兒子鄂順誤傷咯血的緊張時刻，卻聽到有人低聲喚我道：

「阿青。」

「啊，」我猛抬頭來不由得驚叫了一聲，一個高大的男人站在吧檯面前，他穿了一襲白色雨衣，低低的戴著一頂白雨帽，雨衣上雨珠點點，雨帽邊沿的水滴到吧檯面上來，在琥珀色的燈光下，他那瘦削的臉頰都是青白的。

「王先生，」我叫道。

「最近我才聽說，你在這裡工作——我一直不知道，」王夔龍說道，他仍舊矗立在那裡，一身水淋淋的。我突然想起那天晚上，那個颱風來臨的風雨夜，在公園裡，王夔龍身上穿的大概就是這件白雨衣，那晚在風裡，給吹得飄飄的一團白影。

「王先生要喝杯酒麼？」我也立起身來，問道。

「好的——」他遲疑道，「那就給我一杯白蘭地吧。」他脫去雨帽，他那黑蓬蓬的頭髮也濡濕了，一綹綹重疊在頭上，更加墨濃。我去倒了一杯三星白蘭地來，看見他仍舊站著，便問道：

「王先生要坐吧檯還是坐桌子？」

「到那邊去吧，」他指了一指最裡面一角，一張空檯。

我端了酒，拿了一包三個5香煙，便跟了他過去，他卸掉雨衣，掏出手帕擦掉額上臉上身上的雨珠，才坐下來。

「你也坐下來吧，」他指著他對面的座位，我把酒杯擱到他跟前，也坐下了。

「你近來好麼，阿青？」他望著我，問道。

「我很好，王先生，」我答道。

他那雙瘦骨嶙峋的手捧起酒杯啜了一口白蘭地，咂咂嘴，舒了一口氣。

「我一直掛著你，向人打聽，才知道你在這間安樂鄉工作，所以今晚特地來看看你。」

「謝謝王先生。」

「這家酒吧還不錯，生意好麼？」他抬起頭，四周看了一下。

「本來天天晚上都是滿的，今晚大雨才沒有人來。」我拆開香煙，敬了他一支，替他點上火，自己也點上一支。

「當酒保也挺有意思的吧？」他望著我笑道。

「可以遇見許多奇奇怪怪的人，」我吐了一口煙笑道。

「阿青，我在紐約也在酒吧裡當過兩年酒保呢，」王夔龍說道，「我那家酒吧叫『快活谷』，在曼赫登七十二街上，就離中央公園不遠。那是一家很有名但是很下流的酒吧，去的人有黑人、波多黎哥人，還有各式各樣的白人，也有少數東方人。」

「美國也有像我們這樣的酒吧麼？」我不禁好奇道，我知道東京有許多，是小玉告訴我的。

「太多了、太多了，數不清，」王夔龍笑嘆道，「紐約一個城恐怕就有上百家，有的還講究得很，都是有錢人上流人士去的，醫生嘍、律師嘍，進去還要穿西裝打領帶呢。有些在學校附近，專門是給大學生聚會的地方，也有些怪酒吧，去的人全穿皮夾克，騎摩托車，他們叫做ＳＭ吧。」

「SM是甚麼意思？」

「是虐待狂被虐待狂的意思。」

「哦——」我想告訴他，我們這裡也有，老鼠就碰見過，手臂上燒起幾個煙泡。

「不過我們那個『快活谷』比較特殊一點就是了，去的大都是流浪漢，不少是離家出走的孩子，『快活谷』就是他們暫時歇腳的地方，一個庇護所。那些孩子大都染上了毒癮或者性病。我去當酒保，一來想賺幾個零用錢，二來我也喜歡躲在那個極深極深的地窖裡，跟那群流浪漢混在一起——不過我賺來的兩個錢，大都貼到那些孩子身上去了，因為他們總是沒錢看病，毒又戒不掉——」

王夔龍搖搖頭，他那青白的臉上浮漾著一抹無奈的笑容，他舉起手中的酒杯，默默的吭著杯中的白蘭地。

「王先生——」我試探著問道，「小金寶呢？」

常來安樂鄉的三水街小么兒花仔，告訴我一個多禮拜以前，他在西門町撞見王夔龍帶著小金寶在街上走，王夔龍又高又瘦，小金寶又小又跛，他走在王夔龍前面一步一拐，一步一跳，像隻歡躍的小哈叭狗兒似的。三水街的小么兒圈子裡都那樣傳說，自從那個飀風夜王夔龍把小金寶帶回去後，就收養他了。花仔很艷羨又帶著醋意的說道：

「龍子替那個小瘸子買了好多新衣服。穿得那一身，可是怎麼穿，他那隻跛腳卻穿不上鞋子——只好打著光腳板滿街跳！」

「小金寶麼？我剛才還去看他來——他在醫院裡。」王夔龍略帶倦意的微笑道。

「他病了麼？」

「小金寶昨天早上在台大醫院動了手術，是台大最有名一位外科醫生開的刀，手術很順利，可是人卻辛苦了——你知道他那隻右腳，是天生的畸形型，走路只好用腳背——」

我記起在公園裡小金寶爬上蓮花池的台階時，蹣跚吃力的模樣。他平時都不敢在公園裡露面，總是等到夜深了又深，蓮花池畔只剩下兩三個遊魂了，他才蹦著跳著，從林子裡一下鑽出來，東張西望，像頭受驚的小鹿似的。

「開了刀他的腳會變好麼？」我問道，我只真正看到一次小金寶那隻畸形的右足，因為不能穿鞋子，腳背磨得起了一層醬紫色的老繭。

「我跟醫生詳細討論過，台大幾個醫生會診，據他們的診斷，有百分之六十的希望，我問過小金寶本人，得他同意，我們就決定開了——倒是難為了他，小傢伙很勇敢哩，麻藥過後，痛得直冒冷汗，可是他一聲也不吭。」

王夔龍說著又嘆息道：

「他那隻畸形的右足，不知讓他受過多少罪。他告訴我，三水街那群小么兒惡作劇，有時圍住他，要他用腳背一拐一跳的走圈圈，他們就拍手笑——你知道，小金寶是在三水街那些黑暗的巷子裡長大的，他母親是三水街的一個暗娼，小金寶說他小的時候，他母親在家裡接客，他就站在巷子口替他母親把風。他記得他母親有幾個老客人，他直管叫他們阿爸。我問他：『小金寶，你自己的父親呢？』他搖晃著腦袋，笑嘻嘻咧開嘴說道：『不記得了。』——」

「阿青——」王夔龍的聲音都有些顫抖了，「我撫摸著他那隻創痕纍纍的跛腳時，我的心都在發疼，總希望能夠替他治好。這次開刀雖然還不一定作準，但至少有六七成希望。我答應他，出院後，第一件事，我就帶他到生生皮鞋店去替他定做一雙軟底皮鞋，可憐他一輩子還沒穿過皮鞋呢！今天我去台大醫院看他，痛減輕了些，可是整條腿卻腫了起來，大概傷口有點發炎，躺在床上完全不能動，大小便也要人服侍。你知道台大的護士小姐有多可惡？根本不理人的。所以我在醫院裡陪了他一天，出來的時候，沒想到外面的雨竟下得那麼大了。不知怎的，今晚我會突然想起你來，所以來找你聊聊。」

「王先生還要來杯白蘭地麼？」我看見王夔龍把手中那杯白蘭地飲得一滴也不剩了，一只空杯子卻仍然緊緊的握在手裡。

「好吧，」王夔龍想了一下，笑道，「大概累了一天，剛才我的頭有點痛，喝了杯白蘭地，倒散發了。」

我又到酒吧檯那邊，斟了一杯白蘭地端給王夔龍。

「阿青，你現在生活還好麼？還需要甚麼沒有？」王夔龍定定注視著我，「你知道，我一直是關心著你的。」

「我現在生活很好，王先生，」我避開了他的目光答道，不知道為了甚麼，我一感到王夔龍接近我，我就開始想逃，我記得那晚我從他父親那間古老的官邸倉卒爬過鐵門出來，把腿都劃破了。「真的，王先生，我現在的生活很安定。我們師傅開了這家安樂鄉倒真是給了我們一個像你所說的『庇護所』。我們生意好的時候，小費還不錯呢。而且現在我又搬到傅老爺子家去住了，傅崇山傅老爺子是我們的大恩人，對我很好，在他那裡吃住都不要錢。」

「傅崇山——你是說誰？」王夔龍突然坐直了，有點激動起來。

「王先生認識傅崇山傅老爺子麼？」我問道，「傅老爺子是山東人，從前在大陸當過副師長的——」

王夔龍伸出他那隻瘦骨稜稜的大手一把緊緊扣住我的手腕，捏得我的手都有點發疼了，他急切而鄭重的對我說道：

「阿青，你回去跟傅崇山傅老爺子說王夔龍從美國回來了，無論如何希望能見傅老爺子一面，請他明天下午兩點鐘在家裡等我。」

18

回去第二天我把王夔龍的口信告訴傅老爺子，傅老爺子並沒有感到驚訝，沉思片刻，卻嘆息道：

「我早聽說他回來了，我算著他也該來看我了。」

「老爺子也認識王夔龍？」我好奇問道。

「我跟他父親王尚德是舊交，抗日時期，我們都在五戰區，算是袍澤。不過我退得早，王尚德倒是升上去了，官做得很大。從前在南京，我們都住在大悲巷，過往很密，到了台灣，才漸漸疏遠了。夔龍——我是看他長大的。」

傅老爺子本來打算下午到中和鄉靈光育幼院去，也因此打消，他換了一身家常穿的白竹布唐裝，坐在客廳裡，等候王夔龍，並且吩咐我燒水沏茶。王夔龍準下午兩點鐘來到，他穿了一身黑西裝，連領帶也是黑的，襯得他的臉色愈加蒼白，他腮上的鬍鬚刮得鐵青，一頭蓬亂的濃髮倒抹上了油，梳整齊了。我引他到客廳裡，他見了傅老爺子，叫了一聲：

「傅伯。」

「夔龍，」傅老爺子也顫巍巍的立了起來，伸出一隻手，迎著王夔龍喚道，他佝著背，勉強仰起頭來，王夔龍趕緊上前，握住傅老爺子的手，兩人互相凝視良久，欲言又止，最後還是傅老爺子叫王夔龍就了座。我去沏了一壺鐵觀音，用茶盤端到客廳，替他們兩人都斟上了茶。傅老爺子捧起茶杯，吹開浮面的茶葉，啜了一口。王夔龍也舉起杯子，默默的飲著茶。

「傅伯，我一回來就想來找你的，」王夔龍終於開口道。

「我知道，」傅老爺子點頭答道，「我也在等你。」

「我是一直都想回來的。」

「這些年，在外面，也夠你受的了。」傅老爺子望著王夔龍，喟然嘆道。

「四年前姆媽過世，我打電話給爹爹，要回來奔喪，爹爹不准。」

「夔龍，」傅老爺子舉起手叫了一聲，卻又默然了。

「你父親——」過了片刻傅老爺子開口道，「他也很為難。」

「我知道，」王夔龍慘笑道，「我們王家不幸，出了我這麼一個妖孽，把爹爹一世的英名都拖累壞了。」

「你要明白，你父親不比常人，他對國家是有過功勳的，」傅老爺子勸解道，「他的社會地位高，當然有許多顧忌。你也要為他著想。」

「傅伯，我在美國埋名隱姓，流浪十年，也就是為了爹爹的一句話啊，」王夔龍的聲音充滿了憤懣，「我臨走的時候，爹爹對我說：『你這一去，我在世一天，你不許回來。』他那句話，說得很決絕。我明白，我是他一生的奇恥大辱，在紐約我們還有不少親戚，我從來也不去找他們，也不讓他們知道，就是為了不要再添加爹爹的麻煩。可是傅伯，這次爹爹去世，他臨終都不讓我回來見一面，連葬禮也不要我參加呢。我叔叔告訴我，是爹爹交代的，他的遺體下了葬才發電報給我。」

「出殯那天，我去了的，」傅老爺子的聲音也有點沙啞起來，「是國葬的儀式，令尊的身後哀榮算是很風光了。那天有關係的人統統到齊，你們家親友又多，你在場，確實有許多不便的地方。」

「當然嘍，」王夔龍苦笑道，「我叔叔也是這麼說，生前我已經使爹爹丟盡了臉，難道他出殯那天大日子還要去使他難堪麼？回想這些日子，我一直沒有去替爹爹上墳，直到大七那一天，我才跟我叔叔嬸嬸他們一齊上六張犁去。爹爹的墳還沒有包好，一堆黃土上面，蓋著一張黑油布。我站在那堆黃土面前，一滴眼淚也沒有。我看見叔叔滿面怒容，我知道，他一定暗暗在咒罵我：『這個畜生，來到父親墓前，還不掉淚！』——」

王夔龍冷笑了兩聲，突然間他抬起頭來，他那雙深坑的眼睛炯炯發光，蒼白的面頰變得赤紅，激動的喊道：

「傅伯、傅伯，他哪裡知道我那一刻內心在想甚麼？那一刻我恨不得撲向前去，揭開那張黑油布，扒開那堆土，跳到坑裡去，抱住爹爹的遺體，痛哭三天三夜，哭出血來，看看洗不洗得淨爹爹心中那一股怨毒——他是恨透了我了！他連他的遺容也不願我見最後一面呢。我等了十年，就在等他那一道赦令。他那一句話，就好像一道符咒，一直烙在我的身上，我背著他那一道放逐令，像一個流犯，在紐約那些不見天日的摩天大樓下面，到處流竄。十年，我逃了十年，他那道符咒在我背上，天天在焚燒，只有他，只有他才能解除。可是他一句話也沒留下，就入了土了。他這是咒我呢，咒我永世不得超生——」

王夔龍的聲音好像痛得在發抖。

「夔龍，」傅老爺子也變得激動起來，他的肩胛高高聳起，他的駝背壓得他好像不堪負荷了似的，他那雙鐵灰的壽眉蹙成一團，「你這樣說你父親，太不公平了！」

「不是麼？不是麼？」王夔龍喊道，「傅伯，我這次來，就是想問你，爹爹去世以前，你一定見過他的。」

「他病重時，在榮民總醫院，我去看過他一、兩次。」

「他跟你說過甚麼來著？」

「我們談了一些老話，他精神不好，我也沒有多留。」

「我知道，他不會提到我的了。他對我是完全絕了情了。」王夔龍拚命搖頭。

「夔龍，你只顧怨你父親，你可曾想過，你父親為你受過多少罪？」傅老爺子似乎有點動氣了似的。

「我怎麼沒有想過呢？」王夔龍無奈的說道，「我就是希望他能夠給我一個機會，我設法彌補一些他為我所受的痛苦。」

「你們說得好容易！」傅老爺子也顫聲叫了起來，「父親的痛苦，你們以為能夠彌補得起來？不錯，夔龍，你父親從來沒跟我提過你，而這些年我也很少與你父親來往。但我知道，他受的苦，絕不會在你之下。這些年你在外面我相信一定受盡了折磨，但是你以為你的苦難只是你一個人的麼？你父親也在這裡與你分擔的呢！你痛，你父親更痛！」

「可是——傅伯——」王夔龍伸出他那嶙峋的瘦手抓住傅老爺子的手背，哀痛的問道，「為甚麼他連最後一面都不要見我呢？」

傅老爺子望著王夔龍，他那蒼斑滿佈的臉上充滿了憐憫，喃喃說道：

「他不忍見你——他閉上了眼睛也不忍見你。」

19

王夔龍離開後，傅老爺子已經疲憊不堪，滿臉困頓的神情，背更彎駝了，而且又開始感到心在絞痛。我趕忙服侍他用了藥，扶他進房躺下休息。傅老爺子不想吃晚飯，我自己一個人胡亂添了一碗剩飯，將中午吃剩的一碟芹菜炒牛肉拿來送飯。我告訴傅老爺子冰箱裡還有半鍋火腿冬瓜湯，要是餓了，隨時熱來吃。本來我打算向師傅告假一晚，留在家中陪伴傅老爺子，可他不肯，堅持道：

「你只管去上班，不要緊的，我休息一下，鬆散鬆散就好了。」

我在安樂鄉，心裡一直懸掛著，怕傅老爺子病發。我跟師傅說明，師傅要我提早下班，不到十點鐘，我就回到傅老爺子家。傅老爺子倒起來了，他披了一件外衣，坐在客廳裡，獨自出神。客廳裡的供桌又點上了檀香，靜靜散著一股濃郁的香味。

「老爺子好點了？心還疼麼？」我問道。

「我睡了一覺，好多了，」傅老爺子微笑道，臉上仍有一絲倦意，「這麼早就回來了？」

「師傅要我早點回來，怕老爺子有甚麼使喚。」

「難為你掛心。」

「老爺子餓了沒有？」

「我剛才把湯熱了，喝了一碗，心裡很受用。」

「還要不要我去下碗麵條來呢？」

「不必了，」傅老爺子擺手阻止道，「阿青，你去沏壺茶來，陪我坐坐，我還有話要跟你說。」

我到廚房裡去燒開水，沏了壺龍井，端到客廳，替傅老爺子斟上茶，在他腳下一張矮圓凳上坐下。傅老爺子捧起茶杯，啜了兩口龍井，惋惜嘆道：

「王夔龍，沒料到他竟變成了這副模樣，我都認不出來了——」

「聽說他從前長得很好的呢。」我插嘴道。

「不錯，那個時候，他確實儀表堂堂，書又唸得好。他父親王尚德對他期望很高，希望他能進外交界，創一番事業。本來打算送他出國深造的，連手續都辦好了。他卻偏偏闖下那滔天大禍，害人害己，也害苦了他的父親——」

「我聽說他那個案子很轟動，報紙天天登。」

「他害得他父親無法做人。有好一陣子，他父親人也不見。他又怎能怨他父親絕情啊！」

傅老爺子定定的望著我，鐵尖的眉毛蹙在一起。

「你們這些孩子，哪裡能夠體諒得到父親內心的沉痛呢？」他伸出了一隻手，壓在我的肩上，鄭重的說道，「阿青，你在我這裡住了這些日子，我已經把你當做自己人一樣了。你也有父親，我敢說你父親這一刻也正在為你受苦呢。我也有過兒子，我那個兒子，也像王夔龍一樣，曾經叫他父親心碎。今天晚上我就要講給你聽，講給你聽一個父親的故事——」

20

「阿青，天下父母心，你們懂麼？你們能懂麼？我那個阿衛，要是還在，今年他該是三十七了，跟王夔龍同年。阿衛出世，就不尋常，是剖腹而生的。他母親體弱，開刀開狠了，吃不住，產下阿衛，沒有多久，竟去世了。阿衛自小喪母，又是獨子，我對他難免格外愛惜，管教上也就特別嚴格，其實也是望子成龍的意思。

「阿衛那個孩子，從小就討人喜歡，聰敏異常，文的武的，一學就會，我親自教他讀古文，一篇〈出師表〉，背得琅琅上口。那幾年，除了上前方打仗，我總把他帶在身邊，親自撫養，甚至我們軍團駐紮陝西漢中，我也把他一同帶了去，在軍營裡，我教他騎馬、打獵。天天早上，我騎我那匹烈馬『回頭望月』，他騎他那頭小銀駒『雪獅子』——我們兩父子，一前一後總要在跑馬場上蹓幾圈。說到那兩匹寶馬，都是青海的名種，我們得來，還有一段故事呢。抗日勝利，我到青海去巡查，阿衛也跟了去。青海的軍區司令是我一個舊同學，跟我私交很密。青海產名駒，他特別挑了幾匹，讓我過目，指著他最心愛的那匹『回頭望月』跟我打賭，我降服得了那匹烈馬，他便甘心奉送我。我一個翻身上馬，騎得行走如飛，我那位司令朋友誇下了海口，只得忍痛割愛。誰知阿衛卻站在我身後指著那頭『雪獅子』，說道：『爹爹，我也要試試這一匹！』我雖然也想兒子出鋒頭，但是卻不免擔心，怕他當眾出醜。因悄悄問他道：『你行麼？』小傢伙一口應道：『爹爹，我行！』那時他才十五歲，長得又高又壯，穿了一身我替他特別縫製的軍裝馬靴，神氣十足。他揪住那匹通體雪青的小銀駒，一躍便縱上了馬背，放蹄奔去，那匹馬讓他跑得馬腹貼到了地面，碧綠的草原上，一團銀光。我那位司令官朋友禁不住脫口喝采道：『好個將門虎子，這匹馬，就送給他！』那一刻，我心中著實得意，我那個兒子，確實令我感到光彩。

「阿衛，從小便是一個爭強好勝，心性極為高傲的孩子，事事都爬在別人的前頭。他在軍校畢業，那一期兩百五十個學生，學科術科他都遙遙領先，他的長官十分獎許他，在我面前，跨他是個標準軍人。有子如此，我做父親的，內心的喜悅無法形容，我感到安慰，我在阿衛身上，二十多年的心血沒有白費。

「可是——可是，阿衛只活到二十六歲，而且死得極不光榮，極不值得，極悲慘。他升了排長，便調下部隊去訓練新兵。我也去過他那個訓練中心參觀。阿衛帶兵還真有一套，他排上的新兵個個服他，很愛戴他們的傅排長。阿衛威重令行，幹得非常起勁。可是在他當排長的第二年，就發生事故了，他被撤職查辦，而且還要受到軍法審判。一天夜裡，他的長官查勤，無意間在他寢室裡撞見他跟一個充員兵躺在一起，在做那不可告人的事情。我接到通知，當場氣得暈死過去。我萬萬沒有料到，我那一手教養成人，最心愛、最器重的兒子傅衛，一個青年有為的標準軍官，居然會跟他的下屬做出那般可恥非人的禽獸行為。我馬上寫了一封長信給他，用了最嚴厲的譴責字語。過了兩天，他給我打了一個長途電話。那天正是農曆九月十八，是我五十八歲的生日。親友故舊本來預備替我慶生的，也讓我託病回掉。阿衛在電話裡要求回台北見我一面，因為第二天就要出庭受審了。我冷冷的拒絕了他，我說不必回家，既然犯了軍法，就應該在基地靜待處罰，自己閉門思過。電話裡他的聲音顫抖沙啞，幾乎帶著哭音，完全不像平常我心目中那個雄姿英發的青年軍官。我的怒火陡然增加了三分，而且感到一陣厭惡、鄙視。他還想解釋，我厲聲把他喝住，將電話切斷。那一刻，任何人我都不想見，尤其不想見我那個令我絕頂灰心失望的兒子。那天晚上，他排上的兵發現他倒斃在自己的寢室裡，手上握著一柄手槍，槍彈從他口腔穿過後腦，把他的臉炸開了花，官方鑑定他是擦槍走火，意外死亡。可是我知道，我那個性情高傲、好強自負的獨生子傅衛，在我五十八歲生日那天晚上，用手槍結束了他自己的生命。

「阿衛自殺後，有很長一段時間，晚上我常做噩夢，而且總是夢到同一張面孔，那是一張極年輕的臉，白得像紙，一雙眼睛睜得老大，嘴巴不停的開翕，好像驚惶過度，拚命想叫卻發不出聲音來似的。他那雙瞪得老大的眼睛，一逕望著我，向我乞求甚麼，卻無法傳達，臉上一副痛苦不堪的神情。那張極年輕的臉，我似乎在甚麼地方見過，可是總也想不起來，那個年輕人是誰。一連三四夜，夜夜我都夢到那張慘白的臉，臉上那副驚惶失措的神情。有一晚醒來，一身冷汗，我又在睡夢裡看到那張臉，那天晚上，一臉的血，我才猛然醒悟，那是好多年前，抗戰的時候，我在五戰區前方作戰時，在陣前槍斃的一個小兵。那時在徐州，前方正吃緊，我手下的部隊駐守第一線。一天晚上我到前線巡邏，部下擒來兩個擅離戰壕的士兵，兩人在野地裡苟合。一個老兵還不露畏色，那個新兵大概只有十七八歲，早已嚇得全身顫抖，面色慘白，一雙眼睛睜得老大，嘴巴張開，大概要向我求赦，卻恐懼得發不出聲音來──就像我夢中見到的那副神情，當然在那種情形之下，我一聲令下，就當場拖出去槍斃掉了。那件事當時我處置得心安理得，所以也就沒有十分放在心上，時間一久，竟淡忘了。沒想到，隔了那麼多年，那張驚惶失措的臉，又突然出現在我的夢裡。那晚我的心臟病大發，絞痛難耐，給送進榮民醫院，一住就是好幾個月，差點喪了性命。

「出院回家，足足有一年，我都閉門謝客，深居簡出，在家中靜養。阿衛慘死，我感到了無生趣，整個人登時如同槁木死灰，人世間的一切苦樂，我都冰然，無動於衷了──

「一直到一個冬天的晚上，那是十年前陰曆年除夕夜的前一天。那一陣子，我的血壓波動，常常感到頭暈。我到台大醫院去看醫生，那個內科主任是個名醫，很難掛號，只有掛到晚間門診。看完醫生，已經是晚上九點多鐘了。我還記得，那天有寒流，天氣陰冷，晚上還下著濛濛細雨。我從醫院出來，穿過新公園，想到館前路去乘車。那天大概有雨，公園裡沒有甚麼人。我經過公園裡蓮花池那邊，突然聽見一陣哭聲，從池頭的亭子裡傳過來，那是一聲聲斷斷續續的吞泣，哭得異常淒涼，在寒風冷雨裡，聽著十分刺心。我禁不住繞了過去，走上池頭的亭子，亭子裡的板凳上孤零零的坐著一個少年，他穿上了一身黑色的單衣，雙手抱頭面伏在膝上，抖瑟瑟的在那裡哭泣。我從來沒有見過一個人竟會哭得那般哀痛，好像受了天大的委屈似的。我過去搖搖他的肩膀，問他道：『你年紀輕輕，在這裡哭甚麼呢？』那個孩子真是古怪，他抽抽搭搭回答我道：『我的心口脹得發疼，不哭不舒服。』我問他有家沒有，有沒有去處，他都說沒有。那晚那樣冷，我穿了一身棉袍，還感到寒意。而那個孩子身上只有一件單衣，說話的時候，牙關都冷得在打顫。我突然感到一陣不忍，便把那個孩子帶回了家中。大概他幾夜沒睡，回到我家，我讓他喝了一杯熱牛奶，他眼睛便睏得睜不開了。我把他安置在阿衛房中，他一倒在床上，——就是你現在睡的那鋪床——立刻呼呼睡去，連衣服也來不及脫。我從櫃子裡，把阿衛那床棉被拿出來，蓋到那個孩子身上。那個孩子側著身，臉偎在枕上，大概凍狠了，一臉青白。我仔細端詳了他一下，發覺他的長相竟是異常奇特，一張三角臉，下巴頦又短又尖，翹起來。睡著了兩道濃濃的眉毛仍然虬結在一起，把眼睛都蓋過去了似的。我懂一些相術，可是我從來沒有見過像那個孩子那麼薄、那麼賤、又帶著那麼多凶煞的一副長相。突然間，不知怎的，我對他竟產生出一股無限的哀憐來，我把棉被拉過他的肩膀，把他蓋得嚴嚴的。那是自阿衛死後，兩年來，頭一次，我又開始恢復了感覺。

「他累過了頭，睡到第二天下午才醒來。那天是除夕，本來我並沒有心情過年的，因為他的緣故，我吩咐吳大娘特別做了幾樣年菜，叫他跟我吃了一餐年夜飯——沒料到那竟是他在人世間的最後一餐。那晚他突然變得興高采烈，大吃大喝，把一隻紅燒肘子也吃得精光，一嘴的油，拍著鼓脹的肚皮對我笑道：『傅爺爺，我從來沒有吃過這麼好吃的年夜飯，我們在孤兒院裡，只過聖誕節，不過舊曆年的。』他開始喋喋不休，把他的身世統統告訴了給我聽。他的身世又離奇、又淒涼——你們在公園裡大概都聽說過了。阿鳳，他就是你們公園裡那個野孩子、那隻野鳳凰。是他告訴我聽的，你們公園裡的故事都是他告訴我聽的。他告訴我公園裡頭還有許許多多像他那樣無家可歸的孩子，個個身世淒涼。他講得興興頭頭，指著他自己的胸口說道：『這是我們血裡頭帶來的——公園裡的老園丁郭公公這樣告訴我們，他說我們血裡就帶著野性，就好像這個島上的颱風地震一般，一發不可收拾。傅爺爺，所以我愛哭，我要把血裡頭的毒哭乾淨。』後來我在中和鄉靈光育幼院裡碰到從前撫養過阿鳳的那位河南老修士，他告訴我阿鳳確實是個奇異的孩子，半夜三更他會跑到教堂裡放聲痛哭，把院裡的人都吵醒來。有一個脾氣暴躁的愛爾蘭神父，特別不喜歡阿鳳，提起他還會憤然說道：『那個孩子，一定是魔鬼附了身，連教堂裡的聖像他都搗毀了！』那晚吃完年夜飯，阿鳳便要離去。我對他說：『阿鳳，要是你沒有地方去，你可以在這裡住幾夜。』他笑道：『不了，傅爺爺，不要打擾你了，我還要回到公園裡去，有人在找我呢！』他告訴我，有一個人在養他，他逃了出來，這個人一直到處在找他。他還笑著對我說：『今夜我會在公園裡碰見他，趁著大年夜，我要把我跟他之間的賬了一了。』一直到第二天，上了報我才知道他跟王夔龍之間那一段孽緣——

「唉，說也奇怪，阿鳳那個孩子，雖然在我家裡只逗留過短短的一夜，可是我對他卻產生了一份特別的情感及關懷。阿鳳那樣橫死，我心裡竟受到一陣猛烈的震撼，一股哀憐油然而生。那是自阿衛死亡後，我那顆枯竭的心，如同死灰復燃，又重新燃起了生機。也是在公園裡遇見阿鳳那個苦命兒，看到他那種悲慘的下場，我才發下宏願，伸手去援救你們這一群在公園裡浮沉的孩子——」

「阿青，」傅老爺說完他自己的故事，一隻手按到我的肩膀上，一隻手背拭了一拭他那一逕淌著淚水的眼睛，深深的嘆道，「你們這些孩子，只顧怨恨你們的父親，可是你們可也曾想過，你們的父親為你們受的苦，有多深麼？王夔龍出事後，我去探望他父親王尚德，才隔半年，他父親那一頭頭髮好像猛然蓋上了一層雪，全白了——阿青，你父親呢？你知道你父親也在為你受苦麼？」

21

我替傅老爺子悄悄放下了蚊帳，他面朝裡，側著身子躺著，他那佝僂的背在床上彎曲成一個S形。我關掉燈，輕輕掩上房門。回到客廳中，客廳靠牆的供桌上，香爐裡仍然在散著一股濃郁的檀香，我去倒了一杯水，將香爐裡的火燼澆滅。我抬頭看見牆上並排掛著傅老爺子及阿衛父子兩人身著軍裝的照片，突然記起舊曆九月十八傅老爺子生日的那天，他一早就出去了，回來時卻買了一大束白菊花，親手插到供桌上那只天青瓷瓶裡，又從玻璃櫃裡取出了那只三腳鼎古銅香爐來，供到桌案上，點上了檀香。我看見他一個人默默坐在客廳裡，神情肅穆，沒敢去驚動他。沒料到傅老爺子那天生辰竟是他兒子阿衛的忌日。難怪那天晚上師傅領著我們替傅老爺子慶生祝壽，傅老爺子的心事那麼重，喝兩杯酒，一下子就醉了。阿衛偏偏選中他父親生日那天自戕，難道他也怨恨他父親，怨得那麼深麼？我仔細端詳了阿衛那張照片，那張方方正正的臉，高高的顴骨，削薄的嘴唇堅決的緊閉著，一雙精光外露的眼睛透著無比自負與兀傲。那一身筆挺的軍服，額上一頂端正的軍帽，確實是一個標準軍人的形象，而且跟傅老爺子年輕時，又長得那麼像。

我躺到床上時，又想起父親來了。我想起他那次將他那枚寶鼎勳章別到我的衣襟上時，他是那樣的嚴肅、慎重，那時大概他也認為我長得跟他相像，錯把他的希望都寄託在我的身上了吧。然而假如我沒有給學校開除，而能順利的考入陸軍官校，我相信我也可能成為一個優秀的軍官，而使父親感到自豪的。在學校的時候，軍訓術科，我得分很高，基本動作最標準，教官常常叫我出隊做班上的示範。我也曾因此揚揚自得，自認為不愧是軍人子弟。而且我也喜歡玩槍，每次到野外練習打靶，總感到興高采烈，我喜歡聽那一聲聲劃空而過子彈的呼嘯。在家裡，有幾次，我曾把父親藏在床褥下的他那管在大陸上當團長時配帶的自衛手槍拿出來，偷偷玩弄。那管槍，父親不常擦拭，槍膛裡已經生了黃鏽。我把手槍插在腰際，昂首闊步，走來走去，感到很英雄、很威風。那天父親將我逐出家門的時候，手裡揮舞著的是一管空槍，其實父親是除籍軍人，根本無法配到子彈——大概父親覺得手裡有管槍，才能鎮壓得住人吧。那次母親出走，父親也是搖著他那管生了鏽的空槍，追趕出去。

不，我想我是知道父親所受的苦有多深的，尤其離家這幾個月來，我愈來愈感覺到父親那沉重如山的痛苦，時時有形無形的壓在我的心頭。我要躲避的可能正是他那令人無法承擔的痛苦。那次我護送母親的骨灰回家，站在我們那間陰暗潮濕、在靜靜散著霉味的客廳裡，我看見那張讓父親坐得油亮的空空的竹靠椅，我突然感到窒息的壓迫，而興起一陣逃離的念頭。我要避開父親，因為我不敢正視他那張痛苦不堪灰敗蒼老的面容。

我聽見隔壁房傅老爺子咳嗽的聲音，我不禁想到，不知此刻父親安睡了沒有，會不會還在他的房中，一個人踱過來、踱過去。

22

星期五晚上俞浩俞先生請我到信義路川味麵去吃消夜，他跟我約好安樂鄉下班後在新生南路及信義路口見面，他的家就住在新生南路二段。還不到十二點，我便悄悄到後面把制服換掉，我拜託了小玉替我洗酒杯，並且要他轉告師傅，說我胃痛，先走了。其實我餓得胃真有點痛，因為知道晚上有消夜吃，晚飯只隨便吃了一碟街邊賣的炒米粉，早已饑腸轆轆，嘴裡老淌清口水。我到達信義路口，俞先生已經站在那兒等我了。他穿了一件寬鬆的套頭深藍運動衫，腳下趿著一雙皮拖鞋，很瀟灑的模樣，大概剛從家裡出來。他見了我很高興，招呼道：

「青娃兒，你很準時。」

「還沒下班，我就先溜了！」我笑道：「我們約好十二點半見面，一分鐘也沒有超過。」

「你吃過川味麵沒有？」我們往信義路川味麵走去，俞先生問我道。

「我小時候來吃過一次——那是好久以前了，那時川味麵還是一個小攤子呢。」

那是三年前，父親帶我跟弟娃到川味麵去吃過一次消夜——那也是唯一的一次，父親帶我們上館子。那年夏天我剛考上高中，那天是我的生日，父親破例帶我們出去，大概也是獎賞的意思。大館子上不起，只有到川味麵去吃小攤子，可是在我跟弟娃來說，那是椿破天荒的大事情。我們兩人都興奮得手舞足蹈，父親只讓我們各人點了一碗紅油抄手，我們還想吃第二碗的時候，父親卻皺皺眉道：夠了、夠了。他把他自己碗裡的抄手，又分給我們一人一只。

「俞先生，等一下我可不可以吃兩碗紅油抄手？」我笑道，「晚飯我沒吃飽，已經餓得發昏了。」

「青娃兒，隨便你吃幾碗，吃飽算數，好麼？」俞先生伸出手，摸了一摸我的頭笑道。

我們上了川味麵的二樓，裡面早已坐得滿滿的了。我們等了十幾分鐘，才等到一張角落頭的檯子。坐下後，俞先生指著壓在玻璃墊下的菜牌，說道：

「這裡的粉蒸小腸、豆豉排骨、荷葉牛雜，都很棒。」

「俞先生，我還是想吃紅油抄手，」我說道。

「好，好，」俞先生笑了起來，「紅油抄手也點，這幾樣也點。」

小菜來了，俞先生又叫跑堂的拿了一瓶白干來。紅油抄手一口一個，一下子一碗抄手便讓我囫圇吞了下去，又熱又辣，非常來勁，我的額頭在冒汗了。第一碗吃完，果然俞先生又替我叫了第二碗。

「俞先生，我敬你一杯酒，」我舉起一杯白干敬俞先生道，白干一下喉便燃起來，我的整個身體都開始發燒。俞先生看我狼吞虎嚥吃得那般熱烈，也很高興，不停的將小腸排骨挾到我的碟裡笑道：

「青娃兒，你還在發育，這麼大的個子，要多加些油！」

「俞先生，《大熊嶺恩仇記》果然精采！」我吃完第二碗紅油抄手，想起諸葛警我的武俠小說來，俞先生送給我的那部書我已經看完第二遍了，「不過鄂順死得也太慘了些，他老爸萬里飛鵬本來可以放他一馬的。」

我看到最後那一回萬里飛鵬丁雲翔計陷鄂順，親自將自己的兒子手刃而死，不禁怵目驚心。

「這叫做大義滅親呀！」俞先生笑道，「鄂順認賊做父，丁雲翔也是萬不得已麼。最後那場萬里飛鵬撫著鄂順的屍體老淚縱橫，寫得最好、最動人，諸葛警我到底不愧是武林高手。」

「俞先生那裡還有別的武俠小說沒有？」

「多的是，一櫃子。」

「有沒有王度盧的？」

干酒飲盡了。

「我有他的《鐵騎銀瓶》。」

「好極了！」我興奮的叫了起來，「俞先生，可不可以借給我？我一直想看那部小說，幾次都借不到。」

「可以，吃完消夜，你跟我到家裡去拿好了。」俞先生笑道，我們舉杯把杯裡辛辣的白干酒飲盡了。

俞先生俞浩住在新生南路一四五巷一棟住宅的三樓。他那間小公寓佈置得很舒坦，一套藤編桌椅，鋪著一色絳紅厚軟椅墊，一串三個由大而小的燈籠懸在客廳一角，頭一只大如合抱，燈一亮，燃起一毬毬乳白的光來。俞先生把收音機打開了，美軍電台正在播送著半夜的輕音樂。他招手叫我到他書房裡，裡面有兩只書櫃，有一只果然全是武俠小說，從老牌武俠王度盧、臥龍生，到後起之秀司馬翎、東方玉統統有了。俞先生把王度盧那部《銀騎鐵瓶》取出來交給我，指著他那一櫃子武俠小說說道：

「青娃兒，以後歡迎你來這裡，跟我一同練武功。」

「萬歲！」我歡呼道。

我們回到客廳裡坐下，俞先生去倒了兩杯冰水來過口，吃了辣子，嘴巴很乾。我們並排坐在那張藤沙發上，我也脫去了鞋子，盤坐起來。柔白燈光照在俞先生的臉上，他的眼皮都著了酒意，一雙飛揚的劍眉碧青的。

「俞先生，你很像南俠展昭呢！」我突然間想起我從前看《七俠五義》的連環圖上南俠展昭的繪像來。俞先生呵呵大笑起來，說道：

「你說我像那隻御貓？那麼你呢？你是錦毛鼠白玉堂了麼？」

「不，不，不，」我搖手笑道：「我沒有白玉堂那麼標致，從前我把我弟弟叫錦毛鼠。」

「你弟弟也看武俠小說麼？」

「是我教他看的，後來他比我還要著迷。我租一本武俠小說回來，他總要先搶去看。」

「都是這個樣子的，」俞先生笑嘆道，「我買一本武俠回來，還沒翻兩頁，小宏便搶走了。」

「小宏是誰？」我問道。

「從前跟我住在一起的一個孩子——他去當兵去了，現在在馬祖。那一櫃子武俠小說，倒有一大半是為他買的。」

俞先生告訴我小宏是從屏東到台北來唸書的學生，唸大同工專，在他這裡住了兩年多，都是俞先生照顧他，因為小宏家裡窮困，俞先生供他讀書，還替他補習英文。俞先生從皮夾裡拿出了一張他們兩人合照的照片來給我看，俞先生摟住小宏的肩膀，兩個人笑得很開心。

「這才是錦毛鼠白玉堂呢！」我指著小宏笑道，小宏長得非常俊秀。

「小宏很漂亮，」俞先生一面端詳著那張照片笑嘆道，「他走了，我很想念他呢。」

「他幾時服完役？」

「還有兩年。」

「哇，兩年還早得很哪！」

杯酒。」

「是啊，」俞先生搖頭笑道，「所以有時我一個人寂寞起來，便到你們安樂鄉坐坐，喝

美軍電台的輕音樂停了，廣播報告已經清晨兩點鐘。

「俞先生，我該走了。」我正要立起身來，俞先生卻按住我的肩膀說道：

「青娃兒，今晚你不要回去了，就在我這裡住。」

「俞先生——」我躊躇著。

「難得遇見像你這樣一個四川娃兒，我們擺龍門陣擺得正起勁，你不要走了。」

自從安樂鄉開張以來，有幾次也有客人要約我出去，我都拒絕了。但是俞先生我覺得他的人很好，而且確實如他所講的，我們是四川同鄉，感到特別親切。我喜歡他這間小公寓，令人覺得溫暖、舒服。

「我們躺在床上，再慢慢聊，」俞先生說道。

「那麼，我先去洗一洗澡。可以麼？」我做了一天工，剛才又吃下兩碗又熱又辣的紅油抄手，身上的汗酸，自己都可以聞到了。

「好的，」俞先生立起身來，「我替你去把瓦斯爐打開。」

俞先生去打開了瓦斯爐，又拿了一條乾淨浴巾給我，把我帶進他的洗澡房，並且告訴我，擱在澡盆旁邊的兩塊肥皂，那塊乳白的力士香皂是洗臉用的，另外一塊藥皂是洗身體的。

「你慢慢洗，我去鋪床，」俞先生帶上洗澡房的門時，對我笑道。

我掛上花灑的蓮蓬頭，打開熱水，從頭沖到腳，我擦了兩次肥皂，連頭髮都洗了，我把

浴巾包住頭，猛搓一陣，把頭髮擦乾。我赤著上身，提著外衣褲，走進了俞先生的臥房裡，俞先生的臥房很小，但也是收拾得乾乾淨淨的，他那張雙人床上剛鋪上一條天藍色的新床單，他正在把枕頭囊套入枕頭套裡，將兩只枕頭並排放著，說道：

「青娃兒，你睡裡面。」

我爬上床去先躺了下來，俞先生也卸去衣服，將床頭的檯燈熄滅，在黑暗中，我們肩並肩的仰臥著，俞先生便開始問起我的身世來，我一一的告訴他聽，我們那個破敗的家，死去的母親、弟娃，還有活得很痛苦的父親。

「青娃兒，也虧了你，」俞先生惋嘆道，「如果你弟弟還在，也許你就不會覺得這麼孤單了。」

「俞先生，要是弟娃還在，他一定會喜歡你這些武俠小說。《大熊嶺恩仇記》他也只看完前兩集呢！」我笑道，「有一次在夢裡我也夢到跟我搶武俠小說看，搶急了我還打了他一拳。俞先生，你相信鬼麼？」

「我不知道，」俞先生笑了起來，「我沒見過。」

「弟娃死了我常常在夢裡見到他，有一次，我還明明記得握過他的手，他伸出手，向我要口琴。」

「口琴？」

「是一管蝴蝶牌的口琴。我送給他的，他生日我買給他的禮物，他要討回去呢。」

「大概你記迷了心，所以常常夢見你弟弟吧。」

「可是我從來沒有夢見過我母親——她活著的時候很不喜歡我，所以大概她死了也不要見我吧。」

「不會的，青娃兒，你不要胡思亂想了。」

俞先生岔開了我的話，我們就天南地北的隨便聊起來。他告訴我他從前在重慶的時候，常常到嘉陵江裡去游泳。十六歲他就能游過嘉陵江了。我告訴他，我也喜歡游泳，從前我常常跟弟娃兩人到水源地去游泳。

「那麼夏天我帶你到鷺鷥潭去游泳去。」他說。

「好的。」我說。

「那兒的水又清涼又乾淨，你一定會喜歡。」

「好的。」我含糊應道。

我的眼皮漸漸重了，我轉過了身去，臉向著牆壁，矇了過去。在睡夢間，我感到俞先生的手摟到了我的肩上。

「俞先生——」

我驚醒過來，身子往裡面挪了一下，俞先生那隻手仍舊搭在我的肩上，他的掌心溫溫的。

「俞先生——對不起——」

「青娃兒，」俞先生柔聲喚道。

「俞先生——真的對不起——」我的聲音陡然顫抖起來。

「那麼——你好好睡吧。」俞先生遲疑了片刻，他的手在我肩上輕輕拍了兩下，終於抽了回去。

「俞先生——我——」

一陣不可抑止的心酸，沸沸揚揚直往上湧，頃刻間我禁不住失聲痛哭起來。這一哭，愈發不可收拾，把心肝肚肺都哭得嘔了出來似的。這幾個月來，壓抑在心中的悲憤、損傷、淩辱和委屈，像大河決堤，一下子宣洩出來。俞先生恐怕是我遇見的這些人中，最正派、最可親、最談得來的一個了。可是剛才他摟住我的肩膀那一刻時，我感到的卻是莫名的羞恥，好像自己身上長滿了疥瘡，生怕別人碰到似的。我無法告訴他，在那些又深又黑的夜裡，在後車站那裡下流客棧的閣樓上，在西門町中華商場那些悶臭的廁所中，那一個個面目模糊的人，在我身體上留下來的污穢。我無法告訴他，在那個狂風暴雨的大颱風夜裡，在公園裡蓮花池的亭閣內，當那個巨大臃腫的人，在兇猛的啃噬著我被雨水浸得濕透的身體時，我心中牽掛的，卻是擱在我們那個破敗的家發霉的客廳裡飯桌上那只醬色的骨灰罈，裡面封裝著母親滿載罪孽燒變了灰的遺骸。俞先生一直不停的在拍著我的背，在安慰我，可是我卻愈哭愈悲切，愈猛烈起來。

23

第二天早上，我醒來時，俞先生已經走了。他在床頭留了一件襯衫，是一件斯麥脫牌子的藍格子襯衫。襯衫上放著一張字條：

青娃兒：

我有兩堂早課。等我中午回來，帶你到劉家鴨莊去吃臘味飯。這件襯衫是新的，你拿去穿好了。

俞浩

我看看床頭的鬧鐘，已經十一點二十，便趕快跳了起來。我把那件新襯衫穿到身上試了一下，完全合適，可是我卻匆匆脫下，仍舊疊好，放回床上去。我在那張字條的背面寫道：

俞先生：

我走了。對不起，昨晚打擾了你一夜。王度盧的《鐵騎銀瓶》以後有機會再來向你借吧。謝謝！

李青

外面的秋陽在湛藍的天空裡，照得異常光輝燦爛。習習的涼風，吹得人很爽快。我買了一套燒餅油條，一面啃著，一面在台北的大街上漫無目的蕩了下去。我感到有點悃然，但卻輕鬆無比。昨晚那一陣嚎啕，好像把鬱積在心中多時纍纍的瘀塊，都傾吐光了似的，身體內變得空空如也。我從一條街蕩到另一條街，不知不覺竟走到重慶南路盡頭，南海路的交叉口處了。自從我被學校開除後，這半年來，我總是有意無意避免走近這一帶地方，因為育德中學就在南海路上，我不願撞見舊日的同學師長。但是這一刻，我卻突然起了一陣衝動，要回到母校去看看。這是星期六的下午，學校不上課，即使碰見舊日的老師同學，他們也未必還認得出我來。我的頭髮留長了，長得蓋住了眉毛，而且又穿著一條牛仔褲，完全不像一個中學生。育德中學的圍牆是紅磚砌的，巍峨高聳，兩扇鐵閘敞開著，我走了進去，穿過對著正門的那座辦公大樓，大樓下面牆上的佈告欄裡貼滿了佈告，也有兩則是學生犯規記過的：高二乙班黃柱國數學月考作弊，大過一次。初三丁班劉健行偷竊公物，留校查看。倒是沒有勒令退學的。大樓後面的「戈壁沙漠」仍舊在飛砂走石，我們的操場一颳風便黃塵滾滾，我們叫做「戈壁沙漠」，每次我們在操場上上完軍訓，回到教室，大家的眉毛都白掉了，敷上一層薄沙。操場上空盪盪的，一個人也沒有，可是操場旁邊的籃球場上，卻有人在投籃，籃球著地，發出砰砰的響聲，夾著陣陣吆喝歡呼：

「好球！」

我繞到籃球場邊，看見幾個初中生在傳球，一個個打著赤膊，穿著童軍短褲，一共五個人。我站在籃底，觀看了片刻，發覺他們原來在賽球。一隊兩人，一隊三人，動作激烈，廝殺得難分難解，兩人隊顯然漸漸不支，陣腳有點亂了，在籃下已經失去好幾球，而且其中一個大個子剛剛吃了一記令人相當難堪的悶火鍋，三人隊一面歡笑，一面調侃，得意洋洋。

「你那麼獨霸，叫你 Pass 你又不 Pass。」兩人隊起內訌了，其中那個小個子忿忿然叫道，他是五個人中最矮小的一個，可是動作靈活，上籃時竄得很靈敏。他那張渾圓的娃娃臉脹得鮮紅，滿頭大汗。

「我已經帶球上籃了，還不該 shoot 麼？」兩人隊中的大個子張開雙手，咧著嘴傻笑，替自己辯護。他最高大，但卻是一個傻大個兒，笨手笨腳，而且還相當獨霸。

「shoot 你的頭！挨了人家一記大火鍋！」娃娃臉悻悻地把球擲給了對方，不停的咕噥、抱怨。

三人隊已經贏了好幾球，遙遙領先，行動言語也就更加囂張起來。其中一個小黑炭撿到球，開始進攻，一下子竄到了籃底，娃娃臉一急，整個人撲了上去阻攔。

「拉手！」小黑炭的球投了出去，沒有射中，舉起手高叫道。

「哪個拉手？你莫瞎扯！」娃娃臉氣急敗壞的駁道。

「拉手！拉手！」三人隊其他兩名隊員也幫腔道，並且學拉手的姿勢。

「放屁！」娃娃臉惱怒的喊道，「你們問他！」

他指向傻大個兒，傻大個兒楞了一下，訕笑道：

「我也沒看清楚啊。」

三人隊一齊歡呼起來，就要罰球。娃娃臉跑過去就狠狠搥了傻大個兒一下，啐道：

「你這個驢蛋！」

「我是沒有看清楚麼。」傻大個兒抓耳撓腮據實說道。

小黑炭投籃下球，偏偏兩球都罰進去了，第二球唰地一下，還是個空心。三人隊愈加樂不可支，又拍手，又喝采。娃娃臉捧住個球，眼睛直眨巴，額上的青筋都暴了起來。

「加入！」

我在籃下舉手叫道，一面脫去了襯衫，也打起赤膊來。三人隊面面相覷，娃娃臉轉怒為喜，率先叫道：

「歡迎！歡迎！我們來了救兵。」

我這個生力軍加入兩人隊後，形勢立刻扭轉，上半場結束，兩隊已經拉成平手，二十比二十了。娃娃臉喜得又叫又跳，也不罵傻大個兒了。下半場開始，我們一路領先，娃娃臉跟我合作得很好。我傳球，他上籃，他雖人矮小，右勾手的擦板球倒投得很準，一連擦進三、四球。從前在學校，我是我們高三丙班的籃球班隊，打中鋒。夜間部對日間部比賽，我們還贏過一面錦旗，高校長頒獎，是我上去領的。我們打到下半場後場，原先的三人隊已經敗象大露，潰不成軍了，而且三個人也開始彼此抱怨起來。最後一球，我站在中場，來了一個長射，唰的一聲，籃網子一翻，一個空心便進去了。

「好球！」娃娃臉拍手雀躍道。

我們終於以四十五比二十八，打了個大勝仗。娃娃臉跑過來抱住我的腰亂蹦亂跳，又去踢傻大個兒的屁股。

「認輸了吧？」娃娃臉笑嘻嘻的指著小黑炭道：「快請我們吃清冰吧！」

「去你的蛋！」小黑炭吐了一泡口水，喘噓噓啐道，「請幫手，不算數。」

「喂，有人想賴賬呢！」娃娃臉笑著向傻大個兒叫道。

「咱們再賽過，」三人隊裡另外一個翹嘴巴跑上來幫小黑炭道，「諒你沒種！」

「少囉嗦，」娃娃臉一把推開翹嘴，「你們輸了，對不對？四十五比二十八，慘敗。君子一言為定，輸家請客。你們賴賬才沒種！」

翹嘴喘著氣，厚厚的嘴唇噘得老高。娃娃臉打量了一下翹嘴！突然指著他尖聲笑道：

「尖嘴，你去照照鏡子，你的嘴巴現在像甚麼？像鴨屁股！」

翹嘴臉一紅，揮拳便揍，娃娃臉趕忙竄逃，可是卻給小黑炭一把攔住，翹嘴趕上去，揪住娃娃臉，兩人毆鬥成一團。小黑炭在旁邊放冷箭，娃娃臉背上腰上已經吃了好幾下暗虧了。

「大個子，快來幫忙呀！」娃娃臉大聲討救。

傻大個兒跑上去助陣，三人隊另外一個青春痘也不甘落後。於是五個人，拳腳交加，混戰起來。一場賭清冰的球賽，演變成全武行，五個人開始還邊打邊笑，後來大概出手重，打痛了，竟認起真來。尤其是娃娃臉跟翹嘴兩人，噼噼啪啪，沒頭沒臉，亂揍一頓，兩人打紅了眼。我看見事態嚴重，趕忙搶上前去，一把先將娃娃臉跟翹嘴隔開，然後大喝一聲：

「停戰！」

五個小傢伙都懾住了，停了下來，一個個扠的扠腰，歪的歪脖子，氣呼呼互相瞄來瞄去。

「你們賭東道的，是麼？」我問道。

「明明講好了的，輸的一隊請客，吃清冰。」娃娃臉理直氣壯的答道。

「那麼你們輸了，要不要請客呢？」我問三人隊。

「你幫他們，不算！」小黑炭抗議道。

「你不幫他們，他們不輸掉褲子才怪呢！」翹嘴幫腔道。

娃娃臉跳上前去叫道：

「你管我們怎麼贏的，你們明明輸不起，想賴賬。賴賬的是龜孫子。」

翹嘴跟小黑炭又摩拳擦掌起來，我忙阻止道：

「我來調停，折衷一下吧。你們不是都想吃清冰麼？既然沒有人願意請客，我提議各人出各人的錢，大家一齊去吃算了。」

三人隊面面相覷了一番，藉此收場，同應聲道；

「也好。」

「便宜了你們！」娃娃臉心猶不甘，嘀咕道。

我們各人撿起自己的外衣，都搭在肩上，娃娃臉把籃球抱在懷裡，我們六個人，一身汗淋淋的，一頭一臉都蒙上了黃沙，打著赤膊大搖大擺的走出了校門。學校對面，植物園門口，賣清冰老李的攤子還在那裡。他那輛拖車，舊得一路咯軋咯軋響下去，車上鉋清冰的機器鏽得發了黑，幾只裝五色糖漿的玻璃缸也是煙黃煙黃的。老李是個超級大胖，一個夏天敞著衣衫，大肚子挺在外面，頭上的汗珠子從來沒有停過，他也不用毛巾揩拭，手一抹，將汗水往地上一甩，然後又很起勁的去鉋清冰去。然而老李的清冰生意一直很興隆，其他幾個攤子總也競爭不過他。一來他的價錢公道，分量給得夠。二來老李是個老交際，得人緣，他是個退役兵，大陸上地方跑得多，有說不完的鼓兒詞，育德的學生都喜歡照顧他。從前夏天晚上放了學，要是口袋裡還有錢，我便跟同學們結夥到老李的攤子上吃清冰，一邊聽他講湘西趕屍的故事。他推車上那盞散著嗆鼻氣味的電石燈，青光搖曳，老李挺著個大肚子，學殭屍一跳一跳的走路，我們都聽得咯咯駭笑起來。

「老李，」我笑著叫道。

老李朝我上下打量了半天才認出我來，即刻堆下了滿臉笑容。

「嘿，李青小子，好久不見，畢業了麼？」

「來六碗清冰，」我說道，「我們都渴死了。」

娃娃臉一來便跑過去揭開老李推車上裝紅色糖漿的玻璃缸，尖起鼻子去聞了一下。老李趕忙將玻璃缸蓋子一把搶走，仍舊蓋上，喝道：

「小鬼最多事，又打甚麼歪主意了？」

「你們猜為甚麼老李的清冰特別夠味？」娃娃臉笑嘻嘻的問道，「他的糖漿裡加了料，羼了他的香汗。」

「你媽的——」

老李的眼睛鼓得銅鈴那麼大，卻說不出話來，一面又趕快用手去揩拭額頭上涔涔的汗珠子，我們忍不住都哈哈大笑起來。老李一面用機器鉋冰，一面猶自不停的咕噥著，他鉋了六碗清冰，加上五顏六色的糖漿，遞給我們，卻指著娃娃臉斥道：

「小鬼頭，你懂啥？你李爺爺就是濟公活佛，吃了你李爺爺的汗，長生不老呢！」

「老李倒真像個濟公活佛，你們看，他肚子上搓得下一碗老泥呢！」娃娃臉笑著指向老李的大肚子。

老李舉起手便要打，卻又掌不住笑了，他揪了娃娃臉的腮一下，笑道：

「娃娃，你就是那個牛魔王的紅孩兒，專門翻精搗怪！」

我們唏哩嘩啦把碗裡的清冰吃得點滴不剩，各自付了五塊錢。吃完清冰，大家的火氣也消了，傻大個兒、小黑炭、翹嘴、青春痘、娃娃臉，都向我道了聲再見，一鬨而散。

24

娃娃臉一個人抱著球，肩上搭著外衫，往植物園裡走去，我也跟著進到植物園內。有半年沒有回返植物園了，從前上學下學，天天穿過園裡，來來往往，有五年多的日子。植物園，我跟弟娃差不多是在裡面長大的，如同我們自己的花園一般。我們在育德唸書時，常常跟一大夥人，成群結黨，到植物園裡去鬥劍。我們龍江街二十八巷秦參謀家的大寶、二寶也是我們的死黨。我用童軍刀削了兩把竹劍，我那柄是「龍吟」，弟娃那柄是「虎嘯」，我們是崑崙山龍虎雙俠，大寶二寶是終南二煞，龍吟虎嘯雙劍合璧大戰二煞。我們在植物園假石山的台階上，跳上跳下，廝殺得天昏地暗，日月無光。終南二煞邪不勝正，往往讓龍虎雙俠追殺出植物園外。有一次我一劍把秦大寶砍下台階，他的頭撞在石頭上，撞起核桃大的一個腫瘤，秦媽媽護短，告到父親那裡，說道：「你的兩個娃仔實在野得不像話，也該好好管管了。」我們的「龍吟」「虎嘯」被沒收去，當柴火燒掉。大寶二寶高中沒有考上育德，後來進了泰北中學耍太保去了。植物園的一草一木，我們都熟悉得好像老朋友一般。春天撈蝌蚪，夏天爬到尤加利樹上去捉知了，秋天——秋天到荷花池塘去摘蓮蓬。

一個夏天沒來，植物園裡池塘中的荷花已經盛開過了，池塘浮滿了粉紅的花瓣，冒出水面三、四尺高的荷葉，大扇大扇的，一頃碧綠，給雨水洗得非常鮮潤。青青的蓮蓬，已經開始在結子了。荷葉荷花的清香隨風撲來，一入鼻，好像清涼劑一般，直沁入腦裡去。

「再過一個禮拜，就可以來採這些蓮蓬了。」我趕上娃娃臉，指著池塘內幾枝迎風搖曳的蓮蓬說道。

「不到一個禮拜，這幾個大的早就不見了！」娃娃臉笑道，「這幾天，天天早上我都來看一遍，一結子我就採掉。」

「那幾個夠不到，可惜了，恐怕已經熟了，」我指著池塘中心那幾枝特別大的蓮蓬說道。

「我家裡有根長竹桿，桿頭繫著一把月牙刀，我去拿來試試，去勾那幾枝大蓮蓬。」

「那麼遠哪裡勾得著？小心掉到池塘裡去。」

娃娃臉咯咯的笑了起來說：

「尖嘴有一次跟我們一齊來採蓮蓬，貪心鬼，採了三個還不夠，一跤滑池塘裡，裹了一身的污泥，活像隻大烏龜。」

娃娃臉把球拋到空中，又趕緊跑上前接住。

「你們是哪班的學生？」我問道。

「初三丙班。」

「哦，你們的導師是『鴨嘴獸』不是？」

「對了，正是她，你怎麼知道？」娃娃臉笑了起來。

「從前我也讓她教過，乖乖，好厲害！」

王瑛是育德有名的羅剎女，下筆如刀，絕不留情。博物題目最是刁鑽古怪，有一次，她出了一題鴨嘴獸，把學生都考倒了，所以大家都叫她「鴨嘴獸」。其實王瑛長得很漂亮，來上課時，常常撐著一柄粉紅遮陽傘。

「你的博物分數一定很慘了吧？」

「才不是呢！」娃娃臉趕忙抗議道：「我在初二時，植物全班第一，九十五分。」

「嚄，很了不起麼！我聽說『鴨嘴獸』從來不給九十分的。你的植物為甚麼那樣棒？」

「我就住在植物園裡，」娃娃臉笑道，「我爹爹在農林實驗所當研究員，從小他就教我認各科植物了。」

我們已經走過石橋，進入農林實驗所的花園裡去。園裡有一連五座玻璃花房，房裡層層疊疊放滿了盆栽花草。外面一排排都是花圃，培養著各色各種的花苗，圃內插著許多標籤，上面寫著拉丁學名。我們經過一座玻璃花房，裡面吊著許多羊齒植物，長條長條的綠葉垂下來像飄帶一般。

「這些都是金髮蘚，」娃娃臉指著一溜吊在半空綠茸茸極為纖細像天鵝絨似的羊齒植物，解釋給我聽。

「這又叫『處女髮』，很難栽培呢，花房裡可以調節濕度，這種植物最喜歡水分了——」

「呀，快來瞧，果然都開了！」

娃娃臉興匆匆跑到前面一畦花圃，蹲了下去，又回頭直向我招手。我走過去，花圃裡密密的種著一片深紫淺紅相間的小花，統統綻開了。

「這些花是我爹爹種的，」娃娃臉興奮的對我說道。

「這些花叫甚麼名字？」我問道，花草的名字我都不記得，我的植物補考過才及格的。

「這個你也不知道呀？」娃娃臉洋洋得意的說道，「這叫三色菫，這種顏色是突變，我爹爹用人工交配栽培出來的，你仔細瞧瞧，這些花像甚麼？」

「貓兒臉，」我說。

「呵，呵，」娃娃臉亂搖手，大笑道，「不對、不對，像人面，所以又叫『人面花』。」

娃娃臉立起身來，一面走著，一面告訴我聽他父親常常半夜三更起身，到花圃裡來，觀察他種植的花苗。我們穿過花園，便到了農林實驗所的的宿舍面前，那是一排陳舊的日式木屋，裡裡外外，樹木成蔭。

「那是我們的家，」娃娃臉停下來指著第二棟木屋，對我說道，那幢房子，整座都給翠綠肥大的芭蕉樹遮掩住了。

「么弟！」

屋子裡突然跑出一個十七、八歲的大男孩來，迎面喝問娃娃臉道：

「你瘋到哪裡去了？找了你一個下午！」

「我到學校打球去了。」娃娃臉把手上的籃球拋給了大男孩，大男孩一把撈住，責怪道：

「好傢伙，又把我的球偷走了。」

「我們跟尖嘴他們賭清冰，尖嘴他們輸了，又賴掉了！」

娃娃臉回頭向我扮了一下鬼臉笑道。

「你只管野吧，你闖禍了。爹爹叫你去向劉伯伯借那本百科全書的，書呢？」

「哎呀！該死！該死！」娃娃臉直敲自己的腦袋，「我這就去借。」

「還等你去？我早去借來了。爹爹正在生氣，你還不快點進去，當心挨揍！」

大男孩拎住娃娃臉一隻耳朵便往裡面拖，娃娃臉的頭給拉得歪到一邊，腳下一蹦一跳的跟了進去，到了大門口，他掙脫了大男孩的手，回過頭來，朝我咧開嘴，揮了一下手。大男孩砰地一聲便把大門關上了。砰砰砰門內傳來幾聲籃球著地的聲音。

夕陽斜了，地下的樹影愈拉愈長，一條條橫臥在草坪上。我自己的影子，也給夕陽拉得長長的，在那交叉橫斜的樹影中，穿來插去。我爬上草坡，影子便漸漸豎了起來，我跑下坡去，影子又急急的往前竄跳。走出林外，突然間，隨著一陣風，隱隱約約吹來一流細顫顫的口琴聲，一忽兒琴聲似乎很遙遠，起自荷花池塘的對岸，一忽兒又很近就在身邊，那棵鬚髮垂地古榕的後面，斷斷續續，時起時伏，我向著琴聲奔跑過去穿進了那叢茂密的金絲竹林中，地上焦碎的竹葉竹籜，被我踩得發出畢剝的脆響，我雙手護住頭，擋開那些尖刺的竹枝，在林中橫衝直闖。我記得那天下午，那是最後一次，我們一齊到植物園來，我跟弟娃約好放了學在植物園中見面的，我叫他在竹林外石橋橋頭那棵大麵包樹下等我，我騎車把他載回家去。我到了石橋橋頭，可是卻沒有看到弟娃的蹤影。弟娃，我叫道，弟娃，你在哪裡。猛然間，從那棵闊葉重疊巨大的麵包樹上，一聲嘹亮的口琴像拋線似的溜了下來。我抬頭一望，弟娃正坐在那棵麵包樹的一枝橫幹上，那些墨綠的闊葉像一把把大扇子，把弟娃的身子都遮去了一半，他露出了頭來，雙手捧著我送給他的那管蝴蝶牌口琴，在吹奏那支「清平調」。弟娃，我叫道。弟娃，我大聲叫道。

琴聲突然中斷，竹林外面，那一大頃荷塘，亭亭的荷葉，在晚風中招翻得萬眾歡騰，滿園子裡流動著一股微帶澀味的荷葉清香。又一陣風掠過去，一排荷葉嘩啦啦互相傾軋著斜臥了下去，荷塘對面的石徑上，現出了三五個男學生的頭顱來。隔了不一會兒，剛剛那縷口琴的聲音，又在荷塘的對岸，顫然升起，漸去漸遠，隨著風，杳然而逝。

25

遊妖窟

上星期六晚，筆者誤打誤撞，竟闖入一個非常禁地。古人劉阮上天台，筆者卻往妖窟一遊，大開眼界。話說本市南京東路一二五巷，本是一個茶樓酒榭櫛比鱗次的熱鬧地區，可是在這些烤肉店、咖啡廳、日本料理店的下面，卻掩藏著一個叫「安樂鄉」的秘密酒吧。如果讀者從金天使隔壁一道窄門走下去，便會進入這個別有洞天的妖窟裡。請別緊張，這兒沒有三頭六臂的吃人妖怪，有的倒是一群玉面朱唇巧笑倩兮的「人妖」。筆者無意間竟發現了本市的男色大本營，一時眼花撩亂，心蕩神搖，幾疑置身世外「桃」源。「安樂鄉」裝潢豪華，氣氛喬皇，加上歌聲細細，笑語如癡，端的是一個紅燈綠酒的溫柔鄉。據云來這裡吃禁果（分桃）的人，上自富商巨賈，醫生律師，下至店員夥計，士兵學生，九流三教，同「病」相憐。筆者旁敲側擊，打聽出來，「安樂鄉」的後台老闆乃是影劇界某名流，難怪那晚星光熠熠，一位最近剛冒紅的小生，竟也赫然在場。然而人妖異路，妖窟到底不可久留，筆者喝完啤酒一瓶，趕緊匆匆離去，返回人間，是為「遊妖窟」記，與讀者共饗奇遇。

——本報記者樊仁

我到安樂鄉去上班，一進酒吧便聽見我們師傅楊教頭與小玉、吳敏、老鼠幾個人在裡面議論紛紛，大家都似乎很激動。師傅看見我，氣咻咻的將手裡捏著的一份《春申晚報》塞給我看。晚報第三版的社會傳真專欄，便登著樊仁報導的那篇〈遊妖窟〉，標題還用的是特大號字。《春申晚報》據說是從前上海一個青幫小頭目辦的，專靠黑幕新聞發跡。前個月《春申晚報》把一個小有名氣的女明星羅俐俐未發跡以前在華都當舞女的秘聞挖了出來，添油添醋寫得十分不堪，那個女明星氣得服安眠藥，差點送命，鬧得滿城風雨。

「兒子們！」師傅把我們召集在一起，手裡揮動著那份《春申晚報》，對我們訓話道：「這叫做『禍從天降』！咱們流年不利，偏偏闖到這麼一個煞星，把咱們的身分統統掀了出來。今後恐怕沒有太平日子過了。這兩個多月來，咱們師徒總算享了一場福，過了一段像人的生活。眼看著咱們安樂鄉就要大發起來，這個月還沒結賬，看樣子起碼比上個月加三成。這樣下去，咱們師徒的生計是不愁沒有著落。當初師傅想盡辦法，把這個酒店開起來，一半也是為了你們這幾個東西，起一個窩，免得你們流落街頭。你們不能怨你們師傅，我為你們是盡了心了。這要怪你們這幾個東西，生來便是奔波命，這種安安穩穩的日子，你們恐怕無福消受了。《春申晚報》那一夥王八羔子最惹不得，你們都還記得羅俐俐那樁公案吧？害得人家求生不能，求死不得呢。這下子一傳出去，咱們可成了台北市頭號新聞人物啦，比那羅俐俐更加稀奇了。盛公大概還沒看到今天的《春申晚報》呢，要不然恐怕早已急得腦充血啦，還敢到安樂鄉來替咱們撐腰麼？這個叫樊仁的爛記者──你們上星期六可記得見過甚麼形跡可疑的人沒有？」

我們面面相覷，半晌，小玉卻想起了甚麼似的叫道：

「我記起來了！那晚有個陌生人曾經向我東問西問，打聽安樂鄉的老闆是誰。那個傢伙鬼頭鬼腦，又穿了一身的黑西服，一看就知道是個外人，可是都沒想到是《春申晚報》的害人精！」

「哦，」師傅點了點頭，思索片刻，叮囑我們道：「這下張揚開來，回頭還不知會招來一班甚麼看熱鬧的人。你們聽著：今晚大家沉得住氣，一切逆來順受，不許多嘴，不許毛躁，此後的風險正多著哩，一個不好，送火燒島也有咱們的分呢！」

師傅的話還沒有落音，唰地一聲，大門開處，三三兩兩已經闖進來一些不相干的陌生人了。開始疏疏落落分別坐在各個角落，還不怎麼起眼，師傅也就照例指使我們端酒送煙。八點過後，形勢大變，一夥一夥的外路客竟成群結黨湧進了安樂鄉，不到一刻工夫，一個地下室裡，擠滿了我們從來沒見過的不速之客。每晚到安樂鄉來報到的那一群鳥兒，大概得到了風聲，一個個不見了蹤跡，即使有一兩個，冒冒失失的飛了進來，一看見老窩裡鳩佔鵲巢，全是些生面乳，知道情勢不妙，也就悄悄溜走了。陌生客大都是年輕人，有一夥是常在野人咖啡館窮泡的浮滑少年，我在野人裡見過他們幾次，還帶了幾個妞兒來，都是來看熱鬧的。那群少年一進門，一雙雙的眼睛便骨碌骨碌轉，到處在搜索找尋，接著便交頭接耳，指指點點起來。一陣陣噗哧的笑聲，此起彼落，笑得最尖銳、最刺耳的，是一個梳著馬尾，穿著一雙長筒靴，眼皮塗著藍色眼圈膏的一個女孩子。

在哪裡？

在那邊。

是哪個？

是那兩個吧。

報紙上不是說有好多——

那個馬尾巴就站在離吧檯不遠的地方，她湊近一個身穿火紅T恤的青少年耳邊，一直追問道。在嗡嗡嚶嚶的笑語聲中，有兩個字在這琥珀燈光照得夕霧濛濛的地下室內一直跳來跳去，從這個角落跳躍到那個角落，從那個角落又跳蹦蹦的滾了回來。

人妖

人妖

人妖

人妖

人妖

酒吧檯周圍，浮動著一雙雙帶笑的眼睛，緊緊跟隨著我和小玉，巡過來巡過去。我跟小玉圈圍在酒吧檯內，讓那一雙雙眼睛從頭睨到腳，從腳又一寸一寸往上爬，一直爬回到我們的臉上來。那些眼睛，從四面八方射過來，我們無法躲避，亦無法逃逸。我記得八歲的時候，那一年母親剛剛出走，有一回我帶著弟娃到舒蘭街河邊去玩，河邊一棵柳樹幹上懸著一只菠蘿大的蜂窩，我不懂得厲害，拾起泥塊去擲著玩，一下把蜂窩砸掉了一角，嗡地一聲，飛出一窩憤怒的黃蜂，向我追撲過來，我嚇得大叫狂奔，頭上臉上早挨叮了幾下，怎麼用手揮趕也趕不掉那群狂追不捨的怒蜂，回到家中，我的臉上腫得紫亮，眼皮上也遭了一下，眼睛腫成了一條縫，痛得晚上不能睡覺。突然間，我覺得那些眼睛，就像那群激怒的黃蜂一般，一隻隻緊盯在我的頭上臉上，死死咬住不放。我端著啤酒杯的手，瑟瑟顫抖起來，杯內冒著白泡沫的啤酒直往外潑，濺在褲子鞋子上，小玉大概也被盯得慌了手腳，一只酒杯豁瑯滑掉到地上，砸得粉碎。老鼠端著酒在人堆裡穿來插去，倒還沒有人理會，吳敏卻吃夠了苦頭，讓那群浮滑少年狠狠的戲弄了一番。「玻璃」，一個攔住他叫道。「兔兒，」另外一個摸了他的頭一把。吳敏躲來躲去，倒真像一隻被獵犬追逐驚惶奔逃的白兔了。阿雄仔被師傅關進了廚房裡，不許出來，因為怕他不懂事，打人闖禍。

在酒吧的另一端，電子琴的那邊，楊三郎仍舊無動於衷的坐在那裡，戴著他那副黑眼鏡，半仰著頭，臉上漾著一抹木然的微笑，仍舊在那裡不急不緩的，按奏著他自己譜的那首「台北橋勃露斯」。

26

晚上打烊後，我們一個個早已累得筋疲力盡，剛才那四五個鐘頭的班，每一分鐘都是硬著頭皮熬過去的。師傅倒誇獎了我們一番，說我們果然還沉得住氣沒有惹出亂子。他把賬結好，特別打賞我們每人一百元，卻嘆了一口氣，告誡我們道：

「兒子們，今晚你們都看到了，咱們的處境有多艱難！平日你們只顧抱怨師傅管教太嚴，你們瞧瞧，外頭的世界對咱們是很友善的麼？要是明後晚還是像這種情形，那些外路雜人還要來咱們安樂鄉搗蛋、拆場合，兒子們，這個地方咱們恐怕就待不下去了！」

回到傅老爺子家，已是深更半夜，天氣有點涼意，我身上穿著一件傅衛留下來的軍用夾克。傅老爺子家燈火全熄了，黑漆漆的一片，我摸著黑，上了玄關。平常傅老爺子早睡，但他總把玄關一盞小燈開著，讓我照路。我昨夜一夜沒有回來，不禁有些懸心。我進到屋內，便悄悄走到傅老爺子房間外面，隔著房門凝神屏息聆聽了片刻，我似乎聽到傅老爺子房中有微弱的呻吟。

「老爺子，」我低聲叫道，裡面仍舊是哼哼的聲音，我打開房門，走進去，房中也沒有開燈，黑暗中，傅老爺子床上傳來呻吟的聲音愈加清楚了，好像喘息很困難似的。我把床頭五斗櫃上一盞檯燈捻亮，傅老爺子躺在床上，臉色蒼白，額上冒著涔涔的汗珠，兩道鐵灰的壽眉緊緊蹙在一處，他的喉頭一直發著嗄啞的呻吟，異常痛苦的模樣。

「老爺子，怎麼了？」我蹲下身去，湊近傅老爺子問道。

「阿青——」傅老爺子吃力的喚道，「去倒杯開水來。」

我趕緊到廚房裡，從暖水壺裡倒了一杯溫開水，端回傅老爺子房中。

「那瓶藥——」傅老爺子抬起手，指了一指床頭邊五斗櫃上一只塑膠藥瓶，藥瓶裡是綠色膠囊的藥丸，不是傅老爺子平日服用的藥水。我記得傅老爺子說過，這是特效藥，心痛得實在厲害，救急用的。藥瓶上寫著六小時服用一粒。我取出一枚藥丸，將傅老爺子扶坐起來，把藥丸塞進他嘴裡，把玻璃杯裡的開水，一口一口緩緩的餵了他小半杯，然後才把他的頭又放回到枕上。傅老爺子的頭髮都讓汗水浸濕了，而且是冷汗，我掏出手帕，替他拭去額上頰上的汗水。

「老爺子，要不要我送你到醫院去看看大夫？」我問道，傅老爺子這次的病似乎來得很兇，我不禁有點慌了起來。傅老爺子卻擺了一擺手，他的眼睛仍舊閉著，說道：

「吃了藥，暫時還不礙事，明天我去榮總看丁大夫去。」

丁仲強丁大夫是榮民總醫院的心臟科主治醫生，傅老爺子的心臟病一直是他醫治的。

「那麼明天一早我就送你去，老爺子，」我說道。

傅老爺子點了點頭，過了一會兒，他張開了眼睛。才緩緩的將他發病的原因說了一個大概，原來早上他去了中和鄉靈光育幼院，去把那個沒有手臂的殘廢兒童傅天賜帶去台大醫院去看病。傅天賜已經病了一個星期了，一直發燒。幼育院的特約醫生開了藥，可是並沒有效，孩子病得很辛苦，傅老爺子不忍，所以想帶他到台大醫院去診治。誰知台大醫院的電梯偏偏壞了，內科診室又在三樓。平時傅天賜走路便不平衡，容易摔跤，何況又在病中。傅老爺子半抱半拖，把傅天賜弄上三樓時，自己卻累倒了，在醫院裡心就疼了起來，人都差點昏厥過去。傅老爺子說完卻打量了我半晌，嘴角浮起一絲倦怠的笑容來，喃喃說道：

「阿衛的衣服，你穿著正合適，阿青。」

我低頭看了一看自己身上那件墨綠的軍用夾克，說道：

「外面天氣有點轉涼了。」

晚上我睡在傅老爺子房中，靠在房中一張藤臥椅上休息。一夜我們兩人都沒有真正睡著過，傅老爺子大概人很不舒服，隔不了一會兒就要哼一下，他一呻吟，我便驚醒過來，這樣反反覆覆，終於折騰到天亮。我起身去燒水，沖了一杯阿華田，傅老爺子本來不肯喝，我勸了半天，總算把一杯阿華田細細啜完了。我找了一件對襟夾襖出來，替傅老爺子穿上。然後自己也去匆匆梳洗了一番，八點半鐘，我便到巷子口攔了一輛計程車進來，然後從床上將傅老爺子扶起，他的右手臂挽住我的脖子，我的左手卻撓過他那佝僂的背脊，抱住他整個身子，兩個人互相倚靠著、攙扶著，一步一步，蹣跚的走下玄關去。

我們到石牌榮總時，還不到九點，而且又掛了特別號。丁大夫的門診，第一個就輪到傅老爺子，護士特別推了一架輪椅，把傅老爺子接進去，我在外面等候了差不多四十分鐘，丁大夫卻親自出來，找我談話，丁仲強大夫是一個身材高大、銀髮燦然的醫生，穿著一身白制服，很有威嚴的模樣，他把我叫過去，語調低沉的說道：

「你們老太爺這次的病，很不輕呢，我要他馬上住院。」

「哦，今天就進來麼？」我囁嚅問道。

「今天就住進來，」丁大夫斬釘截鐵的說道。

接著他大略向我解釋了一些傅老爺子的病情。傅老爺子的心臟一向衰弱，這次有心肌梗塞的現象，隨時會休克，萬一昏厥一摔跤，即刻發生危險。接著他便遞給我一張他簽的住院證明書，交代我道：

「你先到下面去辦住院手續，你們老太爺正在做心電圖。」

我走到樓下住院處，替傅老爺子辦妥住院手續，傅老爺子是老榮民，不必預先繳住院費。回到樓上，傅老爺子已經做完心電圖了，他身上換上了綠色的病人睡袍，佝著背坐在輪椅上，讓護士推往別的診療室。他看見我，卻把我招過去，聲音虛弱的吩咐我道：

「你先回去，拿兩套我洗換的衣服來，還有我的牙刷面巾——別的東西，日後再說吧。這幾天，恐怕你要兩頭跑了呢。」

「不要緊，老爺子，」我趕緊應道，「老爺子家裡的藥還要不要拿來呢？」

「用不著，」傅老爺子揮了一下手，「丁大夫另外開藥。」

「老爺子，我去了，馬上就回來，」我說道，「晚上我不去上班了。」

傅老爺子嘴唇抖動了一下，要說甚麼，卻只點頭唔了一聲。我轉身離開，傅老爺子蒼啞的聲音卻在我身後問道：

「身上有錢麼？」

「有！」我回頭拍了一下褲袋笑道。

27

我匆匆趕回傅老爺子家，家裡靜悄悄的，傅老爺子入了醫院，整棟屋子一下子好像空掉了一般。我到他房中，從衣櫃裡理出了幾套洗換的內衣褲，他的牙刷牙膏洗臉手巾我也裝進了一只塑膠袋裡，又從我房中的壁櫥裡，找到了一只軍用綠色帆布旅行袋，把東西什物都放了進去，末了我把一罐阿華田也一併帶走了。

返回榮總以前，我到安樂鄉去彎了一趟，想把傅老爺子發病住院的消息，告訴師傅聽。師傅不在，小玉、老鼠和吳敏三個人倒圍在一張桌子上，一邊吃飯一邊吵吵嚷嚷不知在爭甚麼。我猛然想起肚子餓了，乾脆也坐下來跟他們吃點東西才走，小玉一看見我，卻指著我咯咯笑道：

「又來了一個！叫他甚麼呢？叫他鯉魚精吧！」

老鼠和吳敏都呵呵笑了起來。

「你媽的，甚麼鯉魚精？」我坐了下來，把小玉面前的碗筷拿過來，便扒了兩口飯，「我看你才是個狐狸精呢！」

老鼠馬上跳了起來，指著小玉嚷道：

「你看、你看，我跟小敏叫你狐狸精，你還不以為然，現在是公認的了！」

「好吧、好吧，就算我是狐狸精，」小玉拍拍胸口道，「那麼你是耗子精，你是兔子精，」他指指吳敏，又指指我，「你是鯉魚精，咱們師傅是千年烏龜精，阿雄仔麼，是個超級馬猴精——那麼咱們這個『妖窟』甚麼妖精都齊全了。今晚有人來『遊妖窟』看『人妖』，咱們就收他們的門票，一個一百塊。多看一眼，加一百，那麼，咱們以後便不必賣酒了。」

小玉說著卻把老鼠手中的筷子搶了過來，一邊噹噹的敲著碗，一邊用著幼稚園的歌「兩隻老虎」的調子唱道：

四個人妖
四個人妖
一般高
一般高
一個沒有卵椒
一個沒有卵泡
真奇妙
真奇妙

我們都哈哈大笑起來，也跟著用筷子敲碗齊唱「人妖歌」。

「師傅到那裡去了？」我笑得差點岔了氣，止住小玉問道。

「盛公召去了。盛公看到《春申晚報》，氣急敗壞把師傅召去開緊急會議。我看咱們安樂鄉也是好景不長了。我不知道你們有甚麼打算。小爺可打定了主意，下個月龍船長龍王爺的翠華號要開航，我是一定要跟了去的。我的廚子執照已經考到了，到翠華號上去當二廚。下個禮拜我就去割盲腸去。你呢，老鼠，烏鴉那裡你回不去了，我看你怎麼辦？你那第三隻手又要伸出來了——」

老鼠齜著一嘴焦黃的牙齒，癡笑了兩聲。

「小敏又怎麼辦？難道還回去當『刀疤王五』的小媳婦兒不成？只有你最好，阿青，你有傅老爺子庇護著，一切不必發愁，我看你也拉他們兩人一把，請老爺子發發慈悲，一起收留算了——」

「傅老爺子病重，進了醫院，」我說道。

「哦——」他們三個人都驚叫了起來，一個個呆住了。

我把傅老爺子昨晚病發今天早上入了榮總的情形跟他們說了一遍，三個人都急著問醫生怎麼說。

「丁大夫說，隨時有休克的危險！」

「休克？」老鼠楞楞的問道。

「昏迷過去，懂不懂？土包子！」小玉低聲罵道。

我們幾個人商量的結果，不等師傅回來，大家先去榮總去看傅老爺子。我們出去巷口，經過一個水果攤，小玉提議買幾顆日本進口的蘋果給傅老爺子帶去。五十塊一顆，我們每個人出五十，一共買了四顆鮮紅的日本大蘋果，叫了一輛計程車，四個人往石牌榮總馳去。

傅老爺子在三〇五病室，一個二等病房，裡面住了另外一個病人，兩張病床中間隔著一張白布幔。傅老爺子的病床在裡面，我領著小玉、吳敏、老鼠躡手躡腳繞到傅老爺子床邊，傅老爺子蓋著一張白床單，側著身在睡覺，只露出他那白髮凌亂的頭。房裡的光線很暗，我們站在床腳邊，看不清楚傅老爺子的臉，只聽得他濁重的呼息聲很不均勻的從他喉嚨裡發出來。我們四個人在那陰暗的病房中，我手上提著那只軍用旅行袋，小玉手上拎著一只塑膠袋，裡面裝著四隻蘋果，吳敏和老鼠在我們身後，都在凝神屏息的候立著，我們就那樣靜靜的等了差不多一刻鐘，傅老爺子才翻身醒來。

「是阿青麼？」傅老爺子問道。

我趕緊湊上前去，彎下身應道：

「我回來了，老爺子，」我舉起手中的旅行袋，「衣服手巾也拿來了。」我又向小玉他們指了一下，「小玉、吳敏、老鼠來看老爺子。」

小玉、吳敏和老鼠才一個個蹭了過來。

「你們沒上班麼？」傅老爺子問道，他的聲音很微弱。

「還早呢，老爺子，」小玉上前答道，「阿青告訴我們，老爺子身體不舒服——」

小玉說著卻把手上一袋蘋果遞給了我，我把蘋果接過去，舉給傅老爺子看。

「小玉他們買了幾個蘋果來給老爺子。」

我從塑膠袋裡掏出了一顆又紅又大的蘋果來，傅老爺子望了一望那顆紅蘋果，嘴角浮起一絲笑容嘆道：

「咳，你們哪裡有閒錢買這個？糟蹋了。」

傅老爺子吩咐我把枕頭墊高，他靠了起來，歇了一會兒神，眼睛巡了我們一周，卻第一個把老鼠召了過去。

「你哥哥對你不好，你日後的路恐怕要難走些。我對阿青說過，要他特別照顧你。」

老鼠咧著嘴傻笑，又偷偷的瞅了我一眼。

「吳敏，你這條命是撿來的，等於二世人，你要珍惜才是，」傅老爺子望著吳敏說道。

「是的，老爺子，」吳敏低聲應道。

「聽說你一心一意想到日本去呢，」傅老爺子轉向小玉道。

「有機會，也想到外面去看看，」小玉解說道。

傅老爺子卻望著小玉，片刻點頭說道：

「你想去找你的生父，這份心是好的。但願上天可憐你，成全了你的心願吧。」

小玉垂下了頭去，我們都默然起來，我看傅老爺子仰靠在枕上，很吃力的模樣，便說道：

「老爺子該休息了，他們也要去上班了。」

「師傅還不知道老爺子住院，所以沒有來，」小玉離開時解說道，傅老爺子沉吟了半晌卻道：

「你去對楊金海說，明天早上要他一個人來見見我，我有話吩咐他。」

小玉、吳敏跟老鼠離開後，護士不停的進來量血壓測溫度，送藥打針，傅老爺子剛閉上眼矇著一會兒，就讓護士喚醒。護士拿了一只扁平的便盆來，她告訴我，要替傅老爺子驗大便，她交給我一只盛大便抽樣的塑膠盒子及一根竹籤，要我等傅老爺子大便後，把大便抽樣拿給她。傅老爺子說，這兩天便秘，所以一直沒有出恭。我去問護士借了一柄水果刀來，削了一碟蘋果，餵傅老爺子吃了，又倒了一杯開水讓他喝下去。差不多過了一個鐘頭，傅老爺子覺得腹中有了響動，我便將那只白搪瓷的便盆拿到他床上，塞到他身下去，但是傅老爺子的背駝得厲害，無法仰臥，我只好將他扶起身來，他一隻手勾住我的脖子，坐在便盆上。傅老爺子累得一頭的汗，我也拚命撐住。

「辛苦你了，阿青，」傅老爺子過意不去，說道。

「不要緊，老爺子，你再使使勁，」我說。

鬧了半天，傅老爺子終於解了出來，我們兩人都如釋重負一般，笑了起來。我遞上衛生紙給他，讓他揩拭乾淨，他才舒了一口氣，躺了下去。便盆裡是一堆烏黑的糞便，大概傅老爺子這幾天身體不好，消化不良，大便惡臭。我捧著傅老爺子的大便到外面廁所裡去，挑了一些大便抽樣盛到塑膠盒內，然後拿給護士小姐。

我一直在醫院裡陪伴傅老爺子到晚上八點，探病的時間截止才離開。臨走時，傅老爺子卻突然叫住我託付道：

「你明天早上，替我到中和鄉靈光育幼院，看看那個傅天賜。我答應明天去看他的，我還不知道醫生說他是甚麼病呢。」

「好的——」我應道。

「你不必告訴育幼院的人我住院，」傅老爺子交代我，「你去跟那個孩子說：傅爺爺過幾天就去看他。這幾個蘋果你也帶去給他吧。」

袋子裡剩下的三顆蘋果，我拿了兩顆走。

28

靈光育幼院在中和鄉偏僻的一角，我按著地址過了螢橋一直下去，穿過幾條街轉進入南山路底，才看到一道籬笆圍著幾棟紅磚平房，一個完全孤立的所在，倒有點像一所鄉村小學。大門上一塊焦黑的木牌，「靈光育幼院」幾個字已經模糊了，左下角有「耶穌會」的題款。我進到門內，前院右側是一片幼兒遊樂園，裡面有蹺蹺板、鞦韆、木馬，有七八個兒童在裡面遊戲，兒童們都繫著白圍兜，上面繡著「小天使」三個紅字。一個老頭和一個老太在看顧這群孩童，蹺蹺板上一頭坐著一個胖胖男童，一上一下，兩個男童在發著一連串興奮的尖笑。左側的兩棟磚房是教室，我從一棟窗外看到裡面坐著高高矮矮不同年紀的少年在上課，講台上站著一位穿了黑袍的神父在講課。另外一棟教室裡在上音樂課，隨著風琴的伴奏，一流混合著參齊不齊的男童的歌聲，荒腔走調奮力的在唱著一首聽著叫人感到莫名悽酸的聖歌。那兩棟紅磚教室的後面，有一座小教堂，教堂很舊了，紅磚都起了綠苔，教堂門楣上橫著一塊匾上面刻著「靈光堂」。我突然想到郭老告訴我，從前阿鳳在靈光育幼院時，行為乖張忤逆，常常半夜三更一個人跪在教堂裡哭泣，大概就跪在這間靈光堂裡吧。

「你找甚麼人麼？」教堂的門開了，走出來一個身材異常高大的老教士，老教士穿著長長的黑布袍，頭上戴著一頂黑色絨方帽，一張黝黑的方臉，皺得全是龜裂。

「是傅崇山傅老爺子叫我來的，」我趕忙應道：「他自己不能來，要我來看看傅天賜的病，送蘋果給他。」我舉起手上的蘋果。

「哦——」老教士那張黝黑的臉上綻露出和藹的笑容來，「傅天賜麼？他今天好多了，吃了醫生開的特效藥，燒都退了。」

老教士領著我繞過教堂，往後面另外一棟紅磚房走去。

「你是孫修士麼？」我試探著問道，我聽老教士的口音帶著濃濁的北方音。

老教士側過頭來望著我，滿臉詫異。

「你怎麼知道我的，小弟？」

我記得郭老說過靈光育幼院裡有個河南籍的老修士，院裡只有他一個人憐愛阿鳳。傅老爺子也提起院裡有個北方老修士，人很慈祥，專門照顧院裡的殘障兒童，他對沒有手臂的傅天賜最是照顧。

「傅老爺子對我提過您，」我說道。

「傅老先生人太好了，」孫修士讚嘆道：「他對咱們院裡的孩子真是慷慨，這幾年傅天賜那個孩子全靠他呢。」

「孫修士，您還記得阿鳳麼？」我悄悄瞄了一眼老教士，問道。我記得郭老告訴過我，孫修士常常陪著阿鳳，跪在教堂裡唸玫瑰經，想感化他。

孫修士聽我問起阿鳳便止住了腳，望著我思索半晌。

「阿鳳麼？唉——」孫修士長嘆了一聲，他那張龜裂滿佈黝黑的臉上，泛起一片悵然的神情，「那個孩子，是我一手帶大的，怎麼會不記得？阿鳳太古怪了，別人都不懂得他。我盡力幫助他，可是也沒有用，他跑出去後，聽說變得很墮落，而且又遭到那樣悲慘的下場，實在叫人痛心。其實阿鳳那個孩子，本性並不壞的——」

孫修士提起阿鳳突然變得興奮起來，站在教堂後面的石階下，跟我絮絮地追憶起許多年前阿鳳在靈光育幼院時，一些異於常人的言行來。他說阿鳳在襁褓中就有了多許異兆。他開始牙牙學語的時候，一教他叫「爸爸」、「媽媽」，他就哭泣。孫修士說，他從來沒見過那樣愛哭的嬰孩，愈哄他哭得愈兇，到了後來簡直變成嘶喊了。有一次他把阿鳳抱在懷裡，阿鳳才八九個月大，可是阿鳳卻不停的哭，直哭了兩個鐘頭，哭得昏死了過去，臉上發藍，一身痙攣，醫生打了一針鎮靜劑才把他救轉過來。好像那個孩子生下來就有一肚子的冤屈，總也哭不盡似的。其實阿鳳是個天生異稟的孩子，他那一種悟性也是很少見的。無論學甚麼，只要他一用心，總要比別人快幾倍，高出一大截。他的要理問答倒背如流，聖經的故事也熟得提頭知尾。孫修士親自教他國文，一篇〈桃花源記〉剛講完，他已琅琅上口，背得一字不差了。

「可是——可是——」孫修士卻遲疑道，他的眼睛裡充滿了迷惘，「那個孩子，不知怎的，做出一些事情來，卻總是那麼乖張叛逆，不近人情，正如同我們院長說的，那個孩子有時簡直是中了邪、著了魔一般。這些年來，我一想起他那悲慘的結局就不禁難過，我時常為他祈禱，祈禱他的靈魂得到主的保佑，得到安寧。——」

老教士有點哀傷起來，連連搖頭嘆道：

「傅老先生告訴我，出事的前一天，他還看過阿鳳呢，真是想不到。」

孫修士引著我走到一間寢室的門口，卻停下來，打量了我一下，茲藹的笑問道：

「你呢，孩子，你叫甚麼名字？」

「李青，」我說道。

「哦，李青，」老教士點了一點頭，指著我手上的蘋果說道，「好大的蘋果，傅天賜會樂壞啦。」

寢室裡的孩子，全是殘障兒童，一共有五個，一個完全沒有雙腿，呆坐在一張靠椅上，只剩下半截身子，有兩個大概是低能兒，對坐在地板上玩積木，嘴裡一直在啊啊的叫著。另外一個年紀比較大，大概有十幾歲了，可是頭卻一直歪倒到左邊又反彈回來，這個動作奇快，不斷的來回起伏，脖子上像裝了一個彈簧一般，他自己顯然無法控制這個動作，臉上滿露著痛苦無助的神情。寢室中有三個老太在看護這些殘障兒童。傅老爺子告訴過我，育幼院裡這些老頭老太都是義務幫忙的，有的是教友，有的不是，他們的兒女大了，在家中感到孤寂。

傅天賜躺在床上，他是一個六、七歲大、非常單薄的孩子。他的上身穿著一件天藍色短袖舊襯衫，因為沒有手臂，襯衫的袖子空空的垂了下來，大概剛退燒，人還很虛，臉色發青，一點血氣也沒有。傅老爺子在家裡有時跟我談起傅天賜來，他說那孩子先天不足，無論怎麼調養，總是羸弱多病，壯不起來，而且孩子的心思又很靈巧，對於病痛特別敏感，因此更是受苦。

「傅爺爺叫我來看你呢，傅天賜，」我站在傅天賜的床前對那個躺在床上兩袖空空的孩子說道，「你的病好了麼？」

孩子睜著一雙深坑的大眼，好奇的望著我，嘴巴緊緊閉著，沒有出聲。

「完全沒有燒了，」孫修士上前用手摸了一下孩子的額頭說道。

「剛剛吃了一碗麥片，胃口很好呢，」旁邊一位老太笑著插嘴道。

「傅爺爺呢？」孩子突然開口問道。

「他今天不能來，他要我送蘋果來給你吃，你瞧。」我把膠袋裡兩顆蘋果拿出來，蘋果隔了一夜，更熟了，透著一股甜香。我將鮮紅的大蘋果擱到孩子的枕頭邊去。孩子奮力移動了一下身子，側過頭，鼻子湊近枕邊的蘋果嗅了一下。

「香不香？」孫修士彎下身去問道。

孩子點了點頭，笑了。

「看你這副饞相，剛剛才吃過東西，」老太插嘴笑道，「回頭吃了飯，奶奶再削給你吃。」

「傅爺爺甚麼時候來呢？」孩子又問道。

「過幾天他就來看你，」我說。

「哦——」孩子應道，他舒了一口氣，卻又緊閉上了嘴巴，不肯做聲了。

我因為心裡掛著傅老爺子，要趕到石牌榮總去，便向孫修士告了辭，跟傅天賜說了再見。

孫修士一直送我到育幼院門口，我們經過教堂時，裡面那些孤兒還在唱著那些悽酸聖歌，而且唱得那般努力、那般參差不齊。

「傅天賜那個孩子今天特別開心呢，」孫修士站在靈光育幼院的大門口，對我笑道。

「我回去會告訴傅老爺子聽的。」我說。

29

我到達榮總時，傅老爺子不在病房，師傅卻坐在房中，他說他在等我，有話交代，傅老爺子讓護士推出去做檢驗了。

「老爺子的病很危險，」師傅開門見山對我說道，「我早上去問過了大夫。他說老爺子的低血壓冒到一百二十五，血壓波動很厲害，他這個年紀的人，隨時會出事。你在這裡守住，一步都不要離開了。我問過護士，晚上可以在這裡搭鋪陪伴病人。你這兩夜辛苦些，不要睡覺了。白天我叫小玉他們來換你的班。」

師傅又從口袋裡掏出了兩千塊來交給我用。

「老爺子交給我的事情，我馬上還得替他去辦。咱們安樂鄉那邊又鬧得天翻地覆，不可開交，我也走不開。要是這邊有事，你就馬上打電話到酒吧裡來。」

師傅走後，我乘機到下面餐廳裡去吃了一碟蛋炒飯。回到三〇五號病房，護士已經把傅老爺子送回房中，房裡的窗簾拉了下來，變得暗沉沉的，像晚上一般。床頭多了一架氧氣筒，傅老爺子閉著眼睛，靜靜的躺著，我不敢驚動，便坐在床腳的椅子上陪伴著他。另外床上躺的那個病人，也是一位退了役的老將官。據說是腦溢血，已經幾天昏迷不醒了，他的家屬不停的輪班來看守。親友送了許多鮮花，擺滿了半邊房。花香混著藥味加上病人排泄物的穢氣，使得房中的空氣愈加混濁。

差不多到傍晚六點鐘，護士送晚餐來，才把傅老爺子喚醒。晚餐是一碗牛肉燉紅蘿蔔湯，兩片燜爛的雞脯還有青豆及一小團白飯。傅老爺子的手發抖，拿不穩碗筷。我把他抱起來，在他胸前圍上餐巾。端起牛肉湯一匙羹一匙羹餵他喝了半碗牛肉湯，又用刀把雞脯割成細條，挾到傅老爺子口中，只吃了兩挾，傅老爺子便不要吃了。護士把餐盤收走後，一位年輕的住院醫生進來，替傅老爺子量了脈搏血壓，又試了一試旁邊的氧氣筒，循例問了傅老爺子一些狀況。鄰床的那個昏迷老將官，住院醫生只摸了一摸他的脈搏便走了。我過去替傅老爺子蓋好床單，乘機把早上到靈光育幼院去看傅天賜的情形簡單的向傅老爺子說了。

「傅天賜還問老爺子甚麼時候去看他呢。」我笑道。

「唉，那個孩子，最是教人掛心，」傅老爺子嘆道，「我的一點東西，都留給了他和靈光育幼院裡那些孩子了。」

傅老爺子望著我，又說道：

「阿青，老爺子恐怕沒有甚麼好東西留給你了呢——」

「老爺子說這些幹麼！」我阻止道。

「你把椅子端過來，」傅老命我道。

「老爺子該休息了，有話明天說吧。」

「趁我現在人還清爽，有些話要跟你說。」傅老爺子堅持道。

我看見傅老爺子確實似乎精神比較爽朗了些，聲音也不像先前微弱，便把椅子拉到床頭，在他頭邊坐了下來。

「聽說安樂鄉有人去搗亂麼？」傅老爺子問道。

「《春申晚報》一個爛記者，寫了篇無聊的文章，招了一些好奇的人去看熱鬧——我看過幾天就恢復正常了的。」

「只怕你們在『安樂鄉』那個窩又待不長了呢！」傅老爺子惋惜道，「你們這群孩子，恐怕從此又要各分東西，開始流浪了。你們這種孩子，這十把年來，前前後後，我也幫過不少。有的還爭氣，自己爬了上去。有的卻掉到下面，愈陷愈深，我也無能為力。你們這幾個，憑你們各人的造化吧。阿青——」

傅老爺子從被單下面伸出了一隻顫抖抖的手來，我迎上去，雙手緊握住傅老爺子那隻乾枯的手。

「我知道，我的大限也不遠了。早晨楊金海來，我把後事都向他交代清楚，我不想拖累別人，一切從簡。但是我怕總還有些未了之事，需得個人來替我收場。你跟了我這些日子，也摸清楚了我的脾氣，你就斟酌替我料理了吧。像傅天賜那個孩子，日後你有空，替我常去靈光看看他。」

「好的，老爺子，我一定去，」我應道。

「阿青，」傅老爺子的手緊握了我一下，「這兩夜，我的心神很不寧，一閉上眼睛，便看到阿衛，他的樣子好像很痛苦——」

在那盞黯淡的檯燈燈光下，我看見傅老爺子那張蒼斑滿佈的臉上，瘦削的面頰上突然添增了兩道濡濕的淚痕。

「老爺子，今晚可以好好睡，」我把傅老爺子的手輕輕放回被單裡，「我不回去了，就在這陪你。」

我捻熄了床頭的檯燈，將椅子拉回原處。我把身上那件阿衛留下來的軍用夾克脫下，蓋在胸前，坐在昏黯的病室裡，守候著。醫院裡的夜，特別漫長，一分一秒都好像延長了多少倍似的，而且也特別安靜，外面走廊偶爾有值夜護士走過，腳步也是輕悄悄的。我靠在椅子上，努力的支撐著，不讓自己睡過去，一邊傾耳聽著病床上傅老爺子一聲一聲沉重的呼息。大約到了半夜，我聽見傅老爺子的呼吸聲起了變化，開始有點急促，過了會兒，喉頭竟發出嘎嘎的異聲來。我急忙起身，將檯燈打亮。傅老爺子的嘴巴張開，口涎直往外淌，口角冒起了白沫，他的眼睛睜得老大，望著我，卻說不出話來，只硬著舌頭啊啊的喊了兩聲，臉色大變，發青了。我一手按亮了警示燈！一面飛跑出去找到值夜護士，護士跑進來，馬上開了氧氣筒，替傅老爺子裝上氧氣面罩。那位住院醫生也急急忙忙帶了另外兩個護士進來，立刻替傅老爺子打了一針，他指揮著幾個護士，用了一架推床連同氧氣筒一併推到急救室裡去。我在急救室外等了兩個鐘頭，醫生才滿頭是汗的出來說，傅老爺子的情況已經穩定下來，不過人卻昏迷了。

傅老爺子一直在昏迷狀態中，沒有醒來過，拖得非常辛苦。他臉上蓋著氧氣罩，手臂插上針筒不斷的點滴注射，全身都纏滿了膠管，他的背原本就佝僂得厲害，現在因為呼吸困難，身體愈加蜷縮成了一團。

早上師傅領了小玉、吳敏、老鼠來，把原始人阿雄仔也帶了來。大家圍著傅老爺子的病床靜靜的立著，都不敢做聲。阿雄仔懾住了，嘴巴掉下來張得老大。我在師傅耳邊悄悄的把昨夜的經過情形說了一個大概，最危險的時候，傅老爺子的高血壓降到七十，低血壓接近於零。清晨丁大夫來看過，他說得很坦白，他說最多只有三、五天的工夫。師傅馬上調配工作，他叫小玉替換我，讓我回去休息晚上好接班，他自己帶著阿雄仔去看棺材、訂孝服、製壽衣，預備傅老爺子的後事，吳敏和老鼠仍舊回安樂鄉去。

果然如丁大夫所料，傅老爺子是在昏迷後第五天早上十點鐘斷氣的，斷氣的時候，師傅帶著阿雄仔跟我們幾個都在房中，大家圍著傅老爺子，站在病床兩側。丁大夫宣佈了傅老爺子的死亡，護士將氧氣筒關上，把罩在傅老爺子臉上的氧氣罩掀起。傅老爺子的臉已經發烏了，大概最後喘息痛苦，他的眉毛緊皺，嘴巴歪斜，整張臉扭曲得變了形，好像還在掙扎著似的。護士把白被單拉上去蓋到傅老爺子的頭上，白被單下面蓋著傅老爺子那彎曲成弧形的遺體。

我們當天便把傅老爺子的遺體迎回了家中。這幾天師傅把傅老爺子的後事都準備妥當，棺材前一天已經買好運回家，擱在客廳中央，架在兩張長凳上。師傅說，傅老爺子交代要薄葬，不發訃文，不上殯儀館，一切宗教儀式免除，而且特別叮嚀過，要一副質料粗陋，價錢便宜的棺木。棺材是杉木的，工很粗，棺材面也沒有磨光，凹凸不平，油漆剛乾，烏沉沉的，一點光澤也沒有。棺材倒是標準樣式尺寸，長長的橫在客廳中，頭尾翹起。我們回到傅老爺子家，第一件師傅便吩咐我們替傅老爺子淨身換衣衾。我去廚房裡燒了一鍋熱水，然後倒到浴缸中，羼了冷水，調到溫熱適中。我們把傅老爺子的遺體放到了他的床上，他的身體已經冰涼了，開始殭硬。我們脫除了他身上外面罩著的睡袍，可是裡面貼身穿著的圓領汗衫，卻不容易剝掉，因為傅老爺子的手臂都已殭凍，要勉強扳起來才行。我去找了一把剪刀，將汗衫前後齊中間剪開，小玉幫著我將兩半汗衫慢慢從傅老爺子身上褪了下來，我們把他的內褲也卸掉，這兩天沒有替傅老爺子換衣衫，內衣褲斑斑塊塊都是污跡，我叫吳敏用睡袍把污穢的衣褲包起拿出去。我跟小玉兩人，我抬上身，小玉抬下身，將傅老爺子抬到浴室裡去。我跟小玉都捲起了袖子，用香皂替傅老爺子擦洗起來。傅老爺子的身體，瘦得乾癟了，他那佝僂的背脊更加顯得嶙峋高聳，他的下身沾滿了糞便，我們換了一盆水，才洗乾淨。老鼠找了兩條毛巾來，我們四個人一齊動手，替傅老爺子擦乾身體，小玉用一把梳子將他那凌亂的白髮也梳得整整齊齊，然後我們將傅老爺子抬回房中。師傅已經出去把壽衣也取了回來，而且還買了香燭鮮花。壽衣是一套白綢子的唐裝衣褲。我們替傅老爺子穿上了壽衣，幾個人扶持藉，將傅老爺子的遺體殮入了那副粗陋的杉木棺柩中。

在客廳裡我們佈置了一個簡單的靈堂，從廚房裡找出了一對瓦罐，裝上了米，把一對蠟燭插到裡面，當蠟燭台用。我們把瓦罐擱到客廳的供桌上，傅老爺子那幅軍裝相片的下端，把蠟燭點亮。師傅本來買了安息香的，但我覺得傅老爺子平日用檀香用慣了，家裡還有，便仍舊在香爐裡點上了檀香。鮮花是薑花，我把花瓶換了水，插上花，供到兩支蠟燭的中間。

香燭都冉冉的燃了起來，我們大家圍著傅老爺子的靈柩坐下，開始替傅老爺子守起靈來。

師傅對著棺材頭坐在傅老爺子常坐的那張靠椅上，壓低了聲音，向我們交代出殯的事項。

「按規矩，該先到寺裡唸經超渡才送老爺子上山的。但老爺子再三叮嚀，所有儀式一律免除，而且不願在家裡停留，馬上入土。老爺子的壽墳老早包好了，就在六張犁極樂公墓的山頂上。前天我特別上去看來，一切都是現成的，不必再費手腳。我看明天我們就送老爺子上山去吧。」

師傅又說安樂鄉雜人愈來愈多，終久會把警察招來，現在傅老爺子又不在了，更沒了庇護，師傅很沉重的宣佈道：

「咱們安樂鄉，今晚起，暫時停業。」

我們大家都沉默了一陣，師傅又繼續分派工作。

「今晚守靈，我帶著阿雄坐頭更，小玉二更，阿青三更，吳敏四更，老鼠最後坐五更——蠟燭香火，小心些，不要睡著了。」

還沒輪到坐更的，便先到傅老爺子房中及我房中休息。我到廚房裡熬了一鍋稀飯，預備大家守夜餓了可以果腹，我在廚房裡先扒了一碗，我打算坐完更，才去睡覺。

二更過了，小玉也到廚房去吃了一碗稀飯，然後回到我的房間去，由我來接他的班。我一個人坐在客廳中，在搖曳的燭光中，對著牆上傅老爺子及傅衛那兩張遺像。傅老爺子穿著將官制服，胸前繫著斜皮帶，雄姿勃勃，旁邊傅衛那張遺像，等於傅老爺子年輕了二十年，一樣方正的面龐，一樣堅決上翹的嘴角，不過傅衛身上穿的尉官制服，領上別著一條槓。可是傅衛那雙眼睛卻閃著一股奇異的神采，一股狂放不羈的傲態，那是傅老爺子眼裡所沒有的。我突然記了起來，那晚傅老爺子告訴我，抗戰勝利後，他帶了阿衛到青海去視察。他們兩父子一人得了一匹名駒「回頭望月」跟「雪獅子」。傅衛跨上雪獅子，在碧綠草原上放蹄奔馳，贏得在場的官兵們一片喝采，那一刻，傅老爺子內心的喜悅與驕傲大概達到巔峰了吧。供台上的蠟燭愈燒愈低，檀香味卻更加濃郁起來。幾日來的疲倦一下子都發著了，我的雙眼又瘦又澀，牆上的相片也愈來愈模糊。矇矓間，我似乎看到兩個人影坐在客廳那張靠椅上，一個是傅老爺子，他仍舊坐在他往常那張椅子上，另一個卻是王夔龍。他們兩人對著的姿勢，就像那天一模一樣。傅老爺子穿了一身月白的衣衫，他的背高高聳起像是覆著一座小山峰一般，王夔龍就穿了一身黑衣，他雙目炯炯，急切的在向傅老爺子傾訴，他的嘴巴一張一翕，可是卻沒有聲音，他那雙釘耙似瘦骨稜稜的手，拚命地在向傅老爺子揮動示意。傅老爺子滿面悲容，定定的望著王夔龍，沒有答話。他們兩人這樣對峙著，半天一點聲音也沒有。我走過去，王夔龍倏地不見了，傅老爺子卻緩緩立起身，轉過臉來。我一看，不是傅老爺子，卻是父親！他那一頭鋼絲般花白的短髮根根倒豎，他那雙血絲滿佈的眼睛，瞪著我，在噴怒火。我轉身便逃，可是腳下一軟摔了下去，哎呀一聲醒來，睜開眼睛，出了一身的冷汗，背脊上的汗水一條條直往下淌，橫在我面前的是一條長長的黑棺材。

30

早上我們分頭進行，出去辦事。師傅到殯儀公司去接洽靈車。我到長春路裁縫店去取孝服。我到那家裁縫店時，老闆娘說，還有兩件正在趕製。我說今天就要出殯，無論如何中午以前要趕好。老闆娘答應一個鐘頭可以交貨，她自己也坐上了機車，幫忙趕製。那家裁縫店專門包製孝服壽衣，裡面白花花全是一疋疋白棉布，裁縫師傅剪裁布疋時，嘩啦嘩啦將布疋撕開發出刺耳的裂帛聲，棉線頭到處飛揚，嗆得人很不舒服。這幾天一直睡眠不足，我感到口中焦渴，頭非常重，心中有說不出的煩躁。我又想起昨晚那個夢來，夢裡王夔龍急迫的揮動著那雙瘦骨稜稜的手。

我跟老闆娘說，過一個鐘頭我再回來拿。我出了裁縫店，沿著長春路，一直走到南京東路，我在尋找王夔龍父親的那幢古舊的官邸。那晚王夔龍帶我回家，我只記得在離松江路不遠的一條巷子裡。穿來穿去，終於在南京東路三段的一條巷子裡，找到了鐵閘森森門上豎著鐵刺的那幢房子。我拉了鈴鐺，裡面走出一個年老的門房來。

「王夔龍先生在家麼？」我又問道。

老門房朝我上下打量起來。

「我有急事要找他，」我說道。

「少爺一早就出去了，」老門房答道。

「他幾時回來呢？」我又問道。

老門房搖搖頭。

「不知道。」

他看見我遲疑不走，又說道：

「他到台大醫院去看朋友去了。這陣子他天天上醫院，有時中午回來吃飯，有時不回來。他的事，說不準的。」

「那麼，我留個字條好麼？」我央求道。

老門房瞅著我，未置可否。我便蹲下身去，抽出地址簿扯下一頁，用膝蓋墊著，在上面簡略的寫下幾行字，告訴王夔龍傅老爺子病逝，今天出殯下葬在六張犁極樂公墓最高的山頂上。我將字條交給那個老門房，他轉身去，蹣跚的走回門內，將鐵閘砰地一下關上。

我回到長春路裁縫店，最後兩件孝服勉強趕完。老闆娘將六件孝衣疊在一起，用一條白孝帶綑綁起來，讓我帶走。師傅還沒有回家，小玉倒把饅頭蒸好了，他又買了一碟滷肉回來，切成片，燒水煮了一鍋蛋花湯。我們都幫著擺桌子，預備中飯。大家都沒有睡好，一個個青臉白唇的，老鼠傷風了，稀稀呼呼，鼻涕漣漣，他也不用手巾去擦，鼻涕流出來，手背一抹算數。師傅中午才轉來，他說今天是吉日，出殯的人家多。幾家殯儀公司的靈車，早上都出租光了。有一家答應下午開來。我們都坐下啃了饅頭，將碗筷收走後，大家便開始將孝服穿上。孝服只有一個尺寸，我的身材最適合，老鼠穿著太大了，拖到腳背上，頭上披上麻，把半個臉都遮掉了，走起路來拖拖曳曳。穿在阿雄仔身上又太短小，半截手臂露在外面，下面只遮到膝蓋頭。我們披麻帶戴孝，穿著停當，便圍著傅老爺子的靈柩團團坐下，靜悄悄的一直等到下午三點左右，靈車才來。我們幾個人一齊扛著靈柩，將傅老爺子抬出了門。

六張犁極樂公墓車子只能開到半山，到山頂，還得步行一大段彎彎曲曲的山徑，那條山徑像一匹大蟒蛇般一直蜿蜒伸到山巔。極樂公墓一座山舊塋新塚成千上萬重重疊疊，沿著山坡一排又一排，擠得滿滿的。整個弧形的山谷裡，高高低低，矗立著墓碑，好像一片片的石林一般，蒼綠的松柏，疏疏落落，點綴其間。這是一座幅員廣大又異常稠密擁擠的墳場。因為日近黃昏，送葬祭拜的人大概都已歸去，這座纍纍的墓地裡，靜沉沉的，罩在一片無邊無垠的荒涼中。

我們六個人扶靈上山，分開左右兩排。左邊由師傅帶頭，中間是吳敏，阿雄仔托棺殿後。右邊小玉領先，老鼠排第二，我在最後扶持。我們六個人披戴著雪白的孝衣，一齊彎下身去，將傅老爺子那副沉甸甸烏黑的靈柩，用力提了起來，扛到肩膀上去。從半山到山頂這段山徑，相當陡斜，石級崎嶇不平，忽高忽低。我們六個人的步伐，必得一致才不會左右顛簸。我們落腳都很謹慎，一步一步，扛著傅老爺子的靈柩往山上爬去。愈往上，坡愈陡，棺木的傾斜度愈大，我和阿雄仔居後，肩上的重量愈來愈沉，漸漸往下壓，我的面頰緊緊抵住那粗糙的棺木，肩胛骨已經給壓得隱隱作痛起來，汗水開始從頭上背上冒了出來。我們蹭蹬了半天，才爬到一半，大家都開始有點不支了，我們默默的爬著，聽得到彼此的喘息聲。突然間，我的右腳一滑，腳底下踩到一塊鬆動的石頭，一個跟蹌，我右腿便彎跪了下去。於是整副棺木壓著我的左肩，向我傾滑下來，我肩上感到一陣徹骨之痛，棺木的底板好像嵌進了我的肉內一般，我眼前一黑，痛得淚水直流，幾乎支持不住，整個人將往後倒去。我一急，也顧不得痛楚，用肩往上拚命將傾滑的棺木抵住。幸虧阿雄仔力氣大，雙手托住棺尾，將棺木慢慢舉起，其餘幾個人也死命撐著，才將棺木扶平。我掙扎著，用盡了力氣，終於站了起來，可是整個左肩早已痛得麻木了。我們一齊佇立著，等大家緩過一口氣來，又重新出發，一步一步，遲緩的、艱辛的，將傅老爺子的靈柩，護送到山頂。我們小心翼翼的將靈柩卸下肩來，擱置在地上，大家開始揩拭臉上的汗水。我伸手到衣內，去摸了一下左邊的肩胛，覺得肩窩上黏濕黏濕的，抽出來一看，手上沾了鮮血，肩上的皮肉已給磨破，這時我才開始感到肩膀上一扯一扯一陣陣痙攣一般的劇痛來。

山頂那片墓地比較荒疏，只有零零星星的幾堆墳墓，一些荒地上長滿了齊人高的狗尾草，一叢叢發著白絮子。傅老爺子的墳墓果然包好了，是一座青灰色磨石子的石槨，一半埋在地下。緊接著旁邊有一個舊墳，外殼石頭變黑了，可是墳上草木卻修剪得很整齊。我走近去，看到墓碑上赫然顯著「陸軍少尉傅衛之墓」，日期是「中華民國二十一年生中華民國四十七年歿」。

十二月冬日的夕陽已經冉冉偏西，快降落山頭了，赤紅的一輪，滴血一般，染得遍山遍野，赤煙滾滾，那些碑林松柏統統塗出了一層紅暈。山頂的狗尾草好像剛在紅色的染缸裡浸過似的，我們身上的白孝服也泛起了一片夕輝。頂上起了山風，涼颼颼的將我們身上的孝服吹得衣帶飛揚。我們歇了一刻，打開了石槨的蓋子，六個人又同心協力的將傅老爺子的靈柩兢兢業業的放落到石槨裡。正當我們將傅老爺子的墓封蓋起來的一剎那，山徑石級上一陣腳步聲，突然冒出一個人來。王夔龍及時趕來了，他穿了一身的黑西裝，打著黑領帶，胸前捧著一大束拳頭大一朵的白菊花，總有二十來枝。他大概爬山爬急了，兀自在重重的喘息一臉發青。他看到石槨裡躺著傅老爺子的靈柩，便往前走了幾步，彎下身去，將那束白菊花輕輕放在墓前，然後立起身，雙手下垂，默然俯首，望著石槨裡傅老爺子的棺木，靜靜的凝視了十多分鐘。陡然間，撲通一聲，他那高大嶙峋的身軀，竟跪跌在傅老爺子的墓前，他全身匍伏，頂額抵地，開始放聲慟哭起來，他那高聳的雙肩，急劇的抽搐著，一聲比一聲大，一聲比一聲兇猛。他的呼嚎，愈來愈高亢，愈來愈淒厲，簡直不像人類發出來的哭聲，好似一頭受了重創的猛獸，在最深最深的黑夜裡踞在幽黯的洞穴口，朝著蒼天，發出最後一聲穿石裂帛痛不可當的悲嘯。那輪巨大赤紅的夕陽，正正落在山頭，把王夔龍照得全身浴血一般。王夔龍那一聲聲撼天震地的悲嘯，隨著夕輝的血浪，沸沸滾滾往山腳沖流下去，在那千塋百塚的山谷裡，此起彼落的激盪著。於是我們六個人，由師傅領頭，在那浴血般的夕陽影裡，也一齊白紛紛的跪拜了下去。

第四部

那些青春鳥的行旅

1

小玉來信

阿青：

我終於來到東京了！今天是我到達日本的第十天，可是有時還不敢相信，以為自己在做夢。尤其有幾次半夜醒來，我以為還睡在台北錦州街麗月姐那間小屋子裡。直到我伸頭出去，看到窗外新宿那些紅紅綠綠的霓虹燈，才鬆了一口氣：果然到了東京了！這次跳船出人意料之外的順利，全靠龍船長龍王爺。我把實況都告訴了他，當然還施了一些苦肉計，龍王爺知道我到日本是去找自己的父親，善心大動，不但讓我開溜，還介紹我到「大三元」中華料理去做事。「大三元」的老闆從前也是翠華號的三副，一樣也跳了船，對我還很照顧。誰說天下沒有好人？龍王爺就是一個活菩薩，以後我發達了，一定替他立個長生牌位。你放心，我在翠華號上並沒有讓那些爛水手動過一根毛。有一個廣東佬要認我做「契弟」，他拿了一件開什米的絨背心，香港貨，要送給我，那個馬鹿野郎想打小爺的主意呢！我對他說：「我剛生過淋病。」他瞪了我一眼，把那件背心又拿了回去。

東京叫人興奮、叫人著迷、叫人心驚膽戰！昨天我去逛銀座，看見那麼多的車子、人、高樓、大廈，我恨不得跳起來大叫。銀座就是咱們的西門町，可是要比西門町大個一百倍，說到氣派，那就更不能比了！我看日本佬闊得很呀！穿的戴的，個個人有車。我喜歡這裡的繁華，百貨公司之多之大，買不起進去逛逛也是好的。難怪我那個野郎老爸要替資生堂做事，我到銀座最大的一家百貨公司松坂屋，看到資生堂的化妝品佔了七樓一層樓！乖乖，名堂之多，嚇死人的。誰知道，也許以後我也在資生堂謀到一份差事呢，說不定爬得比我老爸的位置還高，那樣，我阿母便不愁胭脂水粉搽了！不過這些都還言之過早，我目前最大的苦惱是不會說日本話，滿街嘰嘰呱呱的東洋屁，一句也不懂，啞巴似的，只有跟著他們打恭作揖裝內行。不過我的日文課已經開始了，老師是「大三元」的三廚，也是一個跳船的水手，在日本多年，是個道地「老東京」。第一課他教我，日文打炮叫做「塞股死、塞股死」。我學得很快，他認為我的日文頗有前途。好的開始，是成功的一半，這是我們小學校長告訴我們的。

事實上我在「大三元」的工作是在廚房裡打雜，從拔雞毛、剝蝦殼，到涮鍋洗灶。甚麼水晶雞、松鼠黃魚，在台北烹飪學校學的那一套，這裡全派不上用場。大三元的大司務兇如閻羅，連老闆都讓他三分。我的蝦子剝慢了些，他便直起兩隻眼睛罵山門。我當然沒有回嘴，君子能屈能伸，現在我的翅膀羽毛還沒長齊，暫且忍氣吞聲。不過我趁他沒在意，他炒的那盤茄汁蝦仁，其中兩隻最大的蝦子，我手一拈，便下了肚。我現在睡在「大三元」二樓一間貨倉裡，活動空間只有四個榻榻米大。貨倉裡堆滿了蝦米、乾鮑、豆豉、鹹魚、皮蛋，十天下來，我已經被薰陶得香臭不分了。不過東京的房租貴得驚人，比台北起碼高十倍，有這個四榻榻米的地方睡睡覺，至少目前我已經很滿足了。只是偶爾半夜醒來，會想到台北，想到你們。你呢，阿青，你好嗎？小敏呢？老鼠那個小賊呢？見到師傅就替我問安，我會給他寫信報告的。如果趙無常那批老玻璃問起來，不要告訴他們我在「大三元」打雜，你跟他們說：王小玉在東京抖得很呀！

祝

新年快樂

小玉　十二月三十日

又：你不是老笑我做櫻花夢嗎？現在我的夢裡真的有了櫻花了。明年春天，櫻花開的時候，我會穿了和服在櫻花樹下照張相片寄給你。

給小玉的信

小玉：

接到你的信，我們才鬆了一口氣。這幾天我常常跟吳敏說，不知小玉跳船跳上岸沒有，有沒有給日本政府捉了去。我把你的信拿去給吳敏看，他一興奮，便去買一瓶啤酒回來，我們兩人對飲了幾大杯，為你慶祝。我們說，小玉到底是個九尾狐，怎麼就讓他混到東京去了！你信上把東京說成個花花世界，我看你如魚得水，樂不可支的模樣。你快去嚐嚐東京的「沙西米」，下次寫信告訴我們是甚麼滋味。前天在西門町你猜我碰到誰？老周！那個胖阿公也聽聞你去了日本，酸溜溜的對我說道：「聽說那個小賣貨賣到日本去了？我看他在東京也賣不出幾文錢！」我漫不經意的答道：「人家那個華僑乾爹接他去了，小玉來信說，乾爹剛帶他去箱根洗過溫泉澡呢。」老周嘿嘿冷笑了兩聲，我看他至少也信了一半。

自從你離開後，我們這個圈子裡，幾經波折，有了很大的變化。咱們安樂鄉正式歇業了。《春申晚報》那個樊仁又寫了兩篇報導，而且愈寫愈明，只差沒把盛公的名字點出來。萬年青董事長為此苦惱不堪，聽說他暗地裡還塞了不少錢，才把那個爛記者的嘴堵住。當然，咱們安樂鄉就開不下去了。師傅最傷心，關門的那天，師傅跟我們幾個人在安樂鄉裡喝得酩酊大醉，師傅對我們說：「兒子們，你們自己飛吧，師傅顧不得你們了。」說著便掉下了兩滴眼淚來，倒是把阿雄仔嚇壞了，拉著師傅的手直叫達達。上個星期我經過安樂鄉的門口，早已換了新主，改名字叫「香妃」，變成個招徠日本人的酒館，聽說有酒女陪酒的。

我現在在中山北路的「圓桌」當酒保，這是一家高級酒吧，滿有情調。這裡的顧客也很高級，大多數是來幽會談戀愛的哥兒姐兒，一杯薄荷酒泡一夜。我的薪水還不錯，三千塊一個月，那些哥兒當著女朋友的面，小費給得特別甜。我的工作還算輕鬆，調完酒，便坐著聽錄音機裡翻來覆去的「藍色多瑙河」。我已搬出傅老爺子的家了，傅老爺遺囑裡把他的房子捐給了靈光育幼院。靈光的院長來把房子收走了。傅老爺子生前在靈光育幼院裡認養了一個殘障兒童，他叫傅天賜，生下來便沒有手的。現在我常去看他，教他用嘴巴寫字。我也去看過麗月姐，可惜她把我們從前那間房租走了。要不然我會搬回錦州街的，我喜歡吃阿巴桑做的魷魚炒酸菜。麗月姐告訴我，你母親知道你跳船上了岸，笑得嘴巴都歪了。她說她在等你接她到東京去呢。我現在住在大龍峒，房租稍微貴了些，不過房間還寬敞，通風也不錯，而且沒有鹹魚臭！

吳敏也找了一份差事，在林森北路凱撒琳西餐廳當服務生。不過近來他很苦惱。他的張先生，那個「刀疤王五」不知怎的，去年聖誕夜，大概多喝了點酒，洗澡的時候，一跤跌在浴缸裡便中了風，半身不遂，現在還躺在馬偕醫院裡。吳敏天天下了班得去服侍他，有一次吳敏拉了我一塊兒去，張先生的樣子完全脫了形，從前那份瀟灑勁兒全不見了，像只洩了氣的氣球，軟趴趴的躺在病床上，眼睛斜了，嘴巴也歪了，可是脾氣卻變得愈加暴躁，把吳敏罵得團團轉，東也不是，西也不是。離開醫院，我對吳敏說：「小敏，到了這種地步，你還能忍受，還不趁機離開他算了？」吳敏一本正經的對我說道：「這是甚麼話？他現在更用得著我，我不能沒有良心，就這樣走開！」我看吳敏也是個苦命人，一個張先生已經夠他受的了，又加上他那個賭鬼老爸。他父親跟他叔叔一家吵翻了，也跑到台北來投靠他。吳敏又要服侍病人，又要照顧父親。也虧他，居然還頂得住，沒有垮下來。

至於老鼠呢，他的下場我們早就料到了的。老鼠現在在桃園輔育院裡，受感化教育。兩個多禮拜以前，老鼠在國賓飯店，重施故技，伸出他那第三隻手，去扒一個觀光客的鋼筆，誰知道這次卻讓國賓的經理逮個正著。我跟吳敏約好了，下個星期天去桃園看他，帶點水果去安慰那個問題少年。這樣關一關，或許把那個小賊的賊性關掉些，也未可知。

小玉，你的櫻花夢終於實現了，你現在在「大三元」讓鹹魚薰薰，還是划得來的。

祝

新春萬事如意

阿青　一月十七日

老鼠來信

阿青：

你跟小敏真不夠意思！我關了進來兩個多禮拜了，你們也不來看看我。我在這裡受感化教育，很艱苦哩。感化教育就是教人做好人的意思，天天要唸書，還要寫讀書心得。我離開國民小學，就沒有正經看過一本書，哪裡會寫甚麼讀書心得？我們天天早上上國文、歷史、民族精神教育，很莫意思，我常常想打瞌睡，又怕老師罵，只好猛掐大腿。今天早上我們的民族精神教育課，老師給我們講岳飛的故事，岳飛就是打金兵那個宋朝大將，你知道嗎？老師說，岳飛的老母用針在岳飛背上刺字——岳飛老母很厲害呢！——老師在黑板上寫了「精忠報國」四個字。有一個混小子問：「精忠」是甚麼意思？差勁！連「精忠報國」都沒看過，火車站的牌子上不是常有這四個字嗎？老師說中國家庭的母教很重要，岳飛有了那樣深明大義的母親，才會變成民族英雄，所以老師要我們以後聽從母親的教導。那個混小子又起來搗蛋說道：「老師，我阿母是寶斗里的妓女，明甚麼大義呀！」老師一臉通紅，說不出話來。我們在下面擠眉眨眼，嗤嗤暗笑。下午的職業訓練比較有意思，我選的是染織科，中壢大中華染織廠一個老師傅來教我們。今天剛剛學過配色，很好玩，攪一下一個顏色。老師傅讚我配色配得很準，我問他，日後我出去在染織廠找得到一份工麼，他說沒問題，只要我努力跟著他學手藝就行了。

阿青，我們這裡是個強盜窩哩！我不過在旅館裡拿了人家一點東西罷咧，算不了甚麼。

這裡的混混，做案比我精彩多了。他們真的持槍動杖到人家家裡去打家劫舍呢。有一個竹聯幫的頭頭，因為跟三重的天地幫武鬥，把天地幫一個老么殺成了重傷。這個小子是混世魔王，在我們這裡稱老大，手下有一批嘍囉，幫著他耀武揚威，專門欺負人。這個小子橫得很，動不動就豎起眼睛指到人頭上說：老子要你好看！好哥哥，我整天混在這群強盜裡頭，怎不教人提心吊膽哪！我打定主意，好漢不吃眼前虧。昨天還挨了那個頭頭一頓揍，打得我頭冒金星，我只好賴在地下裝死狗。你們又不在這裡，我一個人能還手麼？有一個傻子不知厲害，頂撞了那個混世魔王幾句，晚上讓他們捉了去，你猜幹甚麼？灌了一嘴巴的尿！

在這裡，我最不滿意的地方，就是他們把我歸成「慣竊類」，你說難不難聽？每星期三，有個師範大學社會系的研究生來找我談話，他說他在研究台灣青少年的慣竊問題。他問東西，挖我的材料。他問我為甚麼喜歡偷東西，我說我看見人家的東西，喜歡就拿來玩玩。他說拿人家的東西就算偷竊，我說光拿東西不拿錢，算不算偷竊。那個研究生唔唔呃呃答不上來，給我考倒了。我跟他說，我有一次拿了人家一個皮夾，裡面有幾十塊美金，我看見沒有別的東西，那個皮夾也莫意思，便又放回那個人的口袋裡去了。那個研究生把我說的話都記了下來，他說我是個極有意思的特殊個案，他說我的心理有問題，他要建議輔育院給我心理治療。去他娘的，我的心好好的。治療個鳥。

阿青，我的百寶箱呢？你千萬要替我好好收藏起來，不要讓別人發現，把我的寶貝偷走了。你來看我的時候，拿支鋼筆來給我玩玩。不要拿那幾支好鋼筆，拿那支舊的藍色犀飛利就夠了。這裡的人很可怕，好東西不能露白。好哥哥，你到底甚麼時候來呢？你們再不來看我，我要悶死啦。

祝

新春愉快

老鼠

一月二十一日

又：聚寶盆的盧司務今天來看我，還帶了一隻熏雞來給我打牙祭。盧司務這個人很講情義呢。我請他把這封信帶出去寄給你。聽說這裡寄信要檢查，講這裡的壞話不行的。前天有兩個小子想逃跑，給抓了回來戴上了腳鐐。兩個小子走路左一拐右一拐活像兩隻螃蟹。

小玉來信

阿青：

很久沒有跟你寫信，實在太忙，忙得連屁都沒空放。這一個月我們「大三元」生意好得出奇，天天滿座。日本人真奇怪，放著「沙西米」不去吃，偏偏全家跑來吃我們的中華料理。老闆笑得合不攏嘴，只是苦了我們廚房裡的人。天天夜裡磨到一、兩點，倒上床已是筋疲力盡，那裡還提得動筆寫信？而且有一點空，我便去幹要緊的事。我已經開始在尋找我父親的下落了。第一步我打電話到資生堂去查問，他們的職員裡頭有沒有一個叫中島正雄的人，是歸籍日本的台灣人。資生堂光是在東京便有幾十個經銷處。我一個個去問，倒是在淺草查到一個叫中島正雄的職員，不過那個人是個二十來歲的小夥子，沒有資格做我的老爸，而且是大阪人。我又到東京華僑的林氏宗親會去查過，有林武雄、林勝雄、林金雄，偏他娘的，就是沒有林正雄。我去找了一本電話簿來，先從新宿區查起，把電話簿上那些中島正雄的地址都抄下來。光是新宿就有二十七個中島正雄，我又不能打電話去問人家在台灣有沒有一個私生子，這件事這麼複雜微妙，我的日本話才學了一個月哪裡講得清楚，就算講得清楚，人家在電話也不會認野仔呀。這個月來，一有空，我便按著地址去找中島正雄。東京的街道門牌號碼亂得可怕，我在新宿那些大街小巷裡橫衝直闖，像在迷宮裡打轉轉。到昨天為止，才查過十個中島正雄，各式各樣的中島正雄都有。一個是整型醫生，一個是賣假髮義乳的，一個電器行的經理，有一個跑出來，麻面兔唇，又瞎了一隻眼睛，像個惡鬼，我嚇得拔足飛奔。要是我老爸真的生成那副德性，我寧願不認他！

昨天我們公休，我出去跑了一整天。今年東京大雪，街上的雪泥有一尺厚，行走起來，非常不方便，鞋子裡滲進雪水，凍得兩隻腳又僵又痛。我跑了三家中島正雄，都是日本人。等到了傍晚的時候，有一家中島正雄，居然是中國人！一剎那，我的心差不多跳到嘴裡來。等我問清楚，那個中島正雄竟是個滿洲旗人，從天津來的。他姓金，有六十歲的模樣，人很體面文雅，家裡的陳設也很講究。他知道我是從台灣來的，很高興，邀我進去喝了一杯茶，談了一會兒天。出到外面，大雪紛飛，新宿那些成千上萬的霓虹燈，在雪花裡眨得熱鬧得很，我站在街心，那一刻真是感到人海茫茫。那晚我去了新宿歌舞伎町的桐壺，那是新宿最有名的一家 gay bar。

東京據說有上百家的「安樂鄉」，光是新宿歌舞伎町就有十二家。澀谷、六本木，也有好多好多。東京的青春鳥可厲害著哪，滿街亂飛，他們是不怕警察的。在酒吧裡又跳舞又親嘴，甚麼都來。新宿也有一個新公園，叫御苑，比咱們的新公園可要大十倍哩，那些青春鳥在裡面捉起迷藏來也比咱們野得多。阿青，比起這些東洋鳥兒來，咱們幾個人算是很規矩的了。桐壺比咱們安樂鄉大概要大兩三倍，燈光很新潮。周末擠得滿滿的，還可以跳舞。可是昨天是星期一，又下大雪，酒吧裡寥寥落落只有十來個人，而且也沒有久待。我一個人暖了一壺清酒，在桐壺泡了一夜，酒吧裡有一架落地唱機一直放著森進一的歌。森進一是日本現在最紅的男歌星。這裡gay bar的人都很迷他，他的歌唱得人心酸酸。到了半夜我醉得差不多了，有一個穿灰西裝的中年日本人過來跟我搭訕，他咕嚕咕嚕講了一通，我也不懂。他發覺我是支那人，便拿出紙來跟我寫漢字，他問我為甚麼看起來這樣哀愁。我說：「煞比西呢！煞比西呢！」這句話也是大三元的三廚教我的，意思就是：「寂寞啊！寂寞啊！」那個中年日本人便把我帶了回去，他住在上野，好遠好遠，坐地下車還要轉兩次。

阿青，我會繼續尋找下去。找完了新宿的中島正雄，就找淺草、澀谷、上野，一直找下去。東京找完了，等我攢了點錢，便到橫濱、大阪、名古屋去。我要找遍日本每一寸土地，如果果然像傅老爺子說的，上天可憐我，總有一天，我會把我老爸逮住。你猜我找到他，第一件事我要幹甚麼？我要把那個野郎的雞巴狠狠咬一口，問問他為甚麼無端端的生出我這個野種來，害我一生一世受苦受難。

老鼠給關進感化院，我確實沒感到意外。關關也好，也許把他關好了。吳敏自作孽，不必可憐他。我那個華僑乾爹林茂雄，我並沒有去找人家。我在這裡聽說林茂雄在日本華僑界很有地位，很受尊敬。我在台灣的時候，他對我非常好，很看重我，說我懂事體貼，比他親生兒子強百倍。如果我現在去找他，會使他感到為難，我不想那樣做，我要他在心中對我永遠保持一個好印象。我跟林樣雖然相處很短，可是阿青，那卻是我一生中最快樂的幾天。

祝

好

小玉

二月一日

又：我突然想了起來，還有十天就要過舊曆年了。我要託你一件事，請你到信義路劉家鴨莊替我買兩隻鴨餅（錢以後還給你），大年初一到三重鎮給我母親送去，我老母最愛吃劉家鴨莊的鴨餅了，過年的時候，喜歡蒸了鴨餅過酒，喝五加皮。

2

除夕這天，寒流突然來襲，入夜時分，溫度愈降愈低，空氣凜冽，沒有風也是寒惻惻的。我到了館前路新公園的正門口，遠遠的便看見博物館前石階上立了一個人，白髮白鬚，穿了一襲玄色的長袍，在向我招手。

「小蒼鷹——」新公園的老園丁郭老向我呼喚道。

「郭公公好。」我趕忙快步迎了上去，向郭老請安道。

「好久沒見著你了，阿青，」郭老感嘆道：「今夜你終於又飛回來了。」

「是啊，」我笑答道：「今晚是大年夜，我特地趕回咱們這個老窩裡來跟大家一塊兒守歲呢。」

「唉——」郭老摸了一摸他胸前那掛白鬍鬚，「我早就料到了的，你們這群鳥兒，一隻一隻還不是都飛回來了。我聽說你們幾個人又鬧著開了一個酒館子，叫甚麼來著？」

「安樂鄉。」

「哦，安樂鄉，聽說一樣也關掉了。」

「本來生意還不錯的，」我說道：「後來有人去搗蛋。」

「總是這樣的。」郭老搖著頭笑道：「楊胖子不死心，他十年前開那個『桃源春』，開頭還不是轟轟烈烈，轉眼就關了門。這些年來，此起彼落，也有過好幾家，甚麼香檳、白夜、六福堂，開了關、關了開，最後全部了無蹤跡。可是咱們這個老窩還在這裡，等著那群倦鳥投林，回來休息。風險總是難免的，宵禁甚麼的，只要熬過一陣子，也就雨過天青了。小蒼鷹，進去吧，他們都聚在蓮花池畔那裡了。」郭老朝我揮了一揮手滿臉慈祥的笑道。

我進到公園裡，蓮花池那一端，石階上，果然人影幢幢，遠遠便傳來一陣陣人語喧笑了。我們師傅新公園總教頭楊金海仍舊領袖群雄，在那兒指揮若定。他穿了一件茶色緞面起暗團花的棉短襖，頭戴黑紫羔方帽，脖子上圍了一條寶藍長圍巾，一端懸在胸前，一端掛在身後，他那原本富泰的身軀裹著棉襖，愈加碩大了。他在台階上，氣勢凌人的來回巡邏，口裡不停的吆喝藉，圍巾前後飄然。楊教頭身前身後都跟了兩個孩子，大概都是剛飛進園內的嫩腳色，讓楊教頭指揮得團團轉。原始人阿雄仔緊跟在楊教頭左側，亦步亦趨。他兜著一件紅黑相間花呢短褸，頭上罩了一頂西洋紅喇叭形的絨線帽，帽頂一個鵝卵大的紫絨球，他的身量好像愈更龐大了，昂頭挺胸，顧盼自得的跟著師傅在台階上巡來巡去，腦後帽頂上那顆紫絨球歡欣的上下跳躍著。

「師傅。」我踏上台階，向新公園的總教頭楊金海師傅俯身一拜行禮道，楊教頭住了腳，朝我上下打量了一下，卻沒有應聲。

「師傅。」我清了一下喉嚨又叫道：「阿青向師傅請安。」

「你是對我說話麼？」楊教頭又朝我瞥了一眼，冷笑道，「我以為你們早就不認我這個師傅了呢！」

「師傅說的甚麼話！」我趕忙陪笑道，「這陣子我在中山北路『圓桌』上班，天天弄到晚上一、兩點，實在忙不過來，所以沒有來看師傅。今晚休假，特別趕來這兒跟師傅拜個早年。」我雙手合抱作揖。

「哦，也難怪，都飛到高枝兒上去了，」楊教頭又哼了一下，「別人我也不理論，我只怪吳敏那個孩子，算我白疼了他！」

「請師傅不要錯怪小敏，」我連忙解說道，「小敏那個張先生又進了醫院，這次更凶。都不能動了，小敏一步都離不開，扶上扶下，全靠他。小敏今夜還特別要我帶口信來跟師傅請罪，他說連明天大年初一他都沒法去跟師傅拜年了。」我從夾克口袋裡掏出了一只紅蠟紙包住的小盒子來，裡面是一根鑲著藍珠子的鍍銀領帶夾，是吳敏託我買的，「這點小禮物是小敏要我帶給師傅的。」

「哦，」楊教頭接過那只小盒子，臉上的顏色才緩和了下來，語氣也鬆動多了，「我說麼，吳敏看來也不像個沒良心的孩子。」

楊教頭捧著那只小盒子，肥胖滾圓的臉上終於露出了一絲笑容來。

「阿青。」原始人阿雄仔蹭過來，張開兩隻巨臂將我一把環抱住。

「噯呀。」我給阿雄仔箍得一身發痛，「輕些，輕些，阿雄仔，我的骨頭要斷了！」我笑著叫道。

阿雄放開我，呵呵的笑著，雙手將我滿頭滿臉亂摸一陣。我在他那寬大的胸膛上搥了一拳，笑道：

「怎麼樣，阿雄仔，你這頂帽子標致得很呀！」

阿雄仔伸手到腦後揪住那顆紫絨球，洋洋得意的說道：

「達達買給我的！」

我從另外一個夾克口袋裡摸了一包塑膠袋的巧克力糖來，巧克力包著金的銀的，五顏六色的錫紙，我擎到阿雄仔臉上搖晃了一下，逗他道：

「阿雄仔，叫我一聲哥哥，這袋巧克力糖就送給你。」

「哥哥、哥哥。」阿雄仔叫著，卻一把將那袋巧克力糖攫走了。

「達達——糖糖——」阿雄仔高舉著那袋五顏六色的巧克力糖歡呼道。

「下流東西！」楊教頭喝斥道，「還有臉在這裡獻寶呢！」

我陪著楊教頭，在台階上來回的走了兩趟，一邊向他報告各人的近況。

「小玉那個狐狸精，在東京混得怎麼樣了？」楊教頭問起小玉道。

「小玉在新宿的 gay bar 裡紅得很呀！」我笑道，「他天天在吃『沙西米』呢。」

「這個小屄養的！」楊教頭笑罵了一句，卻讚道，「還是那個小狐狸行！」

我又談起我去桃園輔育院去探望老鼠來，老鼠向我哭訴，他在裡面給那些小流氓欺負得很慘，不過提到染織訓練，老鼠又破涕為笑，喜孜孜的談起他的學習心得來。他說染織科的老師傅對他大加賞識，拿他的作品在班上示範。

「老鼠伸出雙手給我看，他的十個指甲裡都滲了顏色進去，紅紅綠綠，洗也洗不掉。」

「那個小賊麼？」楊教頭鼻子眼裡哼了一聲，「依我的脾氣早該把他那雙賊爪子剁掉了！」

除夕夜，大家回到公園這個老窩裡來團拜似的，大部分的人都在寒流裡飛了回來，在蓮花池的台階上，擠成了一團，互相呵噓取暖。我們從鼻子嘴巴裡噴出來的熱氣，在寒流中，化成了一道道的白霧。蓮花池的四周，增加了幾盞柱燈，把三水街那群小么兒身上大紅大紫的太空衣，照得愈加鮮明。那群小么兒仍舊三五成群，勾肩搭背，示威似的在台階上來回的踏走著。花仔不唱「三聲無奈」了，興致勃勃的又在唱起「望春風」來。趙無常愈來愈沒落，披著一件黑色的舊風衣，萎靡的縮在一角。他那些陳舊的故事，講過太多遍，連他自己也無精打采，聽的人也就興趣索然。老龜頭的下流動作，激起了公憤，遭到大家的排斥，已經不敢上台階了，只有躲在黑暗裡遠遠的一角，乾瞅著。聚寶盆的盧司務盧胖子，仍舊笑得像尊歡喜佛一般，在選擇一塊最精瘦的排骨。宵禁解除後，藝術大師又恢復了他的「百子圖」的巨作，最近的一個模特兒，又是一個三重鎮來的野娃兒，據說非常原始，完全可以代替給送去火燒島上的那頭鐵牛。開始還踟躕，後來終於忍耐不住，幾個膽怯的大學生也鼓起勇氣，步上了蓮花池畔的石階，幾個充員士兵最後也趕來了。於是老年的、中年的、少年的、社會地位高尚的、社會地位卑下的、多情的、無情的、痛苦的、快樂的，種種不同的差異區別，在這個寒流來臨的除夕夜，在這沒有月亮卻是滿天星斗的燦爛夜空下，在新公園蓮花池畔我們這個與外面世界隔絕的隱密王國裡，突然間統統泯滅消逝。我們平等的立在蓮花池的台階上，像元宵節的走馬燈一般，開始一個跟著一個，互相踏著彼此的影子，不管是天真無邪，或是滄桑墮落，我們的腳印，都在我們這個王國裡，在蓮花池畔的台階上留下一頁不可磨滅的歷史。

正當大家循著規律繞著池子行走時，突然間，隊伍裡起了騷動。原來剛剛消息傳來，八德路盛公館裡，我們那位年高望重的耆宿萬年青電影公司董事長盛公要開一個年夜「派對」，慶祝新年，「派對」晚上十時開始，於是掀起一陣嗡嗡噌噌充滿了興奮期待交頭接耳的隱語。最先走下台階呼嘯而去的是那群穿著大紅大紫太空衣的三水街小么兒，不一會兒，幾個大學生也悄悄的溜了下去，於是一個又一個，一群又一群，離開了蓮花池，到公園外，乘上摩托車、計程車、私家小汽車，像一群夜裡的蝙蝠，往同一個地點，八德路盛公館飛奔投去。

「小萬，小趙，金旺喜，賴文雄。」楊教頭好像軍隊裡點名似的唱道。

「來了，師傅。」幾個年輕的聲音一齊答應。

於是新公園裡的總教頭楊金海楊師傅，最後也步下了台階，前呼後擁，團團圍著幾個十六、七歲的子弟兵，由超級巨人原始人阿雄仔押後，一隊新的楊家將浩浩蕩蕩，邁出新公園外。

頃刻間，蓮花池畔倏地沉寂下來，那一片台階石欄，竟變得無限空曠。我一個人繞著那空寂的蓮花池走了兩周，我的腳步聲，在空階上橐、橐、橐，一聲聲清脆的回響著。我發覺幾個月沒有來，蓮花池連最後幾片蓮葉也枯殘消失了，定定的一池水裡，映著滿天亮晶晶的星火。我不禁驀然一驚，算算自從去年五月裡那個異常晴朗的下午，我讓父親逐出了家門，在台北的街頭流浪到半夜，最後終於跨入了新公園我們這個王國裡來，前後也不過九個多月，但我感到那已經恍惚是發生在前一世的事情，那麼遙遠、那麼渺茫，我記得那個五月的夜裡，月亮是紅的，我進到公園裡來，心中充滿了懼畏、恐怖、緊張，又有一點莫名的亢奮，我餓得饑腸轆轆，頭在發暈，全身一直抖著爬上石階鑽進池中那個八角亭閣裡，躲藏起來。

忽然間，橐、橐、橐，蓮花池的另一端石階上也響起了一陣孤獨的腳步聲。一個高大瘦長的身影朝我踱了過來，他穿著一件深色的長大衣，衣角飄飄的拂揚著。

「阿青。」王夔龍走了過來，向我招呼道。在夜裡，王夔龍那雙深坑的眼睛又如同原始森林中的磷光般，碧灼灼的燃燒起來。

「王先生。」我驚喜的叫道。

「我心裡想，今晚會在這裡見到你，阿青。」王夔龍說道，他的聲音有一種說不出的激奮。

「王先生，真的，我也在等候你。」我說，剛才其他的人都離開蓮花池去赴盛公的「派對」，也有人邀我一起去，我回絕了。當時我不明白為甚麼要一個人留在這裡，冥冥中，我只覺得我在等一個人，現在我知道，我在等候王夔龍，我們黑暗王國裡那則神話中的龍子。

「好極了，」王夔龍說道，「今夜是除夕，我們兩人應該聚一聚，剛才這裡人多，我等了好一會兒才進來的。」

「是的，剛才好熱鬧，大家都來了。盛公家開『年夜派對』，他們都去盛公館守歲去了。」

「小金寶呢？王先生。」我問道，我聽說最近小金寶已經能走路了，還是有點瘸，可是可以穿鞋子了，有人常看見王夔龍帶著小金寶去上館子。

「下午我把他送到桃園去了，」王夔龍笑道，「小金寶有一個姨婆住在桃園，是他唯一的親戚，把他接去吃年夜飯。」

我跟王夔龍兩個人併肩齊步，在台階上繞著蓮花池行走起來，我們兩人的腳步聲，響徹了整個台階。

「我在傅伯的墓上，種了一些花樹。」王夔龍說道。

「難怪！」我叫道，「前個禮拜我去替傅老爺子上墳，看見他的墓上種滿了杜鵑和龍柏，原來是王先生種的。」

「那些杜鵑都是深紅色的，還有一、兩個月就要開了，不過那幾棵龍柏還要等好幾年才長得高呢。」

我們兩人步到台階的中央，王夔龍卻停了下來，他仰起他那顆黑髮蓬鬆的頭，望著夜空，半晌喃喃自語道：

「就像今夜這樣，那天晚上，也是滿天的星火——」他的聲音漸漸激昂起來，「十年前，十年前那個除夕夜，就是這個時刻，差不多半夜十二點，滿天滿天裡的星星——」

「就在這兒，」他指了一指他腳下那塊水泥台階，「他就站在你那裡，」他又指了一指我的腳下。

「『阿鳳，』我對他說，『跟我回去吧，我是來接你回家去過年的。』我哄他、我求他、我威逼他，他只是搖頭，他只是笑，而且笑得那般怪異，最後他近乎憂傷的笑著對我說道：『龍子，我不能跟你回去了。我要跟他走——』他指了一指他身邊一個酒臭薰人的糟老頭子，『他要給我五十塊，五十塊壓歲錢呢！』他又按著他的胸口奇怪的笑道：『你要這個麼？』他欺身上前笑道：『你要我這個麼？』我的那一把刀，正正的插進了他的胸口，插在他的心上頭——」

王夔龍蹲了下去，一雙釘耙般瘦骨稜稜的手滿地摸索。

「阿鳳的血，滾燙的，流得一地，就流在這裡。我把他抱在懷裡，他那雙垂死的眼睛，望著我，一點怨毒也沒有，竟然還露著歉然和無奈的神情。他那雙大大的、痛得在跳躍似的眼睛，跟了我一輩子，無論到哪裡，我總看得到他那雙痛得發黑的眼睛。那天晚上，我記得我坐在台階上狂叫：火！火！火！我看見滿天的星火都紛紛掉了下來，落在蓮花池裡，在熊熊的燃燒——」

我也蹲了下去，面對著王夔龍，他的聲音，時而高亢，時而低沉，時而變得一種近乎狂喜的興奮，時而悲痛欲絕，飲泣起來。又一次，我在新公園蓮花池的台階上，在十年後同一個除夕夜裡，從頭到尾最完整的複習一遍，我們新公園蓮花池畔黑暗王國裡龍子和阿鳳，那個野鳳凰、那個不死鳥的那一則古老的神話傳說。

這一次跟我頭一次聽到王夔龍敘述這則故事的時候，完全不同，頭一次那種恐懼、困惑都沒有了。我靜靜的聽著，等他說完，情緒平靜下來，兩人默然相對了片刻，我伸出手去，跟他那隻瘦骨稜稜的手重重的握了一下。

「再見，阿青。」王夔龍立起身來跟我道別道。

「再見，王先生。」我也笑著向他揮了一揮手。

我離開蓮花池之前，踅到池中那個八角亭閣中去。我一踏進那間亭閣內，靠窗的長凳上，突然一個人影坐了起來，啊的驚叫一聲。我走過去，藉著從窗外射進來的燈光，發覺原來是一個十、四五歲的孩子，本來大概躺在凳子上正在睡覺，我進去把他驚醒了，嚇得全身發抖，縮在一角直打顫。我發現他躺臥的地方，正是我第一次進到公園來，躲在池中亭閣內，睡臥的那張長凳。

「別害怕，小弟，」我坐到他身邊，笑著安慰他道，「我把你嚇著了。」

我發覺那個孩子身上只穿了一件單薄的藍布外衣，一臉凍得發白，他剃著小平頭，尖尖的下巴，一雙眼睛驚惶得亂躲。

「你叫甚麼名字，小弟？」我問他道，我用手拍了一拍他的肩膀，他好像觸電一般，猛地一跳。

「羅——平——」他的聲音細小得幾乎聽不見了，他的牙齒上下打磕。

「今夜有寒流，這個地方睡不得的，要凍壞了。」我說道。

「你有地方去麼？」我又問他。

羅平搖了一搖頭。

「那麼，我帶你回家吧，」我說道，「今晚你可以住在我那裡。」

羅平惶惑的望著我，不知所措。

「你莫怕，」我又安慰他道，「我住在大龍峒，只有我一個人。我那裡很好，比你一個人睡在這裡好得多，我們走。」

我站了起來，羅平才遲疑跟著我立起了身。我們走出亭閣外，走下蓮花池的台階，往新公園的大門口走去。迎門一陣冷風，砭骨的寒意，直往人的體內鑽去。我看見羅平走在我身邊，雙手插在褲袋裡，頸脖縮起。我停了下，將圍在我自己頸子上，那條傅衛留下來的厚絨圍巾解下，替羅平圍上，在他脖子上繞了兩圈。

「你家在哪裡？」我們走到館前路上，我問他道。

「鶯歌。」他答道，他的聲音大了一些，牙齒也不再打顫了。

「大年夜，你不在家裡，跑出來做甚麼呢？」

羅平垂下頭去，沒有作聲。

「我家裡有吃剩下的半碗雞湯，回去我熱給你喝吧，」我將手搭在他的肩上，說道，「你一定餓得發昏了，對不對？」

羅平偏過頭來，點了兩下，咧開嘴笑了。我們轉到忠孝西路上，台北市萬家燈火，人們都在這寒流侵襲的大年夜，躲在溫暖的家中，與家人團圓守歲去了。路上行人幾乎絕跡，只有幾輛計程車及公共汽車，載了一些客人急急在趕路。此起彼落，遠遠近近，爆竹聲不斷的響著。我帶著羅平，到公共汽車站去趕乘最後一班車。我們在路上愈走愈冷，我便向羅平提議道：

「我們一齊跑步吧，羅平。」

「好的。」羅平笑應道，他把掉到胸前一端圍巾甩到背後去。

我跟羅平兩人，肩併肩，在忠孝西路了無人跡的人行道上，放步跑了下去。我突然記了起來，從前在學校裡，軍訓出操，我是我們小班的班長，我們在操場上練習跑步總是由我帶頭叫口令的。在一片噼噼啪啪的爆竹聲中，我領著羅平，兩人迎著寒流，在那條長長的忠孝路上，一面跑，我嘴裡一面叫著：

一二

一二

一二

一二

研悲情為金粉的歌劇

——白先勇小說在歐洲

尹玲

法國書評家雨果·馬爾桑（Hugo Marsan）於一九九五年三月二十四日的法國第一大報《世界報》（*Le Monde*）星期五的讀書版上，以幾乎全版的篇幅，評介白先勇的《孽子》，讚譽這部小說是一齣「將悲情研成金粉的歌劇」。此書由法國著名漢學家雷威安（André Lévy）教授譯成法文，於今年初由法拉瑪利雍（Flamarion）出版社出版，引起相當大的震撼，一下子在歐洲大出鋒頭。讀者反應非常熱烈，才一出版即已再版。法國第二大報《解放報》（*Libération*）五月十八日星期四的「外國文學」版上，艾蓮·阿瑟哈（Hélène Hazera）亦以超過三分之二的版面，圖文並茂地評論這本書；另有數種期刊雜誌亦先後作了報導或評介。德譯版於五月出版（德譯版書名 *Treffpunkt Lotossee*，出版社：Bruno Gmünder），而西班牙和希臘已有出版社接洽表示願意翻譯出版。

一部翻譯小說能引起如此廣大的注意和轟動是罕見的。馬爾桑推崇《孽子》是一部偉大的小說，而且譯者的譯筆又精彩無比，兩者相得益彰。法文讀者在閱讀《孽子》時心中的那份感動，雖然可能因想到白先勇所描寫的是一個卑賤、隱晦、骯髒的世界而變得曖昧，但它卻令人想起幼時閱讀《悲慘世界》、《苦兒流浪記》等書的奇特快感：同樣的不安、同樣的樂趣、同樣的恐懼。馬爾桑認為《孽子》與這些名著一樣，它喚醒我們的自我那最原始的深邃之處，因為閱讀在此已不再是「消遣」，而是以一種強烈的光照亮我們心底深淵。

馬爾桑以「令人震驚」形容《孽子》，它有傳奇故事的緊張、強烈，卻無強加的樂觀結局；雖然描述人性被破壞、被蹂躪的一面，但並不劃分劊子手和受害者、好人和壞人、拯救者和懺悔者之間的界線，而且也不挑起任何報復的慾望；這是罕見的作品之一。

《孽子》的魅力並不單在動人的情節；固定的，卻是以非平鋪直敘、非秩序井然那樣的手法，混雜著許多小故事細節加以鋪衍渲染，一小段一小段的組合而成；一群失去社會位置的青少年在人生旅途上跋涉的回響，他們被交付給一個無法預先計劃的生存底運氣，在那樣的生存方式裡，感覺的直接性和倖存的訣竅往往會抹殺意願和真正的希望；馬爾桑以為，《孽子》的成功，其威力更多是來自作者的文筆，豐富而又令人不安，像上漲的江河那樣；他詩意地把真實的氛圍記錄下來，又以黑夜如夢一般的面紗使它改觀。我們讀者，在纜繩已被截斷的情況下，身不由己的投身入這場影子戲，由一群奇特、異常人物表演的嚴酷、令人痛苦的效果中，白先勇避免了通俗小說的漫無節制，卻又適當地切應了當前現實中的焦慮。從這一層意義上看，描述台灣七十年代的《孽子》與另一部同樣出色的小說非常接近，那是一九六三年出版的美國作家李奇（John Rechy）的《暗夜城市》（*Cité de la nuit*），白先勇應該讀過。就像紐約時代廣場和中央公園的黑暗一樣，台北新公園的黑暗掩護著被排斥的青少年，他們是沒有出路的衝突的受害者，不過他們仍然是英雄，他們創造了不同的神話；在這些神話中，嘲諷、妄想和狂熱痛批虛偽社會的謊言。馬爾桑認為白先勇描繪的是一個邊緣世界，在被接納的邊緣之內的邊緣：「我們這個王國，歷史曖昧，不知道是誰創立的，也不知道始於何時，然而在我們這個極隱密、極不合法的蕞爾小國中，這些年，卻也發生過不少可歌可泣、不足與外人道的滄桑痛史。」（《孽子》允晨版頁四）

馬爾桑同時以為，難能可貴的是，白先勇是以一種超然的態度，帶著理解、默契和溫柔的眼光來看男妓問題，他掌握的是基本性慾和以無希望的貧窮及無未來的愛情為其基礎的兩種驕傲違抗的悲劇美。在處理如此一個超越任何觀淫癖之上的棘手主題時，白先勇有如一位大膽的走鋼索演員，他也許帶著憐憫，但卻是一位無先天推理的見證者，滑入了書中買春客豐富的幻覺和獵物傷感的夢想之間。

在談到本書的讀者時，馬爾桑說，我們完完全全的沉沒在這些「孽子」之中，被一個具毀滅性的颱風所吸住、吞沒、撞擊，我們是一場冒險犯難失敗後倖存的真福者。儘管令人覺得非常不自在（我們實在難以因幾個酒館取了看起來輕鬆的名字如「桃源春」、「安樂鄉」等而覺得自在些），但是讀者會在那些流傳久遠的傳說和故事中看到撫慰人性的一面，並且使得人性與死亡的不幸彼此取得和解。書中的「孽子」是一些脆弱的孩子，被遺棄在街頭、被逐出家門、屢次從家中逃跑或是未被了解，他們聚集在半明半暗的隱密處，沉湎於為錢而做的愛，屈服於為他們短暫命運設置信標的長者，而最終，他們畢竟還是要在彼此宿命的運數中那種粗暴的、劇烈的溫柔裡相互取暖。聽到一則這隱密王國的傳說，他們都會目瞪口呆；這些孩子雖墮落和違反常情，但卻又感情豐富且樂於犧牲；前輩的故事在他們身上往往會起一種集體身分認同的作用。這些失落而頸上未戴項圈的孩子，他們因一些從他們的失勢中硬拉出來的不可思議的事而存活著。書中的「郭老」，一位性愛市場的享樂者，就在每一位「新人」來到時為他留住影像，他的「青春鳥集」是一本永恆的相簿，留存了在危險之中卻又被神化的青春少年。

馬爾桑讚美白先勇的才華，認為他在描寫節日、盛宴、沮喪、拘禁、到醫院探視衰竭的傅老爺子、為了竊取伴侶的心而親手刺死阿鳳的龍子的一切經歷等等情節時，就像是把許多不幸和苦難磨成金粉那樣完美。《孽子》有如一齣巴洛克式歌劇，美化了黑夜，讓一輪昏紅的月亮高掛在濕煤也似的空中。城市夜間那被掩蓋的一面在白先勇筆下是如此完美地被敘述著，以致讀者甚至忘掉世上還是有日出的地方。馬爾桑特別指出最令人激賞的片段，如阿青前往探視臨終的母親的那一幕是夢想的火花照耀著絕望，令人不忍卒讀的絕好文字：「一剎那，我感到我跟母親在某些方面畢竟還是十分相像的。母親一輩子都在逃亡、流浪、追尋，最後癱瘓在這張堆塞滿了發著汗臭的棉被的床上，罩在污黑的帳子裡，染上了一身的毒，在等死……。」（頁五六）；而妓院保鑣「烏鴉」兇狠殘忍地毒打「老鼠」的一幕更是以精確無比的筆墨描繪。作者改變了眼淚的形貌。明顯可見的書寫和節奏保障了最具暴力事件的美感；例如下面這一段：「而我一個人仍舊坐在……沉寂的等著，直到夜愈深，雨愈大，直到一個龐大臃腫的身影，水淋淋的閃進亭閣裡來，朝著我，遲緩、笨重，但卻咄咄逼人的壓凌過來。」（頁二一六）此外，像晚香玉後面閣樓上那一場賭牌九的描寫讀來令人幾乎窒息，靠妓女賣身維生的和妓女的嘴臉、偷竊、強暴和肉體的買賣等，黑色小說中的慣用詞彙在此都被作者以隱喻手法驅除掉，而令人耳目一新。書中每一個人物都過著幾個月可以預見的冒險生活，然而，作為陰影中的神話英雄，他們負著被人類背叛的希望；就像新公園中起伏動盪水池上的蓮花那樣，他們的純潔和天真緊緊糾纏這些秘密的敘述者，敘述著這一群被愛拒絕的孩子的驚險離奇經歷。

馬爾桑在結論部分強調，在心理分析作品貧乏的年代裡，白先勇是一位真正的作家，而《孽子》是一部傑出的小說。

另外一位書評家阿瑟哈的評論中，詳細的介紹了白先勇的家世背景及他早年創辦《現代文學》、出版現已成為中國現代文學經典的《台北人》等經歷，並遺憾《台北人》未被譯成法文。

阿瑟哈談起《孽子》在台北出版曾轟動一時以及根據此書而拍成的電影《孽子》。她認為在中國的古典文學作品中直至《紅樓夢》為止，同性戀的主題是存在的，但近一百五十年來卻沒有哪一部中國小說是以同性戀為書中題材。她提及《孽子》在中國大陸也有廣大的讀者群，這部書使得反同性戀的巴金十分不以為然。但事實上，阿瑟哈認為這並不是一部鼓勵同性戀的作品，它描寫的是一個圈子的事情：那是台北新公園水池邊的圈子，夜晚，一些離家的青少年圍繞在水池四周，尋找或等待願意買下他們一夜的成年男子。

阿瑟哈以為書中這個圈子充滿了佛教的意味，這些賣身的孩子的雙親，都相信他們被送到人世間是為了贖他們前生的罪；阿瑟哈分析說，書中的背景是六十年代初的台北，是一個還處處殘留著中日戰爭、國共內戰、自大陸撤退來台的痕跡的社會，原本在中國古老文明中所容許的事，在此卻為一種嚴峻的清教主義所取代；作者白先勇就像一位昆蟲學家，細細的觀察台北新公園的迷你社會：一個小小劇場，有主角、配角、跑龍套的，也有故事、有傳說。

作者的手法，除直接的敘述，像阿青在頭幾行所說的；「三個月零十天以前，一個異常晴朗的下午，父親將我逐出了家門。」也有間接的敘述，用到書信體，也不忽視書中青少年所沉迷的武俠小說。阿瑟哈認為《孽子》是屬於我們現代的社會，人們送亞美茄手錶給青少年，一面喝著歐美的烈酒，但實際上中國的靈魂及其幽靈仍盤踞著，它神話或歷史的典故、它的禮儀、它的信仰、對長輩的尊敬以及隸屬一個家庭的最基本需要：因為被家庭排斥驅逐是最糟的不幸。小說的第一部分描繪一個堅定不變的世界，有爭吵、愛情、供妓女使用的旅館、警察的巡邏等，甚至還有一段高尚的愛情，使大家心嚮往之以死收場的愛情；阿鳳和龍子的愛情。在手刃愛人刺著一龍龍花紋的心口之後，龍子被家人送往美國；他為阿青敘述他在紐約的遊蕩以及他所收留的流浪街頭的孩子們，他再回到台北，他是他自己的影子。阿瑟哈比喻說：白先勇的小說令讀者可能在一瞬間以為他非常喜歡故事中的殘酷性——妓女母親、失蹤的父親，還有不許參加父親葬禮的兒子，白癡和殘廢的孩子；但是這種殘酷卻又精準得像一枚針灸的針，深深地刺進治療的穴道。

阿瑟哈為小說的第二部分作了一個摘要之後結論說：「合上書本，這些人物仍如在眼前——楊教頭一會兒以淫媒為業，一會兒又是大恩人，他那柄大摺扇，一桿指揮棒似的，為這隱藏的世界作了佈局；有偷竊癖的老鼠，好吃零食的原始人阿雄仔等——於是，整個人性在你心中輕輕響起。」馬爾桑和阿瑟哈的評論可以反映出法國讀者對台灣小說和中國作家的看法。

《孽子》法譯本的譯者雷威安教授是一位著名的漢學家，也是一位非常優秀的翻譯家。他在一九二五年十一月二十四日出生於中國天津，一九三七年離開天津返回法國。一九四五年始於巴黎東方語言學校正式學習中文，一九七四年獲法國國家文學博士學位。歷任越南河內法國遠東學校負責人，法國波爾多第三大學中文組主任，巴黎第七大學中文系系主任，目前已退休。雷威安教授鑽研中國通俗文學、傳統小說，尤其是歷代話本及《金瓶梅》、《西遊記》等，有關譯著甚豐。一九八五年所譯之《金瓶梅全譯本》於巴黎出版，轟動一時；一九八九年後陸續出版《西遊記》和《聊齋誌異》等法譯本。雷教授曾數次訪台，曾出席一九八六年十二月二十九日至三十一日在南港中央研究院舉行之第二屆國際漢學會議，雷教授在會中發表的論文為〈金瓶梅與西遊記比較淺談〉，筆者曾於一九八七年一月二日為雷教授作過一次專訪，刊於《漢學研究通訊》第七卷第三期（民國七十七年九月出版），對雷教授個人的學習漢文經過、教學情形及法國的漢學研究概況等，有較詳細的報導和說明。

此次白先勇的《孽子》法譯版在歐洲引起如此廣大的重視和回響，小說本身的完美出色固然是最重要的原因，但雷威安教授精彩的譯文也是功不可沒。此外，小說題材的特殊，頗能引起法國人的興趣，法拉瑪利雍出版社以其名聲和雄厚財力所作的宣傳，都是此書成功的原因。

（唯有一點小疏忽，原出版社的名字被誤音譯為「允農文化」Yun nong wen hua。）

白先勇年表

民國二十六年　七月十一日生於廣西南寧，不足周歲遷回故鄉桂林，是年抗戰開始。

民國三十二年　就讀桂林中山小學一年級。

民國三十三年　逃難重慶，患肺病輟學。

民國三十五年　抗戰勝利後，隨家人赴南京、上海，居上海虹橋路養病兩年。

民國三十七年　遷居上海畢勛路（今汾陽路），復學就讀徐家匯南洋模範小學，是年底離開上海。

民國三十八年　暫居漢口、廣州。離開中國大陸赴香港。

民國三十九～四十一年　在香港就讀九龍塘小學，後入英語學校喇沙書院（La Salle College）念初中。

民國四十一年　赴臺灣與父母親團聚。
就讀臺北建國中學，首次投稿《野風雜誌》。

民國四十五年　入成功大學水利系，在報章發表散文。

民國四十六年　轉考臺灣大學外文系。

民國四十七年　首次在《文學雜誌》五卷一期發表〈金大奶奶〉。

民國四十八年　〈入院〉刊《文學雜誌》五卷五期，後改篇名為〈我們看菊花去〉。

民國四十九年　〈悶雷〉刊《筆匯》革新號一卷六期。
與級友歐陽子、王文興、陳若曦等人創辦《現代文學》，為台灣六〇年代最有影響力之文學雜誌。
〈月夢〉刊《現代文學》第一期。
〈玉卿嫂〉刊《現代文學》第一期。
〈黑虹〉刊《現代文學》第二期。

民國五十年　〈小陽春〉刊《現代文學》第六期。
〈青春〉刊《現代文學》第七期。
〈藏在褲袋裡的手〉刊《現代文學》第八期。
〈寂寞的十七歲〉刊《現代文學》第十一期。
〈金大奶奶〉由殷張蘭熙譯成英文，收入她所編之 *New Voices*（Taipei: Heritage, 1961）

民國五十年　臺灣大學畢業，服役軍訓一年半。

民國五十一年　〈畢業〉刊《現代文學》第十二期。
〈玉卿嫂〉由殷張蘭熙女士譯成英文，收入吳魯芹所編之 *New Chinese Writing*（Taipei: Heritage Press, 1962）

民國五十二年　母親病逝，赴美留學，入愛荷華大學。（University of Iowa）「作家工作室」

（Writer's Workshop）

民國五十三年　〈芝加哥之死〉刊《現代文學》第十九期。
〈上摩天樓去〉刊《現代文學》第二十期。
〈香港一九六〇〉刊《現代文學》第二十一期。
〈安樂鄉的一日〉刊《現代文學》第二十二期。

民國五十四年　獲碩士學位，赴加州大學・聖芭芭拉分校（University of California, Santa Barbara）任教中國語文。
〈火島之行〉刊《現代文學》第二十三期。
〈永遠的尹雪艷〉——《臺北人》首篇，刊《現代文學》第二十四期。
〈謫仙記〉——《紐約客》首篇，刊《現代文學》第二十五期。
〈香港——一九六〇〉自譯為英文，發表於*Literature: East & West*, VI.IX No.4。

民國五十五年　〈一把青〉刊《現代文學》第二十九期。
〈遊園驚夢〉刊《現代文學》第三十期。
父親病逝，返台奔喪。

民國五十六年　〈歲除〉刊《現代文學》第三十二期。
〈梁父吟〉刊《現代文學》第三十三期。
《謫仙記》短篇小說集出版，文星書店印行。

民國五十七年　〈金大班的最後一夜〉刊《現代文學》第三十四期。
出版《遊園驚夢》短篇小說集，仙人掌出版社印行。

民國五十八年　〈那片血一般紅的杜鵑花〉刊《現代文學》第三十六期。

民國五十九年　〈思舊賦〉刊《現代文學》第三十七期。
〈謫仙怨〉刊《現代文學》第三十七期。
〈滿天裡亮晶晶的星星〉刊《現代文學》第三十八期。
〈孤戀花〉刊《現代文學》第四十期。
〈冬夜〉刊《現代文學》第四十一期。
〈花橋榮記〉刊《現代文學》第四十二期。

民國六十年　〈秋思〉刊中國時報。
〈國葬〉刊《現代文學》第四十三期。
〈謫仙記〉由夏志清及作者譯成英文，收入夏志清所編 *Twentieth-Century Chinese Stories*（Columbia University Press, New York and London, 1971）。
出版《臺北人》短篇小說集，晨鐘出版社印行。

民國六十年　與七弟先敬創辦「晨鐘出版社」，出版文學書籍一百餘種。

民國六十二年　《現代文學》創刊十三年共五十一期，因經費困難而暫停刊。升副教授，獲終身教職。

民國六十四年　〈永遠的尹雪艷〉由 Katherine Carlitz and Anthony Yu 合譯成英文。
〈歲除〉由 Diana Granat 譯成英文。
右兩篇同載於 *Renditions* No.5 Autumn 1975（The Chinese University of Hong Kong）。
〈花橋榮記〉、〈冬夜〉由朱立民譯成英文，載於《中國現代文學選集》。

An Anthology of Contemporary Chinese Literature, Taiwan: 1949-1974, Vl. 2, Short Stories（Taipei, National Institute for Compilation and Translation, 1975）。

民國六十五年　〈冬夜〉由 John Kwan-Terry and Stephen Lacey 譯成英文，載於劉紹銘所編 *Chinese Stories From Taiwan:* 1960-1970（New York, Columbia University Press, 1975）。

歐陽子著《王謝堂前的燕子》（《臺北人》的研析與索隱），爾雅出版社印行。

民國六十六年　《寂寞的十七歲》小說集出版，遠景出版公司印行。

《現代文學》復刊。

民國六十六年　長篇小說《孽子》開始連載於《現代文學》復刊號第一期。

The Short Stories of Pai Hsien-yung（1938-）
by Bess Man-ying Ip, M.A. thesis.
University of Auckland, New Zealand

Western Influence in the Works of Pai Hsien-yung:
by Ssusan McFadden, M. A. thesis
University of Indiana.

民國六十七年　《孽子》繼續連載。

《臺北人》韓文版出版，許世旭譯，收於《世界文學全集》第七十九集，三省出版社。

Der Schriftsteller Pai Hsien-yung
Im Spiegel Seiner Kurzgeschichte "Staatsbegräbnis"
M.A. Thesis by Alexander Papenberg,
University of Heidelberg, Germany

民國六十八年　《驀然回首》散文集出版，爾雅出版社印行。
〈夜曲〉刊中國時報「人間」副刊。
〈永遠的尹雪艷〉刊於北京《當代》雜誌創刊號，此為首篇臺灣小說發表於中國大陸刊物。

民國六十九年　《白先勇小說選》出版，王晉民編選，廣西人民出版社印行。
〈遊園驚夢〉英譯刊香港中文大學《譯叢》第十四期，作者與 Patia Yasin 合譯。

民國七十年　《孽子》由新加坡南洋商報全本連載完畢。

民國七十年　升正教授。

民國七十一年　小說《遊園驚夢》作者改編成舞臺劇，在臺北國父紀念館演出十場，盛況空前。

民國七十一年　出版《遊園驚夢》劇本，遠景出版公司印行。出版《臺北人》，英譯"*Wandering in the Garden, Waking from a Dream*"印第安那大學（University of Indiana）出版，作者及 Patia Yasin 合譯，喬志高編。

民國七十二年　《白先勇短篇小說選》出版，福建人民出版社印行。
出版長篇小說《孽子》，遠景出版公司印行。
新版《臺北人》出版，爾雅出版社印行。

民國七十三年　〈金大班的最後一夜〉、〈玉卿嫂〉改編電影上演。

民國七十四年　《金大班的最後一夜》、《玉卿嫂》電影劇本出版，遠景出版社印行。
《孤戀花》改編電影上演。

民國七十四年　被加州大學・聖芭芭拉分部選為「年度教授」（Professor of the Year）

民國七十五年　〈玉卿嫂〉改編舞劇在香港上演，舒巧改編。

民國七十五年　《孽子》改編電影上演。
“*Einsam Mit Siebzehn*” 德譯《寂寞的十七歲》短篇小說集出版，Wolf Baus, Susanne Ettl 譯，Diederichs 印行。
《臺北人》，北京中國友誼出版公司出版。

民國七十六年　赴上海復旦大學講學，闊別三十九年首次重返中國大陸。
“Enfance á Guilin”法譯〈玉卿嫂〉出版，Francis Marche, Kong Rao Yu 譯，Alinea 印行。
《白先勇自選集》出版，香港華漢出版事業公司印行。
《骨灰》（《白先勇自選集》續篇）出版，香港華漢出版事業公司印行。
《孽子》出版，黑龍江北方文藝出版社印行。

民國七十六年　“Short Story Cycle as a Genre: A Comparative Study of Tales of Taipei Characters and Dubliners": by Chang Shusi-may, M. A.thesis, Tam Kang University, Taipei, 1987.

民國七十七年　《遊園驚夢》舞臺劇在廣州、上海演出，由廣州話劇團、上海崑劇團、上海戲劇學院等聯合演出。同年此劇又赴香港演出。

《孽子》，北京人民文學出版社出版。

《第六隻手指》，散文、雜文、論文集出版，香港華漢出版事業公司印行。

民國七十八年　《寂寞的十七歲》，短篇小說集改由允晨文化出版發行。

《孽子》，改由允晨文化出版發行。

《最後的貴族》電影上演，改自〈謫仙記〉，謝晉導演，上海電影製片廠攝製。

民國七十九年　《最後的貴族》在東京首演。

《最後の貴族》，日譯《謫仙記》等短篇小說集出版，東京德間書店印行。

"*Crystal Boys*"，《孽子》英譯本出版，Howard Goldblatt（葛浩文）譯，Gay Sunshine Press 印行。

民國八十年　《白先勇論》出版，北京社會科學院文學研究所袁良駿教授著，爾雅出版社印行。

《孤戀花》短篇小說集出版，北京文聯出版社印行。

民國八十年　"Image Cycle and History in Pai Hsien-yung's Taipei Jen"，M. A. thesis by Steven Reid, UCLA.

民國八十一年　《台北人》出版，北京人民文學出版社印行。
《現代文學》雜誌一～五十一期重刊，現文出版社出版，誠品書店發行，《現文因緣》同時出版。

民國八十二年　《永遠的尹雪艷》短篇小說集出版，長江文藝出版社印行。四十九年後重返故鄉桂林。

民國八十三年　《生命情結的反思》出版，林幸謙著，臺北麥田出版社出版。
九月，新編《第六隻手指》出版，爾雅出版社印行。

民國八十四年　《悲憫情懷——白先勇評傳》出版，劉俊著，爾雅出版社印行。
法譯《孽子》出版，"*Garçons de Cristal*", André Lévy 譯，Flammarion 出版。
德譯《孽子》出版，"*Treffpunkt Lotossee*", Bruno Gmünder 出版。

民國八十五年　《白先勇自選集》出版，廣東花城出版社印行。法譯《台北人》出版，"*Gens de Taipei*", André Lévy 譯，Flammarion 出版。

民國八十六年　〈玉卿嫂〉改編電視劇上演。加州大學聖芭芭拉分部圖書館成立「白先勇資料特別收藏」檔案。其中包括白先勇手稿。

民國八十七年　〈花橋榮記〉改編成電影。
《台北人》入選文建會及聯合報主辦「台灣文學經典」。發表散文〈樹猶如此〉紀念亡友王國祥。

民國八十八年　香港《亞洲周刊》遴選「二十世紀中文小說一百強」，《臺北人》名列第七。前六名分別為魯迅《吶喊》，沈從文《邊城》，老舍《駱駝祥子》，張

民國八十九年

愛玲《傳奇》，錢鍾書《圍城》，茅盾《子夜》。
上海文藝出版社出版「白先勇自選集」——《寂寞的十七歲》、《臺北人》、《孽子》三冊。
上海文匯出版社出版「白先勇散文集」——《驀然回首》、《第六隻手指》兩冊。
北京人民文學出版社選「百年百種優秀中國文學圖書」，《臺北人》入選。
〈金大班的最後一夜〉由山口守譯成日文，收入《臺北物語》短篇小說選集，國書刊行會印行。
〈花橋榮記〉、〈一把青〉譯成意大利文，譯者 Alfonso Contanza，發表於 *"Encuentros en Catay"* No.13 輔仁大學。
廣東花城出版社出版「白先勇文集」五冊，《寂寞的十七歲》、《臺北人》、《孽子》、《第六隻手指》、《遊園驚夢》，其中《臺北人》並附歐陽子之《王謝堂前的燕子》。
香港中文大學出版社出版《臺北人》中英對照本 *"Taipei People"*。
台北春暉國際影業公司拍攝電視傳記「永遠的《臺北人》」。
香港電台電視部（RTHK）拍攝電視傳記「傑出華人系列——白先勇」。
廣東汕頭大學召開「白先勇作品研討會」。
應「日本台灣學會」邀請為該年年會主講人，在東京大學宣讀論文〈60年代台灣文學——「現代」與「鄉土」〉，由池上貞子譯成日文，刊登於《日本台灣學會報》第三號。
北京作家出版社出版《臺北人》
《寂寞的十七歲》、《孽子》修訂版由臺北允晨文化出版發行。

民國九十年　香港迪志文化出版《遊園驚夢二十年》。
《中外文學》三十卷第二期刊出「永遠的白先勇」專號。
應法國國家圖書館邀請，往巴黎參加「中國文學的『現代性』」研討會，發表論文〈二十世紀中葉台灣的『現代主義』文學運動〉。
〈遊園驚夢〉譯成捷克文，收入*"Ranni Jasmin"*選集。

民國九十一年　二月，《樹猶如此》出版，聯合文學出版社印行。
二月，典藏版《臺北人》出版，爾雅出版社印行。
香港天地圖書公司出版散文集《昔我往矣——白先勇自選集》。
《中外文學》發表短篇小說〈Danny Boy〉。
《孽子》由「公共電視」改編為二十集連續劇。

國家圖書館出版品預行編目資料

孽子／白先勇作
. -- 增訂一版. -- 臺北市：允晨文化出版，民 88
面；　公分. --（當代名家；2）

ISBN 978-957-9027-78-6(平裝)

857.7　　81005157

孽子
當代名家2

作　　者：白先勇
發 行 人：廖志峰
執行編輯：楊家興
美術編輯：劉寶榮
法律顧問：邱賢德律師
出　　版：允晨文化實業股份有限公司
地　　址：台北市南京東路三段21號6樓
網　　址：http://www.asianculture.com.tw
e-mail：ycwh1982@gmail.com
服務電話：(02)2507-2606
傳真專線：(02)2507-4260
劃撥帳號：0554566-1
增訂一版：1990年3月
四十六刷：二〇一八年一月
製　　版：欣佑彩色製版印刷股份有限公司
印　　刷：盈昌印刷有限公司
裝　　訂：聿成裝訂

版權所有　翻印必究
定價：新台幣270元
ISBN：978-957-9027-78-6
本書如有缺頁、破損、倒裝，請寄回更換